Le Grand Livre
des histoires drôles
2013

Mina et André Guillois

Le Grand Livre des histoires drôles 2013

Illustrées par Bridenne

MARABOUT

Introduction

Selon l'humoriste américain Mark Twain, la race humaine n'a qu'une seule arme efficace : l'humour. Cela ne date pas d'hier. À en juger par le nombre de blagues dont Noé est le héros, une chose est sûre : les premières histoires drôles datent d'avant le Déluge.

Une voix se fait entendre d'au-delà des nuages :
« Noé, homme de peu de foi ! Pourquoi, alors que tu as construit ton Arche selon mes indications, éprouves-tu au moment d'appareiller le besoin de t'équiper d'un gilet de sauvetage ? »

L'anachronisme permet toutes les facéties en mettant en scène nos ancêtres les plus lointains.

Un homme des cavernes annonce à celle qui partage sa vie :
« Ça y est : j'ai enfin trouvé un logement, on va pouvoir emménager.
— Où cela ?
— À Lascaux, dans une vaste grotte. L'ennui, c'est que toute la décoration intérieure est à faire. »

À l'époque préhistorique, un chasseur aux aguets, prêt à abattre sa massue de granit sur une proie éventuelle s'inquiète :
« Cela fait déjà une heure que les réverbères publics sont éteints. J'espère qu'il n'en est pas de même pour les mammouths. »

Les plus grands amateurs d'histoires drôles ne sont pas toujours ceux qu'on imagine.
On interroge le réalisateur Sidney Lumet, révélé en 1957 par son film *Douze hommes en colère* :
— Quels sont les films que vous préférez ?
Avec humour, il répond :
— Parmi les miens ? Tous sont excellents. Il y en a de plus excellents que d'autres voilà tout.
— Et parmi les films des autres ?
— Tous les films d'Ingmar Bergman. J'ai dîné avec le réalisateur suédois chez un producteur italien et nous avons raconté des histoires drôles toute la nuit ; nous avons rigolé comme des bossus.

— Avec Bergman, le réalisateur de films si graves et si sombres ?
— Exactement. Il faut croire qu'il cachait bien son jeu.

Quant à François Mauriac, s'il avait glissé quelques histoires drôles dans ses romans, il aurait peut-être obtenu plus tôt le Prix Nobel de littérature. Il échoua trois fois avant d'être récompensé en 1952. En 1946, une belle litote d'un rapport soulignait que « peu de sourires illuminent son œuvre » et l'auteur du rapport concluait, avec une certaine déception : « Il n'y a rien de plus sérieux qu'un Français sérieux, sinon un Espagnol. »

*
* *

L'autodérision, tout est là.
— Au début, raconte le comédien Franck Dubosc, l'excellent interprète du film *Camping,* je racontais des histoires que je croyais drôles. Puis, j'ai compris que les gens riaient à mes dépens. Ils se foutaient de moi ! Alors, je me suis dit : « Me moquer de moi-même, voilà le filon ! » Je me suis regardé et j'ai vu un dragueur minable. J'avais tout compris.

L'auteur-réalisateur-interprète Woody Allen pratique lui aussi admirablement l'autodérision.
Il explique la raison de sa popularité : « Les gens croient que je suis un intellectuel parce que je porte des lunettes et ils pensent que je suis un artiste parce que mes films perdent de l'argent. »

S'il est un écrivain doué pour l'autodérision, c'est bien l'auteur d'*Au plaisir de Dieu,* Jean d'Ormesson, bien connu des téléspectateurs puisqu'il a participé et participe encore à de nombreuses émissions littéraires.
« Malheureusement, la formule que j'ai le plus entendu de la part de ravissantes jeunes filles rougissantes, raconte-t-il, c'est : "Ma mère vous admire tellement !" Puis, avec le temps, c'est devenu : "Ma grand-mère vous admire tellement !" Un jour, alors que je parlais des filles et petites-filles de mes admiratrices à Antoine Gallimard (l'éditeur), une jeune stagiaire entre dans la pièce. Elle me voit et me dit : "Je crois que vous êtes l'ami de mon arrière-grand-mère." Et c'était vrai ! »

*
* *

Un véritable humoriste ne dort jamais que d'un œil.
— Ma femme, raconte le créateur du *Chat,* Philippe Geluck, me dit que je ris en dormant. Une fois, je me suis réveillé pour écrire une pensée du Chat que j'avais rêvée :
« Si les moustiques étaient des abeilles, ils ramèneraient du sang à la ruche et les reines feraient du boudin. »

Un employé de bureau tente de justifier son retard :
« Mon réveille-matin habituel n'a pas fonctionné.
Son chef de service l'interroge :
— Vous aviez oublié d'en changer la pile ?
— Non, mais mes voisins qui sont fermiers avaient prévu pour leur repas de midi un coq au vin. »

*
* *

La romancière américaine Donna Leon qui conte avec beaucoup d'humour les enquêtes du commissaire Brunetti, dans le cadre enchanteur de Venise, joue les provocatrices en écrivant :
« Dans *Henri IV* de Shakespeare, l'un des personnages déclare : "Commençons par tuer tous les gens de loi." Comme la vie serait agréable de nos jours si nous pouvions dire : "Commençons par tuer tous les automobilistes." »

Ce serait dommage, malgré tout, car s'ils font beaucoup de bruit et causent une forte pollution, ils nous amusent énormément.

Après avoir fait le plein, un automobiliste exprime sa mauvaise humeur au propriétaire de la station-service :
« Tout de même, vous avez un certain culot de vendre l'essence à un prix pareil alors que j'ai lu que le litre était vendu moins de 20 centimes d'euros au Venezuela.
En ricanant, le pompiste suggère :
— Si cela vous tente tellement, pourquoi n'allez-vous pas acheter votre essence là-bas ?
— Une seule chose m'en empêche : je ne sais pas comment on dit "sans plomb 95" en vénézuélien. »

*
* *

Coluche adorait jouer avec les mots. En 1980, le fantaisiste, alors âgé de 35 ans, reçut dans sa maison, près du parc Montsouris, à Paris, la visite du journaliste et écrivain Philippe Labro. Celui-ci raconte : « Son petit magnéto portatif lui sert de carnet de notes verbal. Il l'a toujours avec lui et, à longueur de journée, il enregistre, une expression, une idée ou un jeu de mots qui lui servira plus tard : "Les travailleurs dénigrés" (pas mal, ça), "l'érection présidentielle pour l'élection présidentielle", (bien, ça peut servir). »

On rit plus facilement quand le comique fuse spontanément, dans la conversation, mais certaines histoires drôles reposent sur des calembours.

L'auteur d'*Un singe en hiver,* Antoine Blondin, s'en était fait une spécialité. Mathieu Galey raconte, dans son *Journal*, une de leurs rencontres : « Ce soir, à son douzième demi, il a l'œil vague, cela va sans dire. Mais le calembour jaillit de lui, dans une demi-conscience. Comme je commande un crème, il ajoute aussitôt : "Un crème parfait". »

Le même Galey, note encore dans son *Journal* : « En les épluchant, me vient cette pensée profonde : contrairement au haricot vert, le roman se doit d'avoir un fil. »

Le fabricant de bonbons Carambar s'est fait une spécialité des blagues « énormes » qu'il fait imprimer sur l'emballage de ses caramels.

Daniel Pennac, qui fut longtemps professeur avant de se consacrer à la littérature après les succès de ses premiers romans *La Fée Carabine* et *Monsieur Malaussène,* raconte : « Quand, en classes de seconde et de première, nous avions deux heures successives de français et qu'on grimpait, avec beaucoup de concentration, en altitude intellectuelle, je faisais une pause en distribuant un Carambar à chacun de mes élèves. Commençait alors un exercice de sottise et celui qui trouvait la blague la plus idiote gagnait un Carambar supplémentaire. Pendant cinq minutes, c'était un grand moment de rigolade, au terme duquel nous reprenions notre ascension, plus honorés encore de fréquenter les sommets. »

*
* *

Calembours et jeux de mots fleurissent surtout dans les histoires du type « Quel est le comble pour… ? » et les devinettes.

« Que fait un homme qui met ses échecs sur le dos des amis qu'il a connus sur un réseau social d'Internet ?

— Il les prend comme Facebook émissaires. »

Parfois, la drôlerie est involontaire.

Un homme dit à sa femme :
« Après le déversement accidentel d'une grande quantité de produits chimiques dans un lac, à la suite d'un orage, il s'est apparemment produit d'étranges mutations chez les poissons de ce lac.

— Qu'est-ce qui te fait dire cela ?

— Le témoignage d'un riverain que j'ai entendu ce matin, sur *France Info* : "Après cette catastrophe, toutes les carpes sont des truites". »

Tous les jeux de mots sont permis s'ils font rire.
Le représentant du pape en France dit à un nouveau domestique qui vient d'ouvrir ses rideaux :
« Lorsque vous venez me réveiller, le matin, demandez-moi avec courtoisie : "Monseigneur a-t-il bien dormi ?" au lieu de crier à tue-tête, comme vous venez de le faire : "Ça va, légat ?" »

*

* *

L'humoriste Anne Roumanoff qui, après vingt ans d'un travail acharné, remporte un grand succès ces dernières années, résume ainsi son métier.
« Mon ambition d'humoriste est d'aider les gens à accepter la dureté du monde et à supporter le quotidien. »
Et elle ajoute, quand on lui demande de définir son style : « J'essaie de réunir la lucidité sur la nature humaine et une certaine tendresse. C'est, si vous voulez : "On est dans la merde, mais il y a de l'espoir." »

Le fantaisiste François Rollin estime que : « Lorsque le philosophe n'est pas capable d'humour, il est juste un donneur de leçons. Symétriquement, quand l'humoriste ne réfléchit pas à l'avenir de l'homme et aux choses de son temps, il se contente d'être un amuseur de fin de banquet. »

C'est pourquoi tout ce qui fait l'actualité quotidienne peut fournir le thème d'une histoire drôle.

La chirurgie esthétique :
« Un curé affiche à l'entrée de son église cet avis à l'intention de ses paroissiennes :
"Faites pour votre conscience ce que vous faites pour votre visage. Venez vous confesser : la confession, c'est le Botox de l'âme". »

Twitter :
« Un médecin ouvre la porte de son cabinet et dit à la douzaine de personnes assises dans la salle d'attente : "Je n'ai plus le temps d'examiner qu'un seul d'entre vous. Je prendrai celui qui, sur Twitter, est capable de me décrire ses symptômes en moins de 140 signes". »

Les consoles de jeu :
« Qu'est-ce qui vous fait penser que votre chat est particulièrement intelligent ? demande une femme à une amie.
— Tous les chats du monde jouent des heures avec une pelote de laine. Mon chat, lui, dès que mon fils est parti pour l'école, s'installe devant sa console de jeu et il s'amuse comme un fou jusqu'au déjeuner. »

Les énergies nouvelles :
« Jamais, dit un agriculteur, vous n'installerez une éolienne de 50 mètres de haut dans mon champ, à proximité de notre ferme. Ma femme ne le supporterait pas.
Le représentant de la société qui veut absolument implanter ces gigantesques machines dans tout le pays, a une idée :
— Et si vous disiez à votre femme qu'il s'agit d'un grand ventilateur pour chasser les mouches qui harcèlent vos vaches ? »

Le téléphone portable :
« Chéri, annonce une femme à son mari, tu ne devineras jamais ce que notre petit Kilian a fait, en empilant ses cubes portant les lettres de l'alphabet.
— Il a écrit son premier mot ?
— Mieux que cela. Il a grimpé sur son tas de cubes pour attraper mon portable sur le guéridon afin d'envoyer son premier SMS. »

*
* *

L'ordinateur a donné naissance à des centaines d'histoires drôles.

Une secrétaire a affiché cet avis, bien en évidence, sur son bureau :
« L'erreur (au singulier) est humaine. Si vous souhaitez une accumulation d'erreurs, achetez un ordinateur. »

« Affligé d'une insatiable curiosité, un homme interroge, une fois de plus sur le Net, l'encyclopédie *Wikipedia* qui lui répond : "Désolés de vous décevoir mais les connaissances de *Wikipedia* ont des limites. Nous ne sommes ni Pic de la Mirandole ni Julien Lepers". »

*

*   *

L'idéal est de rire non pas des autres mais avec les autres, en n'oubliant jamais qu'on peut facilement, soi-même, être une cible.

Un farceur entre chez un antiquaire et demande au vendeur :
« Vous annoncez dans votre vitrine "Occasions". J'aimerais trouver chez vous une bonne occasion de rire.
L'antiquaire n'hésite pas :
— J'ai ce qu'il vous faut : ce magnifique miroir du XVIIIe siècle. Pour être sûr de vous esclaffer, il vous suffit de vous regarder dedans. »

Mina et André Guillois

L'amour, toujours l'amour

————— *1*

Un homme d'affaires a convaincu sa nouvelle assistante d'abandonner son ordinateur pour quelques heures.

Ils quittent ensemble le bureau et prennent un taxi qui les amène à un hôtel où ils passent la journée à faire l'amour avec passion.

Vers 7 heures du soir, ils quittent le lit et s'habillent. L'homme sort alors de son attaché-case un sac en plastique contenant du sable humide mêlé à des brins d'herbe. Avant de quitter l'hôtel, il frotte soigneusement ses chaussures de ce mélange, puis il rentre chez lui.

— Je t'ai appelé cet après-midi, lui dit sa femme, où étais-tu passé ?

— Ma chérie, je ne te mentirai pas. J'ai emmené ma jeune et jolie assistante à l'hôtel où nous avons passé la journée à faire l'amour comme des bêtes.

L'épouse jette un coup d'œil aux chaussures de son mari.

— Ne me raconte pas d'histoire, lui dit-elle. Je vois très bien que tu as encore perdu ton temps à aller jouer au golf.

————— *2*

— Depuis que ma femme a quitté le domicile conjugal, raconte un homme, je n'arrive plus ni à dormir ni à manger.

— Vous avez tant de chagrin que cela ?

— C'est surtout qu'elle a emporté, en partant avec son amant, le lit et la cuisinière à gaz.

———— **3**

Un homme qui rentre chez lui à l'improviste est surpris de voir la camionnette d'un exterminateur de nuisibles, garée devant son pavillon.

En entendant la porte s'ouvrir, sa femme dit à l'amant avec lequel elle était en train de folâtrer :

— Vite, cache-toi dans cette penderie !

— Mais, je suis tout nu.

— Aucune importance.

Le mari entre dans la chambre et ouvre immédiatement la penderie où s'est caché l'amant de sa femme.

— Que faites-vous là ? lui demande-t-il.

— Votre femme m'a appelé parce qu'elle avait remarqué des mites dans sa penderie.

— Admettons, mais pourquoi êtes-vous complètement nu ?

— J'étais habillé en entrant dans la penderie, mais vous n'imaginez pas à quel point ces sales bêtes sont voraces !

———— **4**

La future mariée explique à son fiancé :

— Quand Monsieur le maire te pose une question, il te suffit de répondre : « oui ». Ne fais pas comme avec moi quand tu me réponds : « Je t'envoie mon accord par SMS et, après, on pourrait se faire une petite bouffe. »

———— **5**

Une étudiante en ornithologie demande à l'un de ses camarades de cours :

— Aurais-tu par hasard un livre sur les cigognes ?

— Oui, j'en possède un, très complet. Tu peux passer le chercher ce soir, dans mon studio, si tu veux. À propos, si tu ne veux pas avoir d'enfants, sache que j'utilise toujours un préservatif.

———— **6**

Don Quichotte est très déçu :

— Je suis allé sur un site de rencontres, dit-il, et j'ai exprimé mon désir de trouver enfin ma Dulcinée.

— Et alors ?

— Ce stupide ordinateur a confondu Dulcinée et calcinée. Et il m'a mis en rapport avec Jeanne d'Arc.

———— **7**

— Que se passe-t-il mon chéri ? demande une femme à son mari. Tu as l'air soucieux.

— Il y a de quoi. J'ai absolument besoin de 1 000 euros pour finir le mois.

— Ne te tracasse pas, dit l'épouse. Fouille dans le tiroir de ma coiffeuse et tu trouveras tes 1 000 euros.

— Mais, comment est-ce possible ?

— Depuis le premier jour de notre mariage, j'ai pris l'habitude de mettre dans ce tiroir un billet de 10 euros, à chaque fois que tu m'avais fait l'amour.

Devant l'air sombre de son mari, la femme lui dit :

— Tu devrais pourtant être content.

— Non, parce que je pense à tout l'argent que j'ai perdu en couchant bêtement avec ma secrétaire.

———— **8**

Une femme a décidé de quitter son mari pour refaire sa vie avec un charcutier. Avant d'abandonner le domicile conjugal, elle laisse ce petit mot, bien en évidence, à l'intention de son époux :

« J'en ai marre de te voir passer des soirées entières à faire des mots croisés. J'espère trouver le bonheur avec un homme dont le métier, en dix lettres, peut se définir ainsi : "Il a une tête de cochon" mais, contrairement à toi, il en tire des choses délectables. »

———— **9**

Pendant un bal costumé, un homme, déguisé en fleur de lys demande à une jeune femme qui porte une tenue d'abeille :

— Ça vous dirait de butiner mon pistil ?

———— *10*

À Londres, une banque a mis à la disposition de ses employés un registre sur lequel ils sont invités à indiquer le motif d'un éventuel retard.

En général, le premier retardataire écrit : « Brouillard » et les suivants se contentent de signer après avoir porté la mention « dito » (qui veut dire : la même chose).

Un jour, le plus matinal des retardataires donne comme raison :

« Quand j'ai ouvert l'œil, ce matin, ma femme, couchée à côté de moi, avait rejeté sa couverture. Totalement nue, elle était tellement appétissante qu'au lieu d'aller prendre ma douche, je me suis jeté sur elle comme une bête fauve et nous avons fait l'amour comme des bêtes ».

Et les 125 employés arrivés après lui écrivent, sans sourciller, sur le registre : « dito ».

———— *11*

Une femme résume ainsi sa triste vie sentimentale :

— La dernière fois que j'ai dit : « Je t'adore », c'était à un chou à la crème et « Je t'aime à la folie », c'était à un tiramisu.

———— *12*

Un joyeux célibataire entre dans une pharmacie.

— Que puis-je pour vous ? lui demande le pharmacien.

— Je voudrais des préservatifs. Voyez-vous, demain, ma petite amie a convaincu ses parents de m'inviter à dîner pour faire ma connaissance. Ensuite, je lui proposerai de faire un tour dans ma BM, nous nous arrêterons dans un coin tranquille et nous ferons l'amour comme des fous !

— Alors, s'impatiente le pharmacien, je vous mets combien de préservatifs ?

— Une douzaine.

Le lendemain, le play-boy vient dîner chez les parents de sa petite amie. Après quoi il propose à celle-ci de faire un tour en voiture. Une heure plus tard, il la ramène au domicile de ses parents sans avoir tenté la moindre approche.

— Tu ne m'avais pas dit, s'écrie la jeune fille, atrocement déçue, que tu avais fait vœu de chasteté.

— Et, toi, tu ne m'avais pas dit que ton père était pharmacien.

——— *13*

Alors que son train va démarrer, un homme qui part en voyage d'affaires, dit à sa femme, restée sur le quai de la gare :
— Surtout, ne me trompe pas pendant mon absence.
— Rassure-toi, mon amour, répond-elle, avec un large sourire, l'idée de te tromper ne me vient que lorsque je te vois.

——— *14*

Un garçon très amoureux offre à sa petite amie un bouquet composé de sept roses.
Ravie de ce présent, elle le remercie d'un baiser langoureux.
Dès qu'il est dégagé de son étreinte, le garçon se met brusquement à courir.
— Tu me quittes déjà, lui crie la jeune fille.
— Non. Mais je viens de faire une règle de trois. Si tu m'accordes un tendre baiser pour sept modestes fleurs, je reviens dans un quart d'heure avec un bouquet de 49 roses. Et on file droit au lit !

——— *15*

— Quand je pense, soupire une femme, aux heures que j'ai passées, dans la grande surface de mon quartier, à vérifier que les yaourts que je m'apprêtais à acheter n'avaient pas dépassé la date limite – et, que, sur un coup de tête, je me marie avec cet individu de plus de cinquante ans !

——— *16*

Une femme se présente à un éleveur de volailles :
— Je suis Mme Durandard, l'épouse de votre député, lui dit-elle. Il doit venir vous rendre visite demain et je voulais vous poser une question : "Un bon coq fait-il l'amour une fois ou plusieurs fois par jour ?"
— De très nombreuses fois.
— C'est bien ce que je pensais. Ne manquez pas de signaler ce détail à mon mari qui est un peu défaillant, sur ce point, depuis quelque temps.
— Entendu, Madame.
Le lendemain, le député arrive. Il visite l'élevage et demande au directeur :
— Un bon coq fait-il l'amour une fois ou plusieurs fois par jour ?
— De très nombreuses fois, répond le directeur... avec des poules différentes, bien sûr.
— C'est bien ce que je pensais, dit le député. Ne manquez pas de signaler ce détail à ma femme, quand vous la reverrez.

—————— *17*

— Ma femme, raconte un homme à une collègue de travail, ne s'est vraiment épanouie que lorsqu'elle a découvert la sexualité de groupe.
— Cela devrait vous enchanter ?
— Malheureusement, je ne fais pas partie du groupe.

—————— *18*

En accueillant son petit ami avec lequel elle s'apprête à passer la soirée, une jeune fille lui demande, avec une mine gourmande :
— Alors, que va être, ce soir, mon étudiant en médecine chéri : le terne Dr Jekyll, à peu près aussi excitant qu'un comprimé d'aspirine, ou le joyeux Mister Hyde dont l'esprit inventif ne cesse de m'éblouir ?

—————— *19*

Une femme, mariée à un éjaculateur précoce, lui dit :
— Il faut absolument que tu fasses l'éducation sexuelle de notre grand fils. J'espère que, pour une fois, tu ne vas pas liquider cela en moins de 30 secondes.

—————— *20*

— Durant des années, raconte une femme, j'ai cherché un mari au hasard des rencontres, comme un cochon qui aurait erré dans la campagne en espérant trouver une truffe.
— Et alors ?
— Eh bien, un jour, j'ai lu que les truffes ne poussaient que dans les forêts de chênes. C'est alors que j'ai décidé de passer quinze jours au Club Med. Et là, j'ai enfin déniché l'oiseau rare.

—————— *21*

Un homme qui rentre chez lui plus tôt que prévu trouve sa femme au lit avec un amant.
— J'exige, hurle-t-il, une explication franche et toute la vérité.
L'infidèle se tourne vers son amant et lui dit, en riant :
— Ça, c'est Guillaume tout craché ! Me réclamer deux choses complètement contradictoires !

—— *22*

Un spécialiste des relations sexuelles pose la question suivante à un Anglais, un Allemand et un Français :
— Pour inciter une femme à faire l'amour, où l'embrasseriez-vous ?
— Sur le front, répond l'Anglais.
— Sur les lèvres, répond l'Allemand.
— Et vous ?
— Je n'ai pas fait attention aux réponses précédentes, répond le Français. Après avoir embrassé la femme en question, entre les cuisses, comme elle l'aime, elle était tellement excitée que je n'ai pas eu la patience de vous attendre pour qu'on passe aux choses sérieuses.

—— *23*

— Ça y est, demande une agricultrice à son mari, tu as passé la moissonneuse-batteuse dans le champ de blé ?
— Oui. J'ai recueilli 800 kilos de grain, 60 balles de foin et deux couples d'amoureux en train de faire une partie de jambes en l'air !

—— *24*

— Merci pour votre cadeau, dit une belle blonde à l'un de ses admirateurs. Cela a été, pour moi, une grande surprise.
— Vous ne vous attendiez pas à un tel bijou ?
— En fait, il ne vaut pas une clopinette. La surprise vient surtout du fait que l'analyse graphologique de votre écriture que j'ai fait faire révélait un tempérament très généreux.

—— *25*

Dans la salle d'attente d'une maternité, deux hommes qui font les cent pas, échangent quelques propos.
— C'est bien joli, un bébé, dit le premier, mais quand il arrive, cela vous désorganise complètement un budget.
— Qu'est-ce que vous diriez à ma place ? enchaîne le second. Au cours du même mois, j'ai eu à payer, successivement, les frais du mariage puis un voyage de noces à Venise et, maintenant, la naissance de notre premier enfant.

─────── **26**

Un homme des cavernes confie à un membre de sa tribu.
— Tu vois cette belle blonde, là-bas ? L'an passé, je l'ai eue pendant six mois pour maîtresse. Ah ! je ne suis pas près d'oublier cette belle préhistoire d'amour !

─────── **27**

— Pour moi, dit un infatigable dragueur, le désir d'amour s'apparente à la faim : cela me plairait bien d'aller souvent déjeuner au Bristol, chez Fréchon ou au Meurice, chez Alleno, mais je me dis qu'un BigMac chez McDo, ça rassasie également.

─────── **28**

Une jeune mariée qui a découvert avec bonheur les joies du sexe, dit à son époux :
— Je te propose une chose : nous ferons l'amour à chaque fois que nous entendrons sonner l'heure au clocher de l'église.
— D'accord, ma chérie.
Ils marchent à ce rythme une fois, deux fois, trois fois, quatre fois...
Au moment où le jeune homme savoure un peu de repos, sa femme lui dit :
— Ça sonne ! Vite, on remet ça !
— Mais, proteste-t-il, 7 heures ont sonné à l'église, il n'y a pas dix minutes.
— Certes, mon Biquet, mais tu ne vas quand même pas négliger une sonnerie sous prétexte que c'est la cloche du marchand de glaces !

─────── **29**

On interroge une femme :
— Comment avez-vous fait la connaissance de celui qui allait devenir votre mari ?
— De la façon la plus romantique qui soit.
— Racontez-nous vite.
— Nous participions à un pique-nique. Il mangeait un sandwich au rosbif froid et il ne me quittait pas des yeux.
— Il était fasciné par votre beauté ?
— C'est surtout que j'avais la moutarde et la mayonnaise.

——— *30*

Un homme habitant au rez-de-chaussée, dit à l'ouvrier qui défonce le trottoir en face de chez lui au marteau-piqueur.

— Après une longue correspondance, je suis en train d'écrire à une jeune femme et je tremble d'émotion à l'idée de la voir nue, après-demain, pour la première fois. Pourriez-vous m'aider à rendre ma main réellement tremblante en poussant votre engin infernal au maximum ?

——— *31*

Une superbe fille, qui a servi de modèle, des mois durant, à un photographe, est ulcérée quand celui-ci lui annonce qu'il veut la quitter.

— Tu n'as pas honte, espèce de monstre ? lui dit-elle. Me quitter alors que je t'ai sacrifié les meilleurs centièmes de seconde de mon existence.

——— *32*

Un célibataire irlandais dit à la responsable d'une agence matrimoniale :
— Je cherche une femme à épouser : j'aimerais que ce soit une O'Casey.
— J'ai quelqu'un d'assez proche qui pourrait vous convenir, dit la marieuse : Mary Murphy.
— Mais ce n'est pas une O'Casey !
— Non, mais c'est une bonne occasion.

——— *33*

— Je n'achèterai plus jamais un livre sur Internet, dit une femme : leurs délais de livraison sont trop longs. Trois mois avant de me marier, j'avais commandé un manuel d'éducation sexuelle, intitulé *L'amour sans risque.*
— Et alors ?
— Quand je l'ai reçu, j'étais à la clinique où je venais de donner le jour à des jumeaux.

——— *34*

Un jeune homme qui doit partir en croisière sur la Méditerranée avec sa petite amie demande à une pharmacienne :
— Donnez-moi une boîte de 50 pilules contre le mal de mer et cinq douzaines de préservatifs.
— Voilà, Monsieur... Mais, puis-je me permettre une suggestion ?
— Bien sûr. Laquelle ?
— Si l'amour vous fait tellement mal au cœur, pourquoi vous obstinez-vous ?

——— **35**

— En rentrant un soir, raconte un adolescent, mon père voit une échelle posée contre le mur de notre maison et, grimpé dessus, à hauteur de la chambre de ma sœur, un garçon du village.

— Qu'a fait ton père en voyant que ce garçon voulait enlever ta sœur ?

— En réalité, il l'avait enlevée huit jours plus tôt, mais ce qui a rendu mon père furieux, c'est qu'il la ramenait.

——— **36**

Lors de sa dernière permission, un militaire en service à l'étranger avait dit à sa femme enceinte :

— Quand tu auras accouché, ne m'envoie pas un mail disant : « Le bébé est né ». Je ne veux pas que cela suscite les quolibets de mes camarades.

— Que dois-je faire, alors ?

— Rédige ton message de façon plus anodine. Par exemple, écris : « La choucroute est arrivée. »

— Entendu, répond la femme.

Et quelques semaines plus tard, le militaire reçoit ce mail :

« Trois choucroutes arrivées… dont deux avec francfort. »

——— **37**

Dans une salle de restaurant bondée, le ton monte entre deux convives.

— Tu n'as aucune imagination, crie le marié et je me demande qui pourrait avoir plaisir à faire l'amour avec toi.

Toute la salle écoute, dans l'attente de la réplique de l'épouse.

— Et alors, répond celle-ci d'une voix forte, avoue que, lorsque je t'ai dit ça la première, tu n'as rien trouvé à me répondre !

——— **38**

Un fanatique du recyclage dit à la jeune femme qu'il connaît depuis peu :

— J'avais songé, un instant, à refaire ma vie avec toi mais, pour rester fidèle à mes convictions, je vais plutôt épouser une deuxième fois mon ex.

———— *39*

Un génie de l'informatique a mis au point un ordinateur capable de répondre à n'importe quelle question. Il propose au directeur de son usine de l'expérimenter. Celui-ci l'interroge :

— Quel est mon nom ?

— Frédéric Bucalot.

— En effet. Quel est le principal défaut de ma femme ?

— La gourmandise.

— Très juste. Quel est mon morceau de musique classique préféré ?

— *La Symphonie du nouveau monde*, d'Antonin Dvoràk.

— C'est fantastique ! Une dernière question : où mon père est-il en ce moment ?

— Il est à la pêche à la truite, en Auvergne.

— Ah ! cette fois, je prends votre machine en défaut, dit, en riant, le directeur. Mon père, Jean-Paul Bucalot, est en voyage d'affaires à Lille. Je l'ai eu au téléphone il y a moins de dix minutes.

L'ingénieur qui a conçu l'ordinateur ne se démonte pas :

— Nous allons prier l'ordinateur de préciser sa pensée.

— C'est vrai, répond l'ordinateur, le mari de votre mère, le nommé Jean-Paul Bucalot, est, effectivement, à Lille, en ce moment. Mais *votre père*, lui, est bien à la pêche à la truite en Auvergne.

———— *40*

— Que t'est-il arrivé ? demande un homme à un ami. Tu es tout pâle et tu sembles au bord de l'épuisement.

— Figure-toi que j'ai commis la folie d'aller passer ma lune de miel en Bretagne, au mois de juillet.

— Et alors ?

— Il a plu tout le temps. Que peuvent faire deux jeunes mariés dans une chambre d'hôtel quand il pleut à torrent ? Il n'y a guère que deux activités possibles et ma femme a horreur de la belote.

———— *41*

— Ta façon de m'annoncer que tout était fini entre nous est très spirituelle, dit une femme à son amant. J'ai beaucoup aimé l'envoi de la gerbe de fleurs avec la mention « Regrets ».

— Tu as vraiment apprécié ?

— Oui. Et cela m'a donné une idée. Pour rester dans le même esprit, je me suis acheté un revolver.

——— *42*

Dans un magasin de farces et attrapes, un homme demande du fluide glacial, du poil à gratter, des dragées au poivre et une douzaine d'autres articles du même genre.

— Je parie, lui dit le vendeur, que c'est pour un mariage.

— En effet.

— Et que vous êtes le garçon d'honneur.

— Là, vous vous trompez. Je suis le marié.

— Excusez-moi, mais si vous êtes le marié, je ne comprends pas très bien, ce que vous comptez faire de tout cet attirail.

— Vous allez comprendre. Ma fiancée et moi couchons ensemble depuis trois ans. Si je veux qu'elle se souvienne de sa nuit de noces, il vaut mieux que je trouve de l'inédit.

——— *43*

La femme d'un diplomate est sur le point de céder aux avances du fougueux ami de la famille qui l'a entraînée sur le divan, mais tente mollement de le dissuader :

— Voyons, Philippe, soyez raisonnable. Vous savez bien que mon mari est en poste à Tokyo et qu'il peut donc venir passer quelques jours de congé à Paris d'un mois à l'autre.

——— *44*

Après un cours d'éducation sexuelle, un lycéen demande à son professeur :

— Madame, quelle est la différence entre le stupre et la fornication ?

— J'ai pratiqué les deux, répond l'enseignante et, franchement, pour moi, c'est du pareil au même.

——— *45*

Un homme rentre du bureau, très excité. Dès que sa femme lui ouvre la porte, il lui dit :

— On fait l'amour ?

— Hélas ! répond sa femme, en éclatant en sanglots, je n'ai pas le cœur à cela : je viens d'apprendre la mort de ma mère.

L'homme console sa femme et celle-ci, après avoir pleuré pendant plus d'une heure, accepte enfin de le rejoindre au lit.

Mais soudain, le portable de l'épouse sonne. Elle répond et éclate de nouveau en sanglots.

— Alors, questionne le mari, nous ne faisons plus l'amour ?

— Il n'en est pas question ! C'était ma sœur jumelle qui m'annonçait une terrible nouvelle : sa mère est morte aussi.

───── **46**

Une femme est en train de donner le jour à son premier enfant et pousse des cris déchirants.

Bouleversé, son mari, qui lui tient la main, gémit :

— Et dire que c'est à cause de moi, tout cela.

Aussitôt, son épouse le rassure :

— Mais non, mais non.

───── **47**

En sortant de la mairie où vient d'être célébré leur mariage, une jeune femme dit à son époux :

— C'est merveilleux de savoir que nous sommes unis, et cela *pour toute la vie*.

— Décidément, répond-il, très en colère, ça ne te passera donc jamais, cette manie de ne voir que le mauvais côté des choses !

───── **48**

Une jeune femme, ultra-maquillée, va consulter un grand chirurgien.

— Voici mon problème, lui dit-elle. J'ai déjà eu quelques douzaines d'amants, mais je viens de faire la connaissance de l'homme idéal : un play-boy, très riche, qui m'adore et veut m'épouser.

— Vous avez de la chance.

— Le seul ennui, dit-elle, c'est qu'il veut que la femme qu'il épouse soit vierge. Alors, j'ai pensé que, peut-être, vous pourriez procéder à une greffe qui lui donnerait l'illusion…

— Certainement, fait le chirurgien, c'est facile. Je vais vous opérer dès demain.

L'opération se passe à merveille et l'homme au bistouri vient voir sa malade lorsqu'elle se réveille.

— Eh bien, questionne-t-il, comment vous sentez-vous ?

— Excusez-moi, dit l'opérée, mais je ne vous entends pas bien.

— Ah ! oui ! annonce le chirurgien, c'est vrai, j'avais oublié de vous prévenir qu'après cette opération, vous seriez sourde d'une oreille. Pour vous greffer un hymen, j'ai dû vous prélever un tympan.

——— *49*

Une femme retrouve une amie qu'elle n'a pas vue depuis longtemps. Elle l'interroge :
— Où en est ton histoire d'amour avec Sébastien ?
— C'est complètement fini.
— Vous vous êtes séparés ?
— Non : il m'a épousée.

——— *50*

— Mes relations amoureuses avec ma femme, explique un homme, s'apparentent aux jeux Olympiques.
— Vous accomplissez tous les deux des performances extraordinaires ?
— C'est surtout qu'elles ont lieu à peu près tous les quatre ans.

——— *51*

Un homme, tremblant de désir, vient trouver une prostituée.
— Combien me donnes-tu ? questionne-t-elle.
— 84,25 euros, répond-il.
— Pourquoi pas 100 euros tout ronds ?
— Parce que, explique l'homme, c'est tout ce que mon gamin avait dans sa tirelire.

——— *52*

Petite annonce sur un site de rencontre :
« Jeune homme bien monté voudrait, maintenant, redescendre. Une belle blonde viendra-t-elle me récupérer au 3ᵉ étage de la tour Eiffel où je l'attendrai, toute la journée, lundi prochain. Surtout, qu'elle n'arbore pas un décolleté vertigineux. La tête me tourne déjà assez comme cela. »

——— *53*

Un jeune homme vient chercher sa fiancée pour l'emmener au cinéma. C'est le petit frère de l'adolescente qui lui ouvre la porte :
— Chloé, se met-il à hurler, c'est ce grand cornichon, celui dont papa dit que si tu te faisais faire un enfant par un dégourdi pareil, c'est sûrement que tu l'aurais violé !

───── **54**

La maîtresse d'un chef d'entreprise est déjà au lit.

— Pendant que tu étais dans le cabinet de toilette, lui dit-elle, j'ai feuilleté ton carnet d'adresses. Comment se fait-il que je n'y figure pas ?

— Mais, répond-il, tu y figures, mon trésor.

— Pas à Zouzou, en tout cas.

— Non, c'est vrai. Pas à Zouzou.

— Pas à Lilas, non plus.

— Non pas à Lilas.

— Pas à S. Bargeton.

— Effectivement. Pas à S. Bargeton.

— Mais, alors, à quoi est-ce que je suis classée ?

— À « Pattes en l'air », bien sûr.

───── **55**

— Franck, dit une femme à son mari, c'est décidé : je te quitte pour refaire ma vie avec le directeur des ressources humaines d'une grande entreprise.

— Et qu'attends-tu de moi ?

— Il va peut-être se poser des questions sur mes performances amoureuses.

— Et alors ?

— Pourrais-tu me rédiger une lettre flatteuse qui me servirait de références ?

───── **56**

— J'ai acheté un parfum qui, si l'on en croit son créateur, attire les hommes, dit une femme à une collègue de bureau.

— Moi, j'en utilise un bien plus efficace.

— Comment cela ?

— Lui aussi attire les hommes, mais uniquement ceux de moins de trente ans avec une excellente situation.

───── **57**

Au cours d'une de ses tournées, un jeune veilleur de nuit a fait la connaissance d'une femme d'un certain âge encore séduisante. Il l'entraîne dans un coin obscur pour l'embrasser fougueusement en la serrant dans ses bras.

— Oh ! glousse-t-elle, émoustillée, est-ce que je vous fais vraiment envie à ce point-là... où est-ce votre lampe torche que je sens ?

——— *58*

Une femme entre dans un commissariat pour signaler la disparition de l'homme avec lequel elle vivait en concubinage depuis dix ans.

— Signalement ? questionne le policier.

— Il est grand – plus de 1,80 m –, svelte, élégant. Il a une abondante chevelure brune et frisée, de beaux yeux bleus...

À ce moment, le commissaire, qui vient d'arriver, intervient :

— Excusez-moi, madame Martinot, mais je connais bien votre compagnon. Or, autant que je me souvienne, c'est un petit gros à lunettes, chauve comme un œuf...

— C'est vrai, monsieur le commissaire. Mais, autant qu'on me ramène un homme qui me plaise.

——— *59*

Deux femmes échangent des confidences :

— Mon mari, dit l'une, est d'une jalousie féroce.

— Pour toi, ce doit être très désagréable.

— Et ton mari à toi, comment est-il ?

— Absolument pas jaloux.

— Pour toi, ce doit être vraiment odieux.

——— *60*

— Maître, dit une jeune femme à un avocat, je veux demander le divorce.

— Pour quel motif ?

— Mon mari me trompe.

— Vous avez des preuves ?

— Non, mais une intime conviction.

— Et quelle conviction ?

— Je suis persuadée qu'il n'est pas le père de mon dernier enfant.

——— *61*

Un masochiste fait paraître cette annonce sur un site de rencontres :

« Né sous le signe du Lion, je cherche à connaître une bonne dompteuse. »

——— *62*

— Alors, dit le père au garçon qui attend que sa fiancée ait fini de se préparer, pour l'emmener au cinéma, comme cela, vous êtes intérimaire.
— Pas du tout ! j'ai un C.D.I.
— Je voulais, dit le père, parler de votre situation de fiancé de ma fille.

——— *63*

Un représentant dit à la jeune femme qui lui a ouvert sa porte :
— Aimeriez-vous connaître *L'art de la séduction en douze leçons faciles* ?
— Euh...
— Le temps que vous passiez un déshabillé sexy et que, de mon côté, j'ôte mon pantalon et je vous donne la première leçon.

——— *64*

La veille de son mariage, une jeune femme prend à part son futur époux :
— Mon chéri, lui dit-elle, il faut absolument que je te confesse quelques petites bêtises sans conséquence... enfin, des aventures que j'ai eues avec des hommes que j'ai beaucoup aimés.
— Mais, mon trésor, tu m'as déjà tout raconté avant-hier.
— Justement... C'était avant-hier.

——— *65*

Un homme entre dans une pharmacie pour faire soigner son nez meurtri.
— Que vous est-il arrivé ? lui demande le pharmacien.
— J'ai toujours eu l'habitude de me retourner quand je voyais passer une superbe femme. J'aurais mieux fait de me retourner en ne voyant pas un réverbère.

——— *66*

— Hier soir, raconte une assistante de direction à une collègue, j'avais accepté l'invitation du beau blond de la comptabilité de faire un tour à bord de sa Porsche, dans la pinède.
— Et alors ?
— La soirée se déroulait à merveille quand il m'a fait le coup de la panne.
— Tu devais t'y attendre.
— Certes mais ce qui me met en boule, c'est que sa superbe voiture, *elle*, était en parfait état de marche.

─── **67**

À l'issue de la nuit de noces, une femme demande, un peu inquiète, à son époux :

— Tu n'es pas trop déçu que je n'aie manifesté aucun signe de plaisir quand tu m'as fait l'amour ?

— Non, ta froideur ne m'a pas vraiment surpris. Il faut te dire que j'ai longtemps travaillé dans un zoo où j'ai entretenu une longue liaison avec une ourse polaire qui était encore plus froide que toi.

─── **68**

— Quand nous étions fiancés, Sandra et moi, raconte un homme, j'appréciais beaucoup la parfaite régularité de sa vie. Chaque soir, elle se mettait au lit à 10 heures – et sur le coup de 5 heures du matin, elle se relevait pour rentrer chez ses parents sans se faire remarquer.

─── **69**

Une femme du meilleur monde a épousé un roturier en lui précisant nettement qu'elle ne voulait surtout pas d'enfant.

Aussi, le soir de leur nuit de noces, il entre dans la chambre et s'apprête à se glisser dans les draps, après avoir enfilé un préservatif.

— Oh ! proteste sa noble épouse, ainsi équipé, ce que vous pouvez faire magasin discount avec vos articles sous plastique !

─── **70**

Deux policiers en uniforme se présentent à l'entrée d'un club échangiste.

— Déshabillez-vous complètement, leur conseille la propriétaire des lieux. Vous serez plus à l'aise pour vous fondre parmi les membres de notre petite amicale et procéder à vos constatations.

À table !

Un jeune marié dit à sa femme qui garde le lit parce qu'elle est grippée.
— Je voudrais me faire cuire un œuf à la coque. Comment dois-je procéder ?
— Tu prends une grande casserole que tu remplis d'eau froide. Tu mets ta casserole sur un gaz allumé de la cuisinière. Quand l'eau bout, tu déposes doucement ton œuf dans la casserole à l'aide d'une cuillère. Après trois minutes et demie d'ébullition, ton œuf est prêt à consommer.
— Mais, dit le mari en riant, suppose qu'au départ j'aie déjà une casserole pleine d'eau bouillante ?
Du tac au tac, l'épouse répond :
— En ce cas, tu prends ta casserole et tu en vides le contenu dans l'évier. Après quoi il ne te reste plus qu'à l'emplir d'eau froide et à faire ce que je t'ai indiqué au début.

Une femme dit à son boucher :
— Donnez-moi de quoi faire un bon sauté de veau.
— Si vous voulez vraiment faire un sauté, conseille le boucher, plutôt que de la viande de veau, prenez du kangourou.

— Passe-moi les jumelles, dit une femme à son mari. Je veux observer la voisine.
— Elle se promène toute nue ?
— Je me fiche bien qu'elle se promène toute nue ou habillée.
— Alors, pourquoi ?
— Elle s'apprête, manifestement, à faire son fameux cake dont elle s'est toujours refusée à me donner la recette. Prends une feuille de papier, un crayon et note : 250 g de farine, 20 cl de lait, quatre œufs entiers, deux blancs d'œuf...

―――― 74

En mettant son rosbif au four, une femme dit à son canari qui saute gaiement dans sa cage :

— Distraite comme je le suis, je compte sur toi pour que, dans 25 minutes, tu me signales qu'il faut arrêter la cuisson, en chantant : « Cuit cuit cuit ».

―――― 75

Une femme, réveillée en sursaut, dit à son mari, couché près d'elle :

— C'est terrible ! Ce cambrioleur, qui s'est introduit dans notre maison, est en train de tout piller en empilant son butin dans un grand sac.

— Tu t'affoles trop vite, répond l'époux en bâillant. Cet homme n'est pas complètement mauvais. Je viens de le voir mettre dans son sac ton livre de cuisine qui nous a réservé, au fil des années, tant de déceptions.

―――― 76

Le comte et la comtesse Adhormir de Bout sont assis chacun à une extrémité d'une table de 10 m de long :

— Je ne regrette qu'une chose, dit le comte, après avoir goûté le plat. Il n'y avait qu'une salière dans tous nos cadeaux de mariage et, naturellement, c'est toujours vous, comtesse, qui l'avez.

―――― 77

— Dans le genre catastrophe, dit un homme à un ami, quand ma femme nous sert un plat de sa composition, je compare cela à un tremblement de terre.

— Pourquoi cette comparaison bizarre ?

— À cause des répliques, tout au long de la semaine, sous forme de boulettes, hachis Parmentier et autres tomates farcies.

―――― 78

Un pilier de bar raconte au serveur :

— Ma femme m'a bien prévenu : si je rentre, une fois de plus, après 10 heures du soir, elle pose mon assiette par terre, dans la cuisine, et me sert la même nourriture qu'à notre chien.

— Cela semble vous tracasser.

— Si elle entend, par là, que je devrai dîner d'une boîte de pâtée pour animaux, je ne suis pas contre. Ce n'est sûrement pas mauvais. Mais cela risque de se gâter, si elle donne à notre bon toutou la moitié des brocolis qu'elle avait préparés à mon intention. Fine gueule comme il l'est, il ne le lui pardonnera jamais.

———— **79**

Sa femme étant à la maternité, un homme a, exceptionnellement, confectionné un repas. Quand ses deux enfants ont péniblement mâché leur première bouchée, il leur demande, sans se faire d'illusion :

— Alors, comment trouvez-vous la cuisine de papa ? – à part le goût, bien sûr.

———— **80**

Après avoir participé à leur banquet annuel, plusieurs policiers ont dû être hospitalisés, victimes d'une intoxication alimentaire.

L'inspection générale des services, appelée à mener l'enquête, publie ce rapport :

« Les personnes intoxiquées avaient absorbé des saucisses de la marque Dupont, du couscous en boîte Martin, et un mille-feuille venant de la pâtisserie Jacques. Les noms des marques fabriquant ces produits ont été modifiés pour respecter la présomption d'innocence. »

———— **81**

— Qu'est-ce qu'on mange ? demande un homme à sa femme.

— Tout dépend de ton impatience. J'ai une quiche au jambon qui peut être décongelée en 20 minutes, une pizza Margherita, en 30 minutes ou une moussaka, en 40 minutes. À toi de choisir.

———— **82**

— Je m'étais mise aux produits bio, raconte une femme à une amie, mais mon mari ne veut plus en entendre parler.

— Pourquoi cela ?

— Raison de santé.

— Les produis bio le rendaient malade ?

— C'était surtout leur prix.

———— **83**

— Ma mère m'a répété pendant toute mon enfance que si je mangeais bien les épinards qu'elle me servait, j'aurais de belles couleurs, raconte un adolescent.

— Et alors ?

— Moi, je l'ai crue. Résultat : je suis le seul jeune du quartier à avoir des joues vertes.

―――― *84*

Sur le yacht à bord duquel ils font une croisière en Méditerranée, une jeune femme vient trouver son mari qui s'est installé à l'avant, avec ses gaules.

— Notre cuisinier me signale que nous n'avons plus de vin blanc. Alors, au lieu du bar que tu avais prévu, pourrais-tu, plutôt, nous pêcher un beau lapin de garenne, à accommoder en civet et à servir avec un bon bourgogne ?

―――― *85*

Un fabricant de pâté de foie annonce joyeusement à sa femme :

— Je viens de traiter avec le directeur d'une chaîne de boutiques qui débitent 20 000 sandwichs au pâté par an. Je suis, désormais, son fournisseur exclusif.

— Et combien de boîtes es-tu assuré de vendre ?

— J'ai vu la quantité de pâté qu'il met dans chacun de ses sandwichs : pour l'année, ça fait environ 10 kilos.

―――― *86*

Une femme vient rendre visite à son mari qui a dû être hospitalisé parce qu'il souffrait de terribles brûlures à l'estomac.

— Je te préviens tout de suite, lui dit-elle, que si jamais tu avais l'idée de me chercher des noises, tu n'aurais aucune preuve. J'ai soigneusement brûlé la recette du goulasch au paprika que je t'ai servi hier.

―――― *87*

Un homme, qui achète tous les jours un hot-dog à un marchand ambulant, a fait à ce dernier des réflexions très désagréables sur la qualité du produit qui lui avait été vendu.

Le lendemain, il se présente devant la camionnette du marchand et passe sa commande. Le commerçant rancunier lui demande, avec arrogance :

— Vous avez réservé ?

―――― *88*

— Les Parmonici, dit une femme à son mari, tu sais, ceux qui apparemment n'ont pas apprécié le repas que nous leur avons servi samedi dernier, nous invitent à dîner la semaine prochaine.

— Cela semble t'inquiéter.

— Il y a de quoi ! Ils sont corses.

— Et alors ?

— Et s'ils allaient pratiquer la vendetta ?

─────── *89*

Dans une réserve indienne des États-Unis, le chef Renard Malin voit sa squaw qui apporte de la cuisine un rôti d'élan complètement carbonisé.

— Le message émis par la fumée noire qui s'élève de ton plat est très clair, dit-il.

— Ah ! bon !

— Oui, il signifie : « Appelle une boutique de pizza pour qu'on nous livre d'urgence deux pizzas aux tomates, champignons, mozzarella. »

─────── *90*

Un homme se confie à un collègue de travail.

— Mon épouse a ce que j'appelle un joyeux caractère.

— Qu'est-ce qui te permet d'affirmer cela ?

— Je l'ai vue cent fois éplucher des oignons et elle a toujours la même réaction…

— Laquelle ?

— Elle éclate de rire.

─────── *91*

Une commerçante s'absente, après avoir affiché cet avis sur la porte de son magasin :

« Je suis allée dans l'arrière-boutique surveiller la cuisson
de mon pot-au-feu. Serai de retour dans une (Cocotte) minute. »

─────── *92*

Une femme dit à son mari :

— J'ai entendu à la télévision un grand cuisinier expliquer que ses volailles sont plus dorées quand il les met à cuire dans un four réglé à une température beaucoup plus basse que celle qu'on utilise habituellement.

— Et tu as suivi ce conseil pour nous préparer un poulet rôti ?

— Non, pour me faire dorer sous ma lampe à bronzer.

——— 93

Le jour de la Fête des mères, une femme s'extasie :
— Oh ! mon chéri, comme c'est gentil de m'avoir fait un gâteau. Il est magnifique. Je le goûte tout de suite.
Le père intervient :
— C'est notre petit Lucas qui en a eu l'idée, en voyant que tu en avais découpé la recette dans un magazine.
— La recette ? Quelle recette ? Ah ! mon Dieu, je me rappelle, à présent. Ce n'était pas du tout une recette de cuisine, mais des conseils pour réaliser un jardin japonais.

——— 94

Le téléphone sonne à la caserne des pompiers.
— Allô, dit une voix d'homme, pouvez-vous venir au 30 avenue de la Gare ?
— Nous arrivons tout de suite, répond le pompier.
— Prenez votre temps, fait son correspondant. Ma femme ne se mettra pas aux fourneaux avant dix minutes pour tenter, une fois de plus, sa fameuse recette de rognons de veau flambés au cognac.

——— 95

La femme d'un champion de fleuret s'apprête à sortir.
— Peux-tu, dit-elle à son mari, me prêter ton masque d'escrimeur ?
Il s'étonne :
— Tu veux te mettre à l'escrime ?
— Non, mais je vais au marché acheter un homard et si je tombe sur une bête teigneuse, je ne veux pas quelle me pince le nez.

——— 96

— À la veille de son mariage, raconte une femme, j'ai voulu vérifier les connaissances de ma fille en matière de cuisine.
— Et alors ?
— J'ai commencé à m'inquiéter quand elle m'a demandé de lui passer l'ouvre-boîtes pour écaler des œufs durs. Et je n'ai plus eu aucune illusion quand elle a longuement cherché dans mon livre de cuisine la recette du sandwich au jambon !

BON SANG ! OÙ EST PASSÉE CETTE RECETTE DE MILLE-FEUILLES !
BM

Quels amours d'enfants

─────── **97**

Une femme s'adresse à son jeune fils.
— Arthur, va jusqu'à la boîte aux lettres, à l'entrée, pour chercher le courrier.
— Tout de suite, maman. Je prends juste un gâteau pour la route.
— La route ! proteste la mère. Mais cette boîte est à moins de 20 m !
— Tant que ça ! Bon, j'en prends deux.

─────── **98**

— Avez-vous, demande une mère de famille à une autre, des conversations avec votre grand fils ?
— Oui. Je lui pose beaucoup de questions.
— Et il vous répond ?
— Avec autant de chaleur et de précision qu'un ordinateur portable dont la batterie est à plat.

─────── **99**

Un gamin aperçoit dans le jardin sa petite sœur grimpée sur une chaise. Il s'étonne :
— Qu'est-ce que tu fais ?
— Je m'approche le plus possible du soleil pour bronzer.
— C'est stupide !
Sa sœur proteste :
— Qu'est-ce qui est stupide ?
— Tu n'as même pas pensé à te mettre sur la pointe des pieds.

─────── **100**

Une mère s'indigne :
— Dans quel état rentres-tu ! Que t'est-il arrivé ?
Son fils lui explique :
— J'ai glissé sur une peau de banane et j'ai atterri dans une flaque de boue.
— Avec ta belle culotte neuve ?
— J'ai bien essayé de l'enlever pendant mon vol plané, mais je n'en ai pas eu le temps.

──────── *101*

— J'espère, dit une mère à son jeune fils, que tu t'es bien amusé tout l'après-midi à jouer au cyclone en mettant ta chambre complètement sens dessus dessous.

— Oh ! oui, répond le gamin.

— Eh bien, puisque tu aimes les phénomènes météorologiques, je te signale que si tout n'est pas rangé dans 10 minutes, il va se produire un véritable tsunami quand, avec mon balai, je vais pousser tous tes jouets vers la poubelle.

──────── *102*

Une jeune danseuse de l'Opéra veut annoncer à ses parents qu'elle est enceinte.

— Vous m'avez beaucoup admirée, n'est-ce pas, quand je faisais le grand écart dans le ballet de Tchaïkovski, *Casse-Noisette* ?

— Tu étais remarquable.

— Eh bien, ce n'est rien à côté de l'écart, encore plus grand, que j'ai fait, après la représentation, avec le premier danseur, dans les coulisses.

──────── *103*

En revenant de faire ses courses, un mercredi matin, jour de congé pour les écoliers, une femme voit son fils, au milieu d'un terrain vague, une pancarte à la main portant en lettres majuscules :

B I E N V E N U E

Elle l'interroge :

— Que fais-tu avec cette pancarte ?

— J'ai lu dans le bulletin municipal qu'on va prochainement construire, ici, une pâtisserie.

──────── *104*

— Chéri, dit une femme à son mari qui rentre du bureau, notre petit Raphaël a dit ses premiers mots.

— C'est merveilleux ! Et en quelles circonstances ?

— Il était enfermé derrière les barreaux de son parc.

— Et alors ?

— À un moment, il a agrippé mon portable.

— Pour quoi faire ?

— Pour appeler un avocat.

——— 105

— Ma mère trouvait que j'avais mauvaise mine et que je maigrissais, raconte Cyril (10 ans) à un copain. Moi, j'en savais bien la raison : j'étais amoureux de la petite fille blonde qui est assise à deux tables de moi, à l'école.

— Tu l'as dit à ta mère ?

— Sûrement pas. Alors, elle m'a emmené consulter un médecin.

— Et lui, il a deviné tout de suite que tu étais amoureux ?

— Pas du tout. Il a supposé que je manquais de fer et il m'a prescrit une cure d'épinards.

——— 106

À la veille d'accoucher, une jeune fille a quitté discrètement son village natal. Quelques mois plus tard, elle revient au pays.

— Je suppose, dit-elle à l'épicière, que mon départ brusqué a alimenté la chronique locale pendant un bon bout de temps.

— Cela aurait pu être le cas, en effet, mais nous avons trouvé un autre sujet de conversation plus passionnant : la nuit même où vous êtes partie, le cheval du père François a eu le hoquet.

——— 107

Un bébé surdoué avertit ses parents :

— Prenez le dictionnaire… Je vais prononcer mon premier mot.

——— 108

À l'école primaire, des enfants bavardent :

— Qu'est-ce que tu prévois, Antoine, pour la Fête des mères ?

— Comme d'habitude : un collier de nouilles pour maman et un sachet de graines pour la cigogne du zoo.

——— 109

Voulant connaître le rôle respectif des parents d'un bébé, un enquêteur demande au papa qui l'a fait entrer dans son appartement :

— Quand votre petite fille se réveille en hurlant en pleine nuit, qui se lève ?

— Les 68 locataires de notre HLM dont les murs sont fins comme du papier à cigarette.

——— *110*

— Maman, dit une adolescente à sa mère, puis-je te poser deux questions ?

— Bien sûr.

— Première question : est-ce que je peux aller demain à la soirée très arrosée que donne mon ami Patrick ?

— Non. Quelle est ta deuxième question ?

— Pourquoi ?

——— *111*

— Mes enfants sont grands. Ce sont des adolescents, à présent, raconte une femme. Avant de sortir, ma fille se met du rouge sur les lèvres et avant de rentrer, mon fils efface celui que ses copines ont laissé sur les siennes.

——— *112*

Dans une maternité, une infirmière demande à un homme qui arpente fiévreusement la salle d'attente :

— Pratiquez-vous le tir en rafale dans un club ?

— Non. Pourquoi cette question ?

— Pour rien. Bon. Venez que je vous présente les quintuplés que votre femme a mis au monde.

——— *113*

— Notre fils nous inquiète, confie un homme à un pédiatre.

— Pourquoi ? demande le médecin.

— À seize ans, il reste obstinément à la maison.

— Et alors ? Quoi de plus normal ?

— Mais… il ne quitte pas son trotte-bébé.

——— *114*

Au comble de la colère, une femme lance à son mari :

— Tu n'es qu'un bon à rien !

Voyant leur gamin qui traverse la pièce pour aller se coucher, elle corrige :

— Mon petit chéri, je t'aime bien.

Et, dès que l'enfant a fermé la porte de sa chambre, elle enchaîne :

— Et quand je dis bon à rien, je m'étonne de mon indulgence !

—————— *115*

Un homme, qui s'apprête à se rendre au bureau, dit à sa femme :
— Quand je franchirai la porte du jardin, crie-moi, très fort : « Bonne journée, Œil-de-Faucon ! »
— Pourquoi cela ?
— C'est le seul moyen que les affreux gamins qui jouent aux Indiens avec des arcs et des flèches devant notre pavillon, ne me prennent pas pour cible en me confondant avec un visage pâle.

—————— *116*

Une petite fille raconte à sa mère en rentrant de l'école :
— J'ai vécu une belle histoire d'amour, aujourd'hui.
— Comment cela ? s'inquiète sa mère.
— Ma poupée Barbie est tombée amoureuse de l'ours en peluche de ma copine Manon.

—————— *117*

Une femme, qui a mené une vie tumultueuse, raconte :
— Mes enfants ont toujours un problème quand arrive la Fête des pères.
— Ils ne savent pas quel cadeau offrir à leur papa ?
— Oh ! ça c'est facile. Ce qui leur manque, c'est le père.

—————— *118*

Après avoir découvert, à la télévision, le film *La Fidèle Lassie,* Nathan (5 ans) dit à sa mère :
— J'en voudrais une qui soit exactement comme cela.
— Une petite chienne ?
— Non, une petite sœur.

—————— *119*

Un pédiatre dit à un couple de jeunes mariés qui vient le consulter :
— Avant de prendre la décision de fonder une famille, rappelez-vous bien que l'éducation d'un enfant demande beaucoup de patience.
Et il ajoute :
— Heureusement, la plupart des enfants ont beaucoup de patience.

—————— *120*

Mathis (7 ans) est assis sur une pierre et, manifestement, il s'ennuie.
Un de ses copains l'interroge :
— Que fais-tu là ?
— Je suis le cow-boy solitaire.
— Et pourquoi es-tu solitaire ?
— Avec mon grand chapeau, ma chemise à carreaux, mes bottes et mes éperons, j'ai fait rire le reste de la bande de copains quand j'ai voulu jouer avec eux à la Guerre des étoiles.

—————— *121*

— Ouf ! s'écrie un jeune père de famille qui avait disparu depuis trois bons quarts d'heure, ça y est ! J'ai raconté à Albert tous les contes de fées de mon répertoire et il s'est enfin endormi, ce beau diable ! On va enfin s'amuser un peu.
Sa femme s'étend sur le lit, vêtue d'une chemise de nuit transparente particulièrement sexy. L'homme s'apprête à la rejoindre lorsque la porte de la chambre à coucher s'ouvre et leur fils demande :
— Papa, je voulais te demander...
— Quoi, encore ?
— Euh... la chèvre de Monsieur Seguin, c'est le Petit Chaperon rouge ou Mary Poppins qui l'a mangée ?

—————— *122*

— Maman, dit Louis (6 ans), je veux un bonbon.
— De quelle couleur ?
— Vert ! Comme les feux rouges.

—————— *123*

Un homme dit à l'infirmière qui lui présente un nouveau-né :
— Je vous assure que c'est une terrible méprise. Certes, je fais nerveusement les cent pas dans le couloir de la maternité. Mais c'est parce que j'attends une de vos charmantes collègues qui a accepté de m'accompagner au cinéma.

—— *124*

Deux jeunes mamans se rencontrent dans un parc public où elles sont allées promener leurs bébés.
— Que votre fils est mignon ! dit la première. Quel âge a-t-il ?
— Dix mois. Et le vôtre ?
— Un an et figurez-vous qu'hier, il a dit son premier mot.
En entendant cela, le bébé de dix mois s'écrie, du fond de sa poussette :
— Je me demande bien ce qu'il a pu trouver à dire à cet âge-là ?

—— *125*

Un enfant rentre de l'école en piteux état.
Il explique à ses parents qui s'alarment :
— Un nouvel élève, une espèce de grosse brute, n'arrêtait pas de nous embêter. Je lui ai dit : « Viens te battre dans un coin tranquille, si tu es un homme. »
— Et alors ?
— Quand je suis arrivé à l'endroit du duel, j'ai eu la désagréable surprise de voir qu'il avait envoyé sa sœur à sa place.

—— *126*

Le fils d'un joueur de poker professionnel parle à sa mère.
— L'institutrice a demandé à chaque élève de lui indiquer le métier de son père.
— Et que lui as-tu répondu ?
— Quand on me pose cette question, j'utilise mon joker.

—— *127*

Alors que ses parents s'apprêtent à aller passer la soirée au théâtre, Rémi (7 ans) dit à sa mère :
— Surtout, rappelle à la baby-sitter d'apporter son portable.
— Pour qu'elle puisse nous appeler au cas où tu ne te sentirais pas très bien ?
— Non, pour que, moi, je puisse appeler tous mes copains dès qu'elle sera endormie.

——— *128*

Un homme qui n'est jamais sûr de ce qu'il dit consulte un psy. Ce dernier l'interroge :
— Avez-vous des enfants ?
— Oui, deux.
— De quel sexe ?
— Eh bien, l'un d'eux est un garçon et l'autre est une fille – à moins que ce ne soit le contraire.

——— *129*

— Certaines coïncidences sont troublantes, raconte une jeune femme à une voisine.
— Qu'est-ce qui vous fait dire cela ?
— Eh bien, l'an passé, le 1er janvier, mon mari avait commencé une cure intensive de fortifiant. Et le 1er octobre de la même année, j'ai donné naissance à des quintuplés.

——— *130*

Léa (5 ans) menace le camarade de maternelle qui a refusé de lui donner un bonbon :
— Je te préviens que si tu t'obstines à être aussi radin, dans vingt ans, quand je serai devenue une grande vedette de cinéma, tu pourras toujours te brosser pour que je t'accorde un autographe.

——— *131*

La femme d'un pâtissier annonce à son mari :
— Notre bébé vient de dire son premier mot.
— Maman ?
— Non.
— Papa ?
— Non.
— Alors, qu'a-t-il donc dit ?
— « Baba. » Et il a ajouté, en riant aux éclats : « Au rhum, bien sûr. »

——— *132*

Le jour de la rentrée des classes, les enfants font connaissance. Ils questionnent une nouvelle élève :
— Comment t'appelles-tu ?
— Robinson.
— Et ton prénom ?
— Je vais vous le dire : Angela. Et épargnez-moi la blague habituelle :
« On t'aurait plutôt crue Zoé. »

——— *133*

Une assistante sociale émerge, accablée, d'un dossier, terriblement compliqué d'une femme en grande difficulté.
— Mais, enfin, s'écrie-t-elle, parmi vos dix enfants, il n'y en a pas deux qui aient le même père ?
— Je ne voudrais rien affirmer à la légère, répond la mère, mais je crois bien que c'est le cas de mes jumeaux.

——— *134*

Une femme dit à son ex :
— Notre fils, dont le juge m'a confié la garde, est devenu un adolescent qui ne suit que les conseils des pires imbéciles.
Son ancien mari lui demande :
— Et que veux-tu que je fasse ?
— Quand il ira passer quelques jours chez toi, parle-lui, *toi*, il t'écoutera.

——— *135*

Vu cette affichette à la devanture d'une boulangerie :
« On demande pour chaque vendredi, de 19 heures à 23 heures,
une baby-sitter pour garder un bébé de 4 mois
qui ne fume pas et ne boit pas d'alcool. »

——— *136*

— Je me demande, dit Enzo (6 ans) à un copain, si ma mère lit bien, mot à mot, ce qui est écrit dans le livre quand elle me raconte une histoire pour m'aider à m'endormir.

— Pourquoi penses-tu cela ?

— Hier, elle me lisait les *Aventures de Gulliver* et, à un moment, elle a cité les paroles de Gulliver aux Lilliputiens : « Si je suis devenu un géant, c'est parce que j'ai toujours mangé sans rechigner les bons brocolis que ma maman dévouée me préparait pour le dîner. »

——— *137*

— Nous te laissons seul pour la soirée, dit une femme à son jeune fils. Sois raisonnable : ne vide pas le contenu du réfrigérateur, ne joue pas avec les allumettes et, quand tu te serviras de l'ordinateur de ton père en prétendant être un hacker, ne pénètre pas dans le site du Pentagone sans leur en avoir, d'abord, demandé poliment la permission.

——— *138*

Une mère dit à sa fillette :

— J'ai confectionné un bon cake. En veux-tu une tranche ?

Pas de réponse. Elle reprend :

— Ma chérie, veux-tu une tranche de cake ?

Toujours pas de réponse. La mère se met à hurler :

— Oui ou non, veux-tu une tranche de cake ?

La gamine répond :

— Oui, maman.

— Mais, enfin, s'étonne la mère, pourquoi n'as-tu répondu qu'à la troisième fois ?

— C'est que, explique la jeune gourmande, je voudrais *trois* tranches justement.

En voiture pour le rire

———— *139*

Un automobiliste roule à 140 km/h sur l'autoroute. Un motard de la police le prend en chasse et le conducteur accélère : 150, 160, 170, 180...

Finalement, le conducteur s'arrête à un poste de péage.

— Pouvez-vous, lui demande le policier, me donner une bonne excuse pour justifier une allure pareille ?

— Certainement. La semaine dernière, ma femme s'est enfuie avec un de vos collègues. En voyant que vous cherchiez absolument à me rattraper, j'ai cru que vous étiez l'amant de ma femme et que vous vouliez me la rendre.

———— *140*

Par un jour de grand froid, une charmante jeune femme aborde un passant :

— Pourriez-vous me rendre un petit service ?

— Volontiers.

— Voilà. Il s'agit, en mettant vos mains bien à plat, d'exercer une pression constante et progressive...

— Vous voulez, s'étonne le passant, que je vous réchauffe en vous massant les fesses ?

— Non : que vous poussiez ma 207 Peugeot, dont la batterie est défaillante.

———— *141*

Avis laissé sur son pare-brise par un automobiliste qui a bien conscience d'avoir mal garé sa voiture :

« Pas très fort en orthographe, je ne suis pas un écureuil.
Mesdames les contractuelles gardez vos amendes. »

—————— *142*

Un médecin arrive sur le lieu d'un accident de la circulation.

— Si j'ai bien compris, dit-il, il s'agit d'un boxeur qui a été renversé par un camionneur.

— Exactement, docteur.

— Parfait. Où est le boxeur que je le soigne ?

— En fait, celui qui est à soigner, c'est le camionneur.

—————— *143*

— Quand nous partons en voiture pour les vacances, raconte une femme, mon mari a l'art d'abandonner la route classique pour emprunter un raccourci.

— Qu'entend-il au juste par « raccourci » ?

— Une route où l'on peut rouler pendant des heures sans rencontrer quelqu'un qui soit capable de vous expliquer comment vous tirer de ce merdier.

—————— *144*

Un noctambule, rentrant chez lui à 3 heures du matin, n'a trouvé qu'un passage protégé pour se garer.

Au moment où il quitte son véhicule, un policier en patrouille, lui ordonne :

— Hé, vous, là-bas, circulez !

— Voyons, proteste le conducteur, à cette heure-ci, je ne dérange personne.

— Peu importe. Je vous ordonne de circuler !

— Mais c'est une hérésie !

— Peut-être, dit le policier, mais ce serait une Mercedes que ce serait pareil !

—————— *145*

Un homme demande à sa femme.

— Que dirais-tu si je t'achetais cet amour de petite robe dont tu m'as parlé et qui te fait rêver ?

— Cela me ferait plaisir, mais pourquoi m'en parles-tu, maintenant ?

— J'ai voulu voir, une dernière fois, un sourire illuminer ton visage avant que je ne te raconte comment j'ai embouti notre Golf contre un réverbère.

—— *146*

Un archéologue dit au garagiste qui lui a vendu une voiture d'occasion :
— Vous m'aviez assuré qu'elle avait à peine 200 000 kilomètres au compteur.
— En effet.
— J'en doute fort. Je l'ai datée au carbone 14, le même qu'on utilise pour les dinosaures. Selon toute vraisemblance, elle a été mise en service en 1962.

—— *147*

Une adolescente rentre chez elle à 2 heures du matin, furieuse et épuisée. Sa mère, qui l'attendait avec inquiétude, lui demande :
— Que t'est-il arrivé, Judith ?
— Tu sais que j'étais sortie en voiture avec Théo. Nous avons roulé un moment et puis, dans une forêt, l'auto s'est arrêtée et Théo m'a dit qu'elle était en panne.
— Ce n'est pas de chance, dit la mère.
— Attends. Il en a profité pour m'entraîner dans les bois et me faire l'amour.
— C'est épouvantable !
— Mais ce n'est pas le pire. Ce misérable a tout juste passé cinq minutes à batifoler dans l'herbe et sa voiture était réellement en panne.
— Et alors ?
— Eh bien, comme il ne connaît rien à la mécanique, j'ai dû passer trois heures, allongée dessous, avant d'arriver à la réparer pour que nous puissions repartir.

—— *148*

— Quand je pense à l'examen du permis de conduire qui m'attend demain, je suis saisi d'une véritable panique qui se traduit par de terribles crampes d'estomac, confie un homme à son médecin.
— Cela n'a rien d'étonnant. Ces symptômes se sont-ils déjà manifestés ?
— Tous les jours, cinq fois par semaine, depuis quinze ans. Il faut vous dire que c'est moi, l'examinateur.

——— *149*

Un automobiliste, qui vient de se soumettre avec réticence au contrôle d'alcoolémie, dit au motard qui a surveillé l'opération :
— Et ce platane contre lequel s'est écrasée ma voiture ? Vu la façon dont il a foncé sur moi, je lui ferais un prélèvement de sève pour vérifier qu'il n'a pas forcé sur les engrais fortifiants.

——— *150*

Dans un centre où l'armée propose à bas prix le matériel dont elle n'a plus besoin, un vendeur dit à un autre :
— Cet homme qui part au volant d'un char d'assaut m'inquiète.
— Pourquoi ?
— Eh bien, il lutte contre les piétons indisciplinés et il est passé directement de la Smart au tank en sautant l'étape classique du 4 × 4.

——— *151*

Pour tenter d'éviter une contravention, un automobiliste qui a garé son véhicule à un endroit interdit, glisse ce petit mot sur son pare-brise, à l'attention des contractuelles :
« J'ai rendez-vous avec une très belle fille. J'espère qu'elle ne me posera pas un lapin et que vous ne me poserez pas un papillon. »

——— *152*

Un motard de la route a fait stopper, sur le bas-côté de la chaussée, près d'un champ désert, une ravissante automobiliste coupable d'un gros excès de vitesse. Il lui dit, avec un œil égrillard :
— Chère Madame, le problème est clairement posé : retrait de culotte ou retrait de permis !

——— *153*

— Il faut, dit le ministre des Transports, trouver un moyen pour identifier, au premier coup d'œil, les voitures délabrées qui roulent encore sur nos routes.
— Pourquoi, suggère un de ses adjoints, ne pas décider que les numéros d'immatriculation de ces dangereux véhicules soient composés en chiffres romains ?

──────── *154*

Un play-boy conduisant une Jaguar s'arrête à hauteur d'une jeune femme qui marche sur le trottoir d'un petit village. Il engage la conversation :
— Que feriez-vous si je vous prenais par la main ?
— Je me défendrais, répond la belle.
— Et si je vous enlaçais ?
— Je me défendrais.
— Et si je vous embrassais sur la bouche ?
— Je me défendrais.
— Et si je vous emmenais dans un hôtel pour faire l'amour ?
— Après toute l'énergie que j'aurais dépensée pour me défendre, je serais tellement épuisée que je ne pourrais que vous laisser faire sans protester.

──────── *155*

Un homme a échoué cinq fois à l'examen du permis de conduire. À la sixième tentative, il obtient enfin le carton rose tant convoité.
— Comment t'y es-tu pris ? lui demande sa femme.
— Les fois précédentes, je m'étais fait étendre parce que j'étais trop contracté. Alors, cette fois, j'ai pensé que je claquais la porte au nez de ta mère qui voulait, comme chaque semaine, venir passer le week-end à la maison. Cette joyeuse perspective m'a détendu et tout le reste n'a plus été qu'une formalité.

──────── *156*

Un professeur demande à ses élèves :
— Qu'est-ce que l'auto-suggestion ?
Un garçon répond :
— C'est quand on roule depuis des heures en voiture et que ma mère se fâche en suggérant à mon père : « Espèce de tête de mule, vas-tu te décider à demander ton chemin à un passant ? »

──────── *157*

Après avoir largement dépassé une belle auto-stoppeuse, un conducteur fait marche arrière, baisse sa vitre et dit à la jeune femme :
— Excusez-moi. C'est un réflexe que j'applique lorsque je voyage avec mon épouse. Dès qu'elle voit une superbe créature sur le bord de la route, elle m'ordonne : « Accélère ! »
Puis le dragueur ajoute :
— Aujourd'hui ma femme est chez sa mère. Je vous en prie : prenez place à côté de moi.

———— *158*

Un policier, qui glisse une contravention pour stationnement illicite sous l'essuie-glace d'une Rolls Royce, sursaute en entendant un SDF facétieux dire à son compagnon :
— Je t'avais prévenu que tu risquais des ennuis en te garant ici le temps que nous déjeunions à la Tour d'Argent.

———— *159*

Pris depuis plusieurs heures, sur l'autoroute, dans un gigantesque embouteillage, un automobiliste, excédé, dit à sa femme :
— J'aimerais me reposer un peu en faisant un petit somme pendant une demi-heure. Peux-tu prendre le volant pour parcourir les prochains 50 mètres ?

———— *160*

Par un froid sibérien, un garçon ramène une amie de la famille qui est venue dîner chez ses parents.
Brusquement, la voiture tombe en panne. L'homme descend, ouvre le capot, commence à chercher d'où le mal peut venir mais, bien vite, il doit remonter dans le véhicule.
— J'ai les mains glacées, explique-t-il à sa passagère.
— Pose-les sur mes cuisses, dit-elle. Là, elles se réchaufferont vite.
Effectivement, cinq minutes plus tard, le conducteur peut redescendre fouiller dans le moteur. Mais, rapidement, il abandonne tant le vent est glacial.
— Pauvre petit, murmure sa passagère, attendrie, en écartant les cuisses, allez, viens vite te réchauffer les oreilles.

———— *161*

— J'ai déjà vu des gens pratiquer l'humour noir, grommelle un automobiliste, mais l'employé d'une compagnie de péage qui a collé cette affiche, dépasse les bornes :
« Service non compris, merci. »

—— 162

À la veille de l'examen, le moniteur de l'auto-école donne un dernier conseil à ses élèves, rassemblés dans la salle de cours.

— Sachez bien qu'un accident peut vous arriver même dans une voiture à l'arrêt.

Un élève s'étonne :

— Comment cela ?

— J'avais emmené une belle fille faire un tour dans mon Audi, raconte le moniteur. Nous nous sommes arrêtés dans un petit-bois. Et c'est là, qu'emporté par ma passion, je lui ai proposé de l'épouser.

—— 163

— Allô, chéri, dit une femme, pourrais-tu passer me chercher en voiture, au bureau ?

— D'accord.

— Au fait, en partant de la maison, n'oublie pas de prendre mon imperméable.

— Ton imperméable ? Mais il n'a pas plu depuis deux mois !

— Attends, tu vas comprendre. Figure-toi que le jeune homme qui vient d'être engagé dans mon service m'a appris à jouer au strip-poker. Et tu vas rire : à la fin de la partie, je me suis retrouvée avec juste mon slip et mon alliance.

— Et alors ?

— J'ai bien essayé de payer ce que je lui devais en retirant mon alliance mais je n'y suis pas arrivée. Mon annulaire avait grossi. Je t'en supplie, dépêche-toi d'apporter mon imper parce que maintenant que j'ai réglé ma dette de jeu, je commence à avoir froid.

Quoi de neuf, docteur ?

―――― *164*

Une pharmacienne jette machinalement un coup d'œil à la porte de son officine qui s'ouvre automatiquement.

Elle voit un homme qui se traîne péniblement à plat ventre jusqu'au comptoir. Et, en prêtant l'oreille, elle l'entend implorer, d'une voix faible :

— Fortifiant... Fortifiant...

―――― *165*

— J'aimerais, dit une étudiante à sa colocataire, faire don de mon corps à la science.

L'autre proteste :

— Tu ne songes pas à faire une bêtise, au moins !

— Tout dépend de ce que tu appelles une bêtise : ce dont je rêve, c'est de prendre pour amant un étudiant en médecine particulièrement séduisant.

―――― *166*

— Moi, dit un gynécologue à sa jeune patiente, qu'il a solidement attachée sur la table d'examen, je ne vois pas très bien ce qui peut clocher là-dedans.

Et, en commençant à se déshabiller, il ajoute, avec un sourire malicieux :

— Le mieux serait, je crois, de procéder avec une sonde.

— Une sonde ? s'inquiète la fille, effarouchée.

— Justement, j'en ai une qui vous effraiera certainement moins qu'un appareillage médical.

―――― *167*

Un homme au visage couvert de boutons rouges va consulter un dermatologue.

Après avoir subi un examen approfondi, il demande :

— C'est grave, docteur ?

— Grave n'est pas vraiment le mot mais si vous aimez être élégant, pour aller avec les boutons rouges que vous avez sur la figure, vous devriez porter une cravate unie plutôt qu'une cravate à pois.

──── *168*

Un médecin conduit sa voiture chez un garagiste :
— Quand je dépasse les 60 kilomètres à l'heure, dit-il, mon moteur se met à faire un drôle de bruit.
— Quel genre de bruit ?
— À peu près celui que je capte, en posant mon stéthoscope sur la poitrine d'un patient asthmatique, atteint en plus de bronchite chronique.

──── *169*

— Mon médecin abuse vraiment des médicaments, dit un homme à un ami.
— Comment cela ?
— J'étais allé le consulter pour un léger malaise. Il m'a fait une ordonnance longue de 50 cm. Après avoir absorbé tout ce qu'il m'avait prescrit, j'étais, certes, complètement guéri, mais dans un tel état que j'ai dû lui demander de me mettre en congé-maladie pendant trois mois.

──── *170*

Dans la salle d'opération, un assistant du chirurgien dit à une infirmière :
— Le patron a l'air particulièrement satisfait de sa dernière performance.
— Qu'est-ce qui vous fait penser cela ?
— Voyez vous-même : à côté de la cicatrice, il brode ses initiales au fil rouge.

──── *171*

Au plus fort d'une épidémie de grippe, un vétérinaire avait été réquisitionné pour vacciner les habitants de sa petite ville.
On lui demanda :
— Cela a dû vous changer de vos patients habituels.
— Oui. En vingt ans de carrière, c'est la première fois que je me suis fait mordre.

———172

— Je suis très embêté, dit un homme à son médecin. Vous connaissez mon grand fils, Antoine.

— Bien sûr. Et alors ?

— Eh bien, au cours d'une boum chez un camarade de lycée, il a couché avec une fille... qui lui a passé une sale maladie.

— Qu'il vienne me consulter.

— Il viendra, mais il a passé cette maladie à la bonne et la bonne me l'a transmise.

— Nous allons voir ça.

— Mais ce n'est pas tout. Forcément, avant de m'en rendre compte, j'ai fait l'amour avec ma femme et...

— Bon sang ! s'écrie le docteur. Alors, à cause de ce petit crétin, nous sommes tous contaminés.

———173

— Vous brandissez votre pouce devant moi, dit un médecin à son patient. Essayez-vous de me faire comprendre qu'il vous fait souffrir ?

— Au contraire.

— Comment cela, au contraire ?

— C'est la seule partie du corps qui ne me fait pas mal.

———174

Le chirurgien dit à l'homme qui est venu le consulter :

— Après vous avoir soigneusement examiné, je ne vois rien qui justifierait la moindre opération.

— Docteur, dit le patient, cette bonne nouvelle me réjouit pour vous.

— En quoi est-elle réjouissante pour moi ?

— Si vous ne jugez pas bon de m'opérer, c'est, manifestement, parce que vous avez déjà gagné assez d'argent cette année et que vous craignez de passer dans une tranche supérieure d'imposition. Merci encore et bravo !

—————— *175*

— J'étais au restaurant, l'autre soir, avec mon mari, raconte une femme à une amie, quand, à ma grande surprise, j'ai vu entrer le médecin qui soigne ma famille depuis toujours. Il est venu vers nous, très amicalement, en nous souhaitant une bonne soirée.
— C'était gentil de sa part.
— Oui. Mais, moi, j'ai été incapable de faire autre chose que ce que j'ai toujours fait quand je suis en face de lui. J'ai ouvert grand la bouche et j'ai dit : Aââââh !

—————— *176*

Après avoir soigneusement palpé un patient, le médecin lui dit en riant :
— Avec un foie comme le vôtre, une oie se ferait du souci, à l'approche des fêtes de fin d'année.

—————— *177*

Dans un laboratoire, un chercheur demande à un collègue :
— Tes travaux sur le virus de la grippe avancent-ils ?
— Je n'ai pas encore réussi à l'exterminer, mais je suis déjà parvenu à le faire éternuer et à lui donner des frissons.

—————— *178*

Un homme appelle le 15 :
— Je marchais sur un trottoir, avec un ami, quand celui-ci s'est écroulé, sans doute victime d'un infarctus.
— Nous vous envoyons le Samu. Où êtes-vous exactement ?
— Devant le 27 de la rue Frédéric-Nietzsche.
— Épelez Nietzsche.
— Laissez tomber ! La rue Michel est toute proche. Je traîne mon ami jusque-là. J'épelle Michel : M.I.C.H.E.L.

—————— *179*

Une femme, qui s'ennuyait en l'absence de son mari, en voyage d'affaires à l'étranger, a appelé un médecin pour lui confier ses états d'âme.
Le jeune et séduisant docteur comprend très vite d'où vient le mal de cette séduisante patiente. Ensemble, ils se dirigent vers la chambre à coucher où ils font gaiement l'amour.
— Ah ! soupire-t-elle, extasiée, décidément, c'est le meilleur remède ! Mais, dites-moi, docteur, je voudrais vous demander quelque chose...
— Quoi donc ?
— Pourriez-vous me faire une ordonnance et indiquer : « À renouveler ».

─────── **180**

Un livreur vient d'apporter un panneau de 2 m sur 3 à un homme qui explique à sa femme :
— C'est l'opticien qui, en très gros caractères, me signale que les lunettes qu'il m'a faites pour corriger ma myopie sont prêtes.

─────── **181**

— L'autre jour, alors que je déjeunais au restaurant, raconte un homme, j'ai failli m'étouffer avec une arête qui s'était mise en travers de ma gorge.
— Et alors ?
— Heureusement, mon voisin de table s'est précipité et en se plaçant derrière moi, il a pratiqué la manœuvre de Heimlich qui consiste à appuyer d'un coup violent sur le ventre. Deux minutes plus tard, quand je me suis rassis, grâce à mon sauveur, tout était parti.
— L'arête qui vous étouffait ?
— Oui, ainsi que mon portefeuille.

─────── **182**

Jules (6 ans) dit au pédiatre qui vient l'examiner pour un début de rhume :
— Si vous estimez que mon état est suffisamment grave pour qu'on m'emmène d'urgence en ambulance à l'hôpital, est-ce que je pourrais m'asseoir à côté du chauffeur et actionner la sirène ?

─────── **183**

Avant de subir une opération, une Parisienne célibataire remplit un formulaire qui comporte cette question :
« En cas d'accident, avez-vous un proche parent que l'on puisse prévenir ? »
Après un moment d'hésitation, elle écrit :
« Parent : j'en ai un, mon frère. Proche : pas tellement. Il habite à Nice ».

—————— *184*

— Mon médecin m'a prescrit une cure de vitamine C, dit un homme à un ami.

— Je vous le déconseille formellement.

— Vous croyez que cela risque de faire mal ?

— À moi, en tout cas, ça en a fait. J'avais laissé traîner par terre un flacon contenant ce genre de vitamines. J'ai marché dessus en sortant du lit, j'ai glissé et c'est ainsi que je me suis cassé une jambe.

—————— *185*

— Je vais essayer de bien me faire comprendre, dit un médecin à l'un de ses patients en piteux état : supposez que vous soyez une fusée de feu d'artifice, il vaudrait mieux que vous déclariez forfait pour le prochain 14 juillet.

—————— *186*

Un homme se présente dans une école de cirque :

— Je voudrais, dit-il, apprendre à marcher sur les mains.

— Vous souhaitez faire carrière parmi nous ?

— Non, je voudrais pouvoir me rendre chez un pédicure sans malmener davantage mes pieds meurtris.

—————— *187*

En pleine nuit, un malade hospitalisé sonne pour appeler une infirmière de garde.

Dès que la jeune femme en blouse blanche a pénétré dans sa chambre, il se jette sur elle et, lui arrachant ses vêtements, il l'allonge sur le lit en ricanant :

— Suivez les bons conseils que vous me donnez toujours, quand vous allez me faire une piqûre : détendez-vous, fermez les yeux et, surtout, ne vous laissez pas impressionner. Quand on en a bien l'habitude, ça entre comme dans du beurre. Et puis, pensez que si ça vous fait un peu mal sur l'instant, ensuite, ça vous fera un bien énorme.

─── *188*

Un homme explique au médecin qu'il est venu consulter :
— Je souffre périodiquement d'une cruelle blessure dans le dos.
— Une balle reçue au cours d'une campagne militaire ?
— Non. Un grand coup de parapluie que m'a flanqué une hystérique le premier jour des soldes.

─── *189*

— Cesse de te gratter comme cela, dit une femme à son mari. On dirait un chimpanzé.
— Cela m'a toujours gratouillé ainsi, répond le mari. Ma mère m'avait d'ailleurs emmené consulter notre médecin de famille à ce sujet.
— Et qu'a-t-il conclu ?
— Il m'a dit : « Je ne vois pas le moyen de soigner cela : c'est une démangeaison. »
— Mais, depuis, as-tu eu l'occasion de voir un spécialiste ?
— Et même le plus éminent d'entre eux.
— Et qu'a-t-il conclu ?
— Il m'a dit : « Je ne vois pas le moyen de soigner cela : c'est une allergie. »

─── *190*

Une blonde a épousé un hémophile.
— Je suis sûre que cette maladie doit se soigner, lui dit-elle. Dans un premier temps, tu devrais essayer l'acupuncture.

─── *191*

— Vous avez absolument besoin d'exercice, dit le médecin à l'un de ses patients. Je vous conseille d'abandonner le Café des Gourmets et de passer, plutôt, vos journées à flemmarder à la terrasse du Bistrot du Sport.

——— *192*

Un ophtalmologiste examine depuis un quart d'heure un myope qui ne voit pas à deux pas.

À la fin, il va dans sa cuisine et en rapporte le couvercle d'un faitout qu'il brandit sous le nez de son client.

— Ça, au moins, lui dit-il, j'espère que vous le voyez.

— Bien sûr, répond le patient. Je ne suis pas complètement aveugle. Par contre, je serais bien incapable de vous préciser s'il s'agit d'une pièce d'un euro ou de vingt centimes.

——— *193*

Une call-girl se met au lit sur le coup de 3 heures du matin, exténuée.

Une heure plus tard, le téléphone sonne.

D'une voix pâteuse, la jeune femme décroche et répond :

— Allô ?

— Allô, ici un de vos clients, le Dr Martinot, rue de la Mairie. Pouvez-vous venir immédiatement pour me faire une de vos délicieuses gâteries ?

— Mais, s'étonne la call-girl, qu'est-ce qui vous prend de m'appeler à une heure pareille ?

— Et alors, nous autres médecins, avons bien le droit, aussi, d'avoir des urgences.

——— *194*

L'infirmière dit à un fabricant de jouets pour jeunes enfants qui vient d'être hospitalisé.

— Pour m'appeler, en cas de besoin, inutile d'appuyer sur ce bouton de sonnerie. Vous aurez, sans doute, plus de plaisir à agiter violemment ce hochet.

——— *195*

— Tu as consulté ton dentiste ? demande une femme à son mari.

— Oui, et il me conseille de faire appel d'urgence à un spécialiste.

— Quel genre de spécialiste ?

— Le responsable d'un organisme de prêts personnels pour que je puisse payer à mon dentiste le bridge dont il va m'équiper.

———— *196*

Le bon docteur Jekyll dit à l'assistante qu'il s'apprête à engager :

— Je dois vous prévenir qu'après avoir absorbé une drogue de ma composition, je me transforme en un horrible monstre, Mr Hyde.

— J'ai eu l'occasion de goûter à votre bibine, quand vous vous êtes absenté quelques instants de votre cabinet, répond la jeune femme. Sur ma carte d'identité, vous verrez que mon prénom est Sophie mais, à présent, vous pouvez m'appeler Cruella.

———— *197*

— Alors, demande le médecin, à un nouveau patient, qu'est-ce qui vous tracasse ?

— Il faut que je vous précise, d'abord, que je suis vétérinaire.

— Très bien. Et alors ?

— Avant de vous exposer mes symptômes, je tiens à vous dire que j'ai observé de près les poissons qui évoluent dans l'aquarium que vous avez installé dans votre salle d'attente : ils ont une mine de papier mâché et je pense qu'il faudrait leur prescrire un bon fortifiant.

———— *198*

Un homme qui tousse terriblement va consulter un médecin. Celui-ci l'interroge :

— Que vous est-il arrivé ?

— J'ai participé à une marche des écologistes pour dénoncer les effets néfastes du réchauffement climatique.

— Que s'est-il passé ?

— Il pleuvait, alors, forcément, j'ai pris un bon coup de froid.

———— *199*

— Docteur, dit un homme, le tranquillisant que vous avez prescrit à mon épouse est formidable. Avant, elle était tellement tendue que je ne pouvais même pas coucher avec elle.

— Et maintenant ?

— Son lit est ouvert à tous les hommes du village.

─────── *200*

Une femme constate que son mari a percé un trou dans le journal qu'il est en train de lire, pour y introduire son nez.

— Enfin, Louis, s'écrie-t-elle, quand vas-tu te décider à consulter un ophtalmologiste pour corriger ta myopie qui ne fait que s'aggraver ?

─────── *201*

Deux paysannes parlent d'une troisième :
— Elle souffre d'une drôle de maladie… Une maladie de lapin…
— La myxomatose ?
— Non. Lapin… L'appendicite.

─────── *202*

Une femme qui a fait le numéro du cabinet d'un médecin tombe sur un répondeur :
« Si c'est toi, Mélanie, qui me réclame, une fois de plus, ta pension alimentaire, appuie sur la touche 1. Si c'est la patronne du pressing qui m'avertit que je peux passer prendre le complet que j'avais donné à nettoyer qu'elle appuie sur le 2. Si vous souffrez d'un mal quelconque et que vous souhaitez venir me consulter, appuyez sur 3… »

─────── *203*

Deux piliers de bar sont sur le point d'en venir aux mains.
L'un d'eux menace l'autre :
— Le dernier qui m'a parlé comme tu viens de le faire est à l'hôpital.
— Tu l'as frappé ?
— Non. Je suis allé le consulter et il n'était pas content parce que j'avais oublié mon portefeuille.

─────── *204*

Un médecin, qui a surpris son épouse en train de faire l'amour avec un jeune amant, dit à celui-ci :
— Vous avez bien mauvaise mine. Si vous voulez ménager votre foie, à dater d'aujourd'hui, je vous interdis les ragoûts, les fritures, les coquillages et le gibier. Et, si vous tenez à conserver vos os en bon état, en plus, je vous interdis de faire des galipettes avec ma femme.

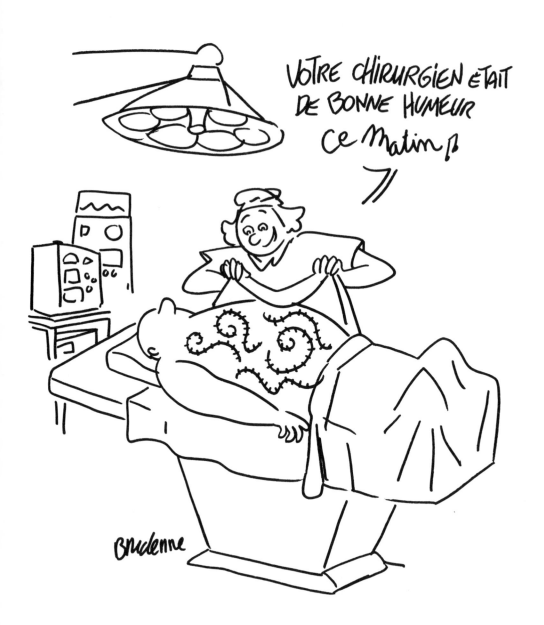

———— *205*

— Quel dérivé à bon marché d'un célèbre médicament antibiotique a été mis au point par les chercheurs britanniques ?
— La *penny*cilline.

———— *206*

Le Samu amène à l'hôpital un homme qui, pour participer à un bal costumé, s'est déguisé en momie égyptienne.
Une infirmière qui, un rouleau de bande Velpeau à la main, s'apprêtait à le panser, proteste :
— Ça devrait être interdit d'enlever le pain de la bouche à d'honnêtes travailleurs !

———— *207*

— Tarzan, s'étonne Jane, pourquoi pousses-tu de tels hurlements, à chaque fois que tu sautes d'une liane à l'autre ?
— J'y suis tenu par contrat, répond-il, depuis que j'ai passé un accord avec un laboratoire pharmaceutique qui fabrique des pastilles pour la gorge.

———— *208*

— On peut affirmer, dit un chirurgien que le premier individu qui a trouvé le moyen de réduire les fractures est un homme des cavernes du nom de Glop Fruitch Ploumph.
— C'est curieux : je croyais qu'il avait inventé la roue.
— En effet, mais en essayant sa roue de granit, il l'a reçue sur le pied.

———— *209*

— Vous savez, dit un médecin à son assistante, que je pars demain avec ma femme, pour passer quinze jours à Tahiti. Alors, je me méfie…
— De quoi, docteur ?
— Soyez gentille de vérifier sur votre ordinateur les dossiers des patients qui sont dans la salle d'attente et trouvez un prétexte pour reporter, à mon retour de vacances, ceux qui pourraient me transmettre la grippe ou toute autre affection du même genre.

——— *210*

Une femme revient toute joyeuse d'une séance chez le radiologue et dit à son mari :
— Je me demandais pourquoi ses rayons étaient classés X, comme les films pornographiques mais, *maintenant*, j'en comprends mieux la raison.

——— *211*

— Docteur, dit un homme à un ophtalmologiste, je vois tout en double.
— Quand vous avez bu ?
— Non, quand je suis à jeun. Ainsi, ma femme me sert un bifteck : j'en vois deux, dans mon assiette. Je regarde la télévision, je vois deux écrans, côte à côte. Je mets mes chaussettes et j'ai l'impression d'avoir quatre pieds...
— Ce n'est rien, fait le spécialiste. Chaque soir, vous allez mettre quelques gouttes de collyre dans chaque œil et, dans huit jours, vos ennuis seront terminés.
— Oh ! merci docteur. Combien vous dois-je ?
— 40 euros.
Le patient ouvre son portefeuille, en tire un billet de 20 euros et dit :
— Voilà, docteur.

——— *212*

— J'ai pris rendez-vous la semaine prochaine avec Radar automatique, dit un industriel surmené à sa femme.
— Qui est Radar automatique ?
— Mon médecin. Tu sais bien celui qui, à chaque fois que je vais le consulter, veut absolument m'obliger à ralentir.

———— 213

Un industriel, hospitalisé depuis une semaine à la suite d'un accident de voiture, en a assez d'expliquer à ceux qui viennent le voir comment il s'est fracturé la jambe.

Justement, un de ses amis lui pose, une fois de plus, la même question stupide :

— Alors, comme ça, tu t'es esquinté la jambe ?

— Non, lui chuchote-t-il à l'oreille, c'est le bras droit que je me suis fracturé.

— Le bras droit ? interroge l'autre, étonné. Mais pourquoi n'as-tu rien dit quand ils t'ont plâtré la jambe gauche ?

— Cela m'aurait trop gêné pour traiter tout mon courrier en retard.

———— 214

— Docteur, dit un jeune homme, je vous en supplie, accordez-moi la main de votre fille.

— Jamais, hurle le médecin. Vous êtes un parfait crétin !

Effondré, le soupirant se dirige vers la porte.

— Hé, vous, là-bas ! fait le médecin.

Fou d'espoir, le jeune homme se retourne :

— Oui.

— Vous ne m'avez pas payé ma consultation.

———— 215

Les hypocondriaques du monde entier avaient prévu de se réunir en congrès.

La manifestation n'a pas pu avoir lieu : toutes les personnes inscrites avaient annulé leur participation en prétextant, chacune, avoir au moins une douzaine de maladies.

———— 216

Un chirurgien téléphone à la femme d'un de ses patients.

— Vous m'avez bien dit que vous habitez à environ 500 m de l'hôpital.

— Oui.

— Je voulais vous avertir que l'opération consistant à greffer le cœur d'une tortue à votre mari a parfaitement réussi. Il vient de quitter l'hôpital en pleine forme pour regagner son domicile à pied. Normalement, il devrait être chez vous dans trois semaines.

——— *217*

Un homme demande à son pharmacien :
— Que me conseillez-vous pour le foie ?
En veine de plaisanterie, le pharmacien lui répond :
— Ma femme le fait cuire à la poêle avec des échalotes mais, en toute franchise, je n'aime pas cela du tout.

——— *218*

Un médecin dit à son patient :
— Mon pauvre monsieur : je vous donne deux mois à vivre.
— En ce cas, je vais prendre juillet et août. Ce sont les mois les plus ensoleillés de l'année.

——— *219*

— Je ne me sens pas en forme, confie une jeune femme à une amie.
— Va consulter un médecin.
— J'y ai pensé, mais cela m'ennuie de me mettre toute nue devant un homme.
— Tu plaisantes, ricane son amie, toi qui as eu au moins 25 amants !
— Je m'explique mal. Cela m'ennuie de me mettre toute nue devant un homme qui, lui, garde son pantalon.

——— *220*

Après avoir abondamment rassuré par téléphone une femme qui s'affolait parce qu'une vive douleur dans le ventre, du côté droit, lui faisait craindre d'avoir l'appendicite, un homme s'entend dire :
— Merci beaucoup, docteur.
— Vous remercierez le docteur quand vous le verrez, dit-il. Moi, je me contente de venir, chaque soir, faire le ménage de son cabinet.

——— *221*

Alors que le médecin de l'hôpital fait sa tournée matinale, une infirmière lui dit :
— On constate une nette amélioration de l'état du 14. Le plus étonnant c'est que cela s'est produit après qu'il a recraché son sirop et avalé la cuillère.

────── *222*

— Je vais en vacances à La Baule, dit un homme à son médecin : croyez-vous que cet endroit soit bon pour les rhumatismes ?

— Très bon, approuve le médecin : c'est là que j'ai attrapé les miens.

────── *223*

Très inquiète, une jeune femme va consulter un dermatologue.

— Regardez, lui dit-elle, après avoir relevé sa jupe, j'ai deux taches ver-dâtres à l'intérieur des cuisses.

— C'est très curieux, en effet, dit le spécialiste. Permettez-moi une question indiscrète : n'avez-vous pas, dans vos relations, une sorte de hippie ?

— Si, reconnaît la jeune femme, en rougissant. Mais quel est le rapport ?

— Il est simple. La prochaine fois que vous le verrez, dites-lui que contrairement à ce qu'il pense, ses boucles d'oreilles ne sont pas en or.

────── *224*

Un chirurgien vient rendre visite à l'un de ses patients :

— J'ai deux nouvelles pour vous, lui dit-il, bonnes toutes les deux.

— Donnez-moi la moins bonne, d'abord.

— Vous savez que l'opération de l'appendicite que j'ai pratiquée sur vous, la semaine passée était télévisée. Vous avez fait un taux d'écoute remarquable : 27 % de parts de marché.

— Et la seconde nouvelle ?

— Ce succès a incité les producteurs à en faire une série. Demain, je vous enlève les amygdales.

────── *225*

Une pharmacienne, qu'un de ses clients a saisie par le cou pour la secouer de toutes ses forces, dit à l'un de ses collaborateurs :

— Même... s'il n'a pas... d'ordonnance... en règle... donnez-le-lui... son... calmant.

────── *226*

Après avoir ausculté un nouveau patient, le médecin conclut :

— On peut considérer la façon dont bat votre cœur d'un point de vue médical ou d'un point de vue musical. Pour le médecin, c'est une simple arythmie mais, pour le musicien, c'est une superbe samba.

——— *227*

Un chercheur fait irruption chez le grand patron du laboratoire pharmaceutique.

— Ça y est ! s'écrie-t-il. J'ai mis au point le fortifiant que je cherchais depuis longtemps.

— Et que contient ce remède-miracle ?

— D'abord du calcium.

— Bien.

— De l'iode.

— Très bien. Et puis ?

— Des phosphates.

— Parfait. Et encore ?

— Antoine.

— Antoine ?

— Oui. Et pourtant, cent fois je lui ai recommandé de tenir l'éprouvette à bout de bras !

——— *228*

Une infirmière entre dans la chambre d'un malade hospitalisé.

— Vite, lui dit-elle, le grand patron arrive pour sa tournée matinale. Nous n'avons que le temps de réviser vos symptômes.

——— *229*

— Docteur, dit un patient, j'ai un ongle incarné qui me fait terriblement souffrir.

— Vous devriez consulter un bon ophtalmologiste.

— Un ophtalmologiste ? Pour un ongle incarné ?

— C'est surtout que vous avez mal lu ce qui est gravé sur ma plaque. Moi, je suis oto-rhino.

——— *230*

Une femme dit à son mari, couvert de boutons rouges :

— Après avoir feuilleté le *Larousse médical,* je pense que tu es victime d'une maladie fréquente en Afrique australe.

— En ce cas, qu'attends-tu pour appeler un grand sorcier ? conventionné avec la Sécurité sociale, bien sûr.

─────── *231*

— Je souffre de kleptomanie, dit un homme à une pharmacienne. Quel médicament pourrais-je voler dans vos rayons pour tenter de m'en guérir ?

─────── *232*

Une séduisante infirmière vient chercher un patient pour le conduire en salle d'opération.

— Voyons, lui dit-elle gentiment, ne tremblez pas comme ça.

Et, pour le rassurer définitivement, elle ajoute en soulevant sa blouse sous laquelle elle est nue :

— Tenez, regardez : moi aussi, j'ai été opérée de l'appendicite. Ma cicatrice est plutôt discrète, non ?

─────── *233*

— Votre mari est dans un état de faiblesse alarmant, dit le médecin, voici un médicament au goût épouvantable. Vous allez lui en faire absorber quatre cuillerées par jour.

— Jusqu'à quand, docteur ?

— Jusqu'à ce qu'il ait retrouvé assez de forces pour attraper le flacon, le jeter à terre et le piétiner.

─────── *234*

Un chercheur, qui a consacré toute sa vie à l'étude des maladies contagieuses, est interrogé sur son plus grand motif de satisfaction.

— C'est sans doute, dit-il, d'avoir mis au point un modèle réduit de drone, comme en utilisent toutes les armées du monde.

— Quel est le rapport avec les maladies contagieuses ?

— On fixe sous le fuselage du drone une seringue et, grâce à la télécommande, il est possible de piquer en toute sécurité un malade sans s'approcher de lui à moins de 10 m.

─────── *235*

— J'étais allé consulter un éminent spécialiste pour des troubles cardiaques, raconte un homme et, manifestement, mon cas lui posait un problème. Il m'a fait attendre dans son cabinet en caleçon et maillot de corps, pendant qu'il cherchait, sur Internet, ce qui pouvait bien causer mon mal.

— Cela a duré longtemps ?

— Deux jours.

——— *236*

Un malade dont le visage est couvert de taches consulte un dermatologue. À la fin de l'examen, il lui demande :
— Avez-vous déjà vu un cas semblable, docteur ?
— Oui, mais c'était sur un fromage de Roquefort.

——— *237*

Un chirurgien, en train d'opérer un patient, bavarde avec son assistante :
— Venez donc me retrouver, dimanche, dans ma maison de campagne, près de Montfort-l'Amaury. Je vais vous indiquer le chemin.
Et, saisissant le scalpel, il le promène en descendant, sur le corps de l'opéré.
— Ici, dit-il, en partant d'un sein, c'est le carrefour de la nationale Paris-Dreux avec la départementale 235. Vous prenez cette départementale jusqu'à la place avec un vieux puits, mettons, le nombril.
En faisant descendre un peu plus son scalpel, le chirurgien enchaîne :
— Vous poussez jusqu'à un petit-bois, avec un vieil arbre mort. Avouez qu'on s'y croirait. Et vous êtes arrivée à ma villa.

——— *238*

— Docteur, dit un patient, les os me font du mal.
Pour plaisanter, le médecin suggère :
— Ils feraient mal à n'importe qui. Pourquoi ne les laissez-vous pas sur le bord de votre assiette ?

——— *239*

Une infirmière particulièrement sexy glousse de plaisir tandis qu'un de ses malades, qui a glissé une main sous sa blouse, la caresse avec ardeur.
— Oh ! Monsieur Dupaton, cette fois, je crois que la rééducation de votre main droite est complètement terminée.

─────── *240*

— Je ne comprends pas ce qui se passe, dit la femme d'un médecin. Voilà une heure que mon mari s'est enfermé, dans son cabinet, après y être entré avec, sous le bras, la boîte du *Parfait chimiste* que notre fils a reçue pour son anniversaire.

— Et alors ?

— Eh bien, je viens de l'entendre téléphoner à quelqu'un en s'annonçant ainsi : « Bonjour, ici Mister Hyde. »

─────── *241*

— Je voudrais, dit une femme à son notaire, léguer mon cerveau à la science.

— C'est une excellente intention, mais pourquoi ne pas faire plutôt un don de 2 euros à la recherche médicale ?

─────── *242*

Une infirmière demande à un malade hospitalisé :

— Comment allons-nous, ce matin ?

— Moitié-moitié.

— Comment cela ?

— Moi, je suis en pleine forme, dit le malade mais vous, vous avez le teint jaune et l'œil torve.

─────── *243*

— S'il vous plaît, demande un homme à un pharmacien, auriez-vous des préservatifs à rayures jaunes et noires ?

— Euh… non. Mais quelle étrange question. À quoi vous serviraient des préservatifs à rayures jaunes et noires ?

— Eh bien, voilà. Je suis valet de chambre chez une riche bourgeoise. Et, même quand elle m'invite à lui faire l'amour, elle veut être certaine que je n'oublie pas ma condition.

─────── *244*

— Je suis sûr, dit un médecin à son patient, que vous allez dire « ah ! ».

— Pourquoi cela ?

— Vous ne pourrez qu'être étonné quand je vous aurai raconté comment ma femme m'a quitté pour refaire sa vie avec un plombier.

———— *245*

Un patient confie à son médecin :
— Je ne parviens pas à différencier ma main droite de ma main gauche. Que me conseillez-vous ?
— Voici un bon moyen d'y parvenir : prenez un beignet de la main droite et un CD de la main gauche. Ensuite, mordez dans chacun d'eux. Vous constaterez la différence à la première bouchée.

———— *246*

Dans un laboratoire, un chercheur qui étudie les effets de la grippe, dit à l'un de ses collègues :
— Ça y est ! Je l'ai attrapé !
— Le virus ?
— Non. L'éboueur qui tous les matins me réveille en sursaut en déplaçant les poubelles en bas de chez moi.

———— *247*

Une superbe blonde vient consulter un médecin.
— Docteur, explique-t-elle, j'ai des migraines, constamment.
— Déshabillez-vous, ordonne le médecin.
— Mais… c'est pour des maux de tête.
— J'ai compris. Déshabillez-vous.
— Complètement ?
— Complètement.
Un peu étonnée, la jeune femme obéit. Une fois nue, le médecin la regarde des pieds à la tête, en s'attardant sur le bas-ventre, et conclut :
— C'est bien ce que je pensais ! Chère petite madame, arrêtez de vous teindre les cheveux en blond et je suis certain que vos migraines disparaîtront aussitôt.

———— *248*

Le directeur d'un laboratoire dit à l'un de ses collaborateurs :
— Votre dernière recrue me paraît bien jeune. Comment allez-vous l'employer ?
— Compte tenu de son âge, je pense le mettre au service de la recherche sur les simples bobos.

―――― *249*

Dans une salle d'hôpital, deux malades ont improvisé une partie d'échecs avec les moyens dont ils disposent.

— Tu as pris mon comprimé d'aspirine avec ton sirop pour la toux, dit l'un d'eux mais, là, je mets ton thermomètre médical en échec et mat.

―――― *250*

— Mon médecin est stupide, dit un homme à sa femme.
— Pourquoi dis-tu cela ?
— Il prétend que je perds la mémoire. Franchement, je me demande...
— Si ce docteur est compétent ?
— Non : qu'est-ce que c'est, au juste, que la mémoire ?

―――― *251*

— Docteur, dit une femme, mon mari est venu vous consulter, il y a un mois. Or, depuis, il n'est plus le même.
— Vraiment ?
— Avant, il était tendre et amoureux, il me prenait le menton, m'embrassait et me faisait l'amour tous les jours. Mais, surtout, il me disait que j'étais sa huitième merveille du monde.
— Et maintenant ?
— Il ne rentre pratiquement plus au domicile conjugal et, les rares fois où il est à la maison, il ne me regarde même pas et me parle de manière agressive. Alors, je suis persuadée que vous lui avez fait un traitement d'hormones qui l'a complètement déboussolé.
— Eh bien, Madame, vous vous trompez. Je lui ai tout simplement prescrit de porter des lunettes.

―――― *252*

Un homme qui va être opéré sursaute en entendant le chirurgien dire à son assistante.

— Un doute me vient d'un coup. Voulez-vous aller jusqu'à mon bureau, allumer mon ordinateur et vérifier sur *Google* si l'appendice est à droite ou à gauche ?

———— 253

Un médecin marié à une femme médecin vient de suivre, sur le petit écran, un téléfilm qui le met en colère. Il s'écrie :

— Cette histoire, totalement invraisemblable, est racontée de façon stupide et jouée par une troupe de bons à rien !

Au moment où sa femme ouvre la bouche, il ajoute :

— Et, pour une fois, après ce diagnostic, il n'y a nullement besoin d'un second avis !

———— 254

Surpris de voir entrer dans son cabinet un homme bâti comme une armoire à glace, un médecin l'interroge :

— Pour quelle raison venez-vous me voir ?

— Ma femme m'a conseillé de venir vous consulter parce que ça ne va pas bien du tout.

— Comment, s'écrie le docteur, un grand gaillard comme vous, fort comme un chêne ?

— Eh bien, justement... C'est à cause du gland.

———— 255

Un médecin installe, sur ses genoux, un pantin dont il actionne les mâchoires avec des ficelles.

Il dit au patient qui a pris place en face de lui :

— Je vous ai communiqué mon diagnostic, mais je comprends parfaitement que vous souhaitiez avoir un second avis.

Et, se tournant vers son pantin, il ajoute :

— Alors, Arsène, que penses-tu de ce cas ?

Pas bêtes, ces animaux

—— 256

Deux dromadaires, qui errent dans l'immensité brûlante du Sahara, passent devant une pancarte indiquant :

OASIS À 400 KM

— Je ne me féliciterai jamais assez, dit un des dromadaires, d'avoir un avantage précieux en cette région.
— N'être jamais assoiffé ?
— Non, ne pas savoir lire.

—— 257

Un homme consulte le plus grand spécialiste français des batraciens :
— J'ai attrapé deux grenouilles que je compte garder dans un aquarium mais, avant que je ne les mette ensemble, pouvez-vous m'expliquer comment distinguer une grenouille mâle d'une grenouille femelle ?
— Très simplement. Il suffit de leur donner des mouches à manger. Les grenouilles mâles préfèrent les mouches femelles et les grenouilles femelles préfèrent les mouches mâles.
— Cela semble facile, en effet. Mais comment distingue-t-on une mouche mâle d'une mouche femelle ?
— Ça, il faut le demander à un expert en mouches. Moi, ma spécialité, ce sont les grenouilles.

—— 258

À l'hôpital, une infirmière avertit une collègue :
— Le 12 se plaint.
— Celui qui partage sa chambre avec un vétérinaire ?
— Oui. Il dit qu'en plus des deux chevaux et des trois vaches qui sont déjà au chevet de celui dont ils apprécient les bons soins, nous n'aurions jamais dû laisser entrer la truie et ses douze porcelets.

—————— *259*

Dans un centre hippique, un moniteur dit, en riant, à une jeune cavalière :

— Vous êtes montée sur votre cheval à l'envers.

— Comment pouvez-vous dire cela, alors que vous ne savez même pas dans quelle direction je veux aller ?

—————— *260*

Le propriétaire d'une oisellerie se désole parce qu'un de ses perroquets se refuse obstinément à parler.

En désespoir de cause, il se plante devant le volatile et suggère à sa femme :

— On pourrait prendre celui-ci pour le faire cuire au four avec des petits oignons.

— Eh ! doucement, proteste le perroquet : je suis un perroquet du Brésil, moi, pas un poulet de Loué !

—————— *261*

Dans une soirée, une femme interroge un spécialiste du comportement animal qui rentre d'un voyage d'études en Afrique.

— Je crois, lui dit-elle, que l'orang-outang est le singe qui se rapproche le plus de l'homme.

— Oui, répond le savant, l'œil égrillard. Et il se rapprocherait encore beaucoup plus de la femme si l'homme le laissait faire.

—————— *262*

À l'église, lors d'un mariage, les deux époux tiennent chacun dans ses bras leurs deux animaux de compagnie préférés. Le curé enchaîne :

— Et maintenant, le teckel du marié est-il décidé à faire bon ménage avec le chartreux de la mariée ? Répondez-moi, l'un et l'autre, par « ouah-ouah » et « miaou ».

—————— *263*

Un vol d'oiseaux affamés arrive à proximité d'un cerisier. Leur chef de file annonce :

— Si c'est vert et pas mûr, on passe mais, si c'est rouge, on s'arrête... et on casse la croûte.

────── **264**

Dans un zoo, le directeur dit à un nouvel employé :
— Allez nourrir l'hippopotame femelle qu'on a surnommé La Callas.
— Pourquoi ce surnom ? Son cri ne ressemble pas à la voix de la célèbre cantatrice.
— Certes, mais ce surnom lui a été donné du jour où elle a avalé un poste de radio branché sur *Radio Classique*.

────── **265**

Une lycéenne s'étonne auprès de son professeur de sciences naturelles :
— C'est curieux que les lapins se reproduisent beaucoup plus que les écureuils. À quoi attribuez-vous cela ?
— À propos des écureuils, une question en vaut une autre, répond le professeur : avez-vous déjà essayé de faire l'amour, en équilibre sur une branche, avec un partenaire à la queue en panache ?

────── **266**

Au Paradis terrestre, Adam a laissé tomber à terre la pomme dans laquelle Eve l'a incité à croquer.
Un moineau qui a assisté à la scène lui demande :
— À ton avis, est-ce que je peux gober le ver qui se tortille dans ce trognon de pomme sans risquer de mettre en boule, une fois de plus, l'Éternel ?

────── **267**

Un homme dit au chat de la maison :
— J'ai posé une bûche de chêne près de la cheminée. Je t'interdis, tu entends bien, je t'interdis, de faire tes pattes dessus avec tes griffes.
— Mais, papa, s'étonne son jeune fils, tu ne t'es pas procuré cette bûche à cet usage ?
— Chut ! Depuis que j'ai posé la bûche, cette sale bête ne s'y intéresse pas, alors je tente le tout pour le tout en sachant bien, par expérience, que si on lui interdit de faire quelque chose, elle va aussitôt s'y employer.

—————— *268*

— J'ai appris à parler à un pigeon voyageur, raconte un homme à un ami.

— Et ça sert à quoi ?

— Je voudrais que tu voies la tête d'un automobiliste quand mon pigeon s'introduit dans sa voiture aux vitres baissées et lui demande : « Ça vous dirait d'utiliser un GPS vraiment écologique ? »

—————— *269*

Dans un centre d'éducation canine, un homme dit au dresseur :

— Je voudrais que vous appreniez à mon pitbull à devenir fou furieux et à se jeter sur un éventuel assaillant, dès qu'il entend un sifflement.

— Et que ferez-vous quand il sera dressé ?

— J'attendrai gaiement que des cambrioleurs pénètrent dans ma propriété après s'être moqués de l'avertissement indiqué sur la pancarte :
ATTENTION AU CANARI !

—————— *270*

Une femelle oiseau tente d'inciter son plus jeune fils à quitter le nid.

— Enfin, lui dit-elle, prends modèle sur ton père : à ton âge, il comptait déjà au moins 200 heures de vol.

—————— *271*

— Comment appelle-t-on un cheval de petite taille à Tokyo ?

— Un Jap-poney.

—————— *272*

La femme d'un gardien du zoo confie, furieuse, à une amie :

— Mon mari a quitté le domicile conjugal et devine où il est allé s'installer ?

— Chez sa mère ?

— Non : dans la poche ventrale d'une femelle kangourou dont il est follement amoureux.

───── *273*

— Mon chameau est mort pendant la traversée du désert, dit un grand voyageur au Bédouin qui lui avait loué l'animal.

— Vous l'aviez fait boire avant de partir ?

— J'ai essayé, mais il a refusé d'absorber une seule goutte d'eau.

— Parce que vous ne savez pas vous y prendre, dit le Bédouin. Il faut faire s'agenouiller le chameau devant un point d'eau. Vous lui écartez les pattes de derrière et, brusquement, vous lui écrasez la partie la plus sensible entre deux grosses pierres. Là, c'est certain, il boit.

— Mais, fait l'Européen, ça doit être très douloureux.

— Ça oui, approuve le Bédouin. En manipulant les pierres, il faut faire bien attention de ne pas se taper sur les doigts.

───── *274*

Par un après-midi caniculaire, une tortue femelle s'extasie en voyant qu'une tortue mâle a relevé sa carapace à la verticale :

— Tu m'emmènes faire un tour dans ta décapotable ?

───── *275*

Dans une petite ville, un vétérinaire marche sur un trottoir avec un ami. Soudain, ils croisent un chien errant qui s'écrie joyeusement :

— Bonjour, docteur !

— Ça, alors, fait l'ami, c'est extraordinaire.

— D'autant plus extraordinaire, renchérit le vétérinaire que je ne vois pas comment ce chien peut me connaître : il n'est jamais venu dans mon cabinet.

───── *276*

La femme d'un dompteur brandit le fouet de son mari et lui dit :

— Bon, je te montre comment tu dois te conduire avec tes tigres pour te faire respecter, mais c'est la dernière fois. Allez, grimpe sur ce tabouret et fais le beau.

——— 277

Les pompiers ont réussi à grand-peine à sauver un perroquet femelle d'un appartement en flammes.

Son propriétaire, heureux qu'elle s'en soit tirée avec quelques plumes un peu roussies lui dit :

— Eh bien, je crois que tu as eu une sacrée chance, Cocotte.

— Je vous en prie, fait la perroquette, à partir de maintenant, laissez tomber Cocotte et appelez-moi Jeanne d'Arc.

——— 278

Un spécialiste des oiseaux lance des morceaux de pain, un peu rassis, à une mésange.

— C'est curieux, dit-il à sa femme, en interprétant le chant de cette petite bête vorace, je comprends : « La prochaine fois, pourriez-vous me beurrer le morceau de pain ? »

——— 279

Deux écureuils découvrent un casse-noisette, oublié au pied d'un arbre, par des pique-niqueurs.

— Eh bien, dis donc, s'écrie l'un d'eux, voilà un engin qui va nous faire faire de sérieuses économies de dentiste.

——— 280

— Qu'est-ce que tu fais, demande une femme à son mari, la tête en bas suspendu par les pieds, à un trapèze que tu as fixé au plafond ?

— Je m'entraîne, pour participer, la semaine prochaine, au congrès des Amis des chauves-souris.

——— 281

L'Éternel est en train de créer le monde, il dit à l'un de ses anges :

— Après avoir créé le porc-épic, je me suis maladroitement heurté à l'un de ses piquants et cela m'a guéri d'une migraine persistante. Je crois bien que, sur ma lancée, j'ai inventé l'acupuncture.

—————— *282*

Le directeur du zoo, qui fait une visite impromptue, dit à l'un de ses gardiens :

— Qu'est-ce qui vous prend de martyriser cet éléphant qui veut dormir en faisant un nœud à sa trompe ?

— C'est le meilleur moyen que j'ai trouvé pour qu'il cesse d'empêcher de dormir les autres animaux par ses ronflements.

—————— *283*

La femme d'un vétérinaire répond au téléphone et dit à son mari :

— Je me demande si ce n'est pas une blague. Ton correspondant prétend être un ours : il s'apprête à hiberner, mais il vient de s'apercevoir qu'il n'a plus de somnifères.

—————— *284*

Dans un chenil, une femme se laisse séduire par un chiot très mignon.

— Je vous précise, dit le marchand, qu'il a un pedigree.

— C'est très honnête, de votre part, de me signaler cela, dit la dame, mais il a une bonne tête : je l'aimerai quand même.

—————— *285*

— Certes, dit un homme, mon métier est de débarrasser les locaux des rongeurs. Mais de là à me traiter de « tueur en souris » !

—————— *286*

Une mésange, qui vole avec son compagnon, dit en désignant les six corbeaux qui les entourent :

— J'ai beau savoir que nous appartenons à une espèce menacée, j'ai du mal à m'habituer à ces agents de surveillance qui ne nous quittent pas de l'œil un instant.

—— *287*

Une femme appelle son mari au bureau :
— Chéri, lui dit-elle, je voudrais que tu raisonnes le chien. Il se refuse à manger sa pâtée. Attends, je te le passe.
L'homme se fait persuasif :
— Allô, Fifi ? C'est papa. Qu'est-ce que me raconte maman, qu'on ne veut pas manger sa pâtée. Oh ! le vilain chien-chien ! Il va vite aller vider sa gamelle pour faire plaisir à papa et maman.
À ce moment, le chef du bureau surgit :
— Martinot, s'écrie-t-il, est-ce que je rêve ou est-ce que vous êtes en train de parler à votre chien ?
— C'est exact, répond l'employé, penaud. Je parlais à mon chien.
— Puisque vous êtes si doué, pourriez-vous me rendre le service de dire deux mots à mon poisson rouge ? Voilà plus de huit jours qu'il fait une grave crise de claustrophobie.

—— *288*

Chez les pieuvres, un mâle dit à une femelle, en admirant ses huit tentacules :
— Je serais bien en peine de les différencier de tes bras, mais une chose est sûre : tu as des jambes superbes.

—— *289*

Le propriétaire d'une animalerie demande à l'homme qui vient d'acheter une tortue :
— Qu'est-ce que je fais ? Je vous la poste en Colissimo pour qu'elle vous parvienne, à votre domicile, dans les 24 heures, ou je lui explique comment s'y rendre, par ses propres moyens dans les deux mois ?

—— *290*

En voyant le chien chéri de son mari se diriger vers la bibliothèque et saisir à pleines dents un livre qu'il pose sur le sol, une femme proteste :
— Tu vas encore penser que ton chien est très intelligent. Mais qu'est-ce qui te prouve qu'il lit vraiment et qu'il ne se contente pas de regarder les illustrations ?

—— *291*

— Quel est le comble pour un maroquinier ?
— Mettre le lit de la rivière où vit un crocodile en portefeuille.

—————— *292*

Un éléphant raconte à un autre :
— J'avais tellement de complexes que je me suis résolu à consulter un psychanalyste.
— Plusieurs fois ?
— Non, une seule. Mais cela m'a coûté cher.
— Combien ?
— 2 200 euros.
— C'est énorme !
— En effet. Pour la consultation proprement dite : 200 euros, plus 2 000 euros pour l'achat d'un nouveau divan, car j'avais défoncé l'ancien.

—————— *293*

Le vétérinaire dit à l'homme qui, couché sur le dos, agite les bras et les jambes en poussant de petits jappements :
— Je ne doute pas que vous imitiez à la perfection les symptômes de la maladie de votre caniche, mais je me rendrais tout de même mieux compte de la gravité de son état si vous consentiez à amener votre animal à mon cabinet.

—————— *294*

Une jeune femelle escargot dit au mâle, très amoureux, qui lui fait la cour :
— Je veux bien t'épouser mais à une condition : chacun conserve son appartement de célibataire.

—————— *295*

Dans un parc public, une coccinelle s'est perchée sur le museau d'un dalmatien.
— Je ne sais pas ce qui me fait penser cela, dit-elle au chien, mais j'ai le sentiment que certains points communs font de nous de lointains parents.

—————— *296*

Au pôle Sud, un manchot exprime son indignation à sa compagne :
— Je n'admets pas d'être dirigé par un manchot empereur qui ne doit sa situation qu'à un coup d'État.
— Voyons, Victor...
— Il n'y a pas de Victor qui tienne ! Allez, on s'exile à Jersey, d'abord, puis à Guernesey.

——— *297*

Dans un muséum, un spécialiste des dinosaures a passé toute la journée, un pot de colle forte à la main, à reconstituer le squelette d'un tyrannosaure Rex.

Le soir venu, se rendant compte qu'il s'est enfermé dans le ventre de l'énorme animal, il se met à hurler : « Au secours ! Je veux sortir ! »

——— *298*

Le téléphone sonne dans un magasin de bricolage.

— Allô, dit un homme, je vous appelle parce que je dirige un petit zoo et que ma girafe a mal à la gorge.

L'employé, qui a décroché, répond :

— S'il vous faut un sirop, pour votre girafe, adressez-vous plutôt à un vétérinaire.

— Ça y est, j'ai le sirop. Ce qui me manque, maintenant, pour le lui administrer, c'est une échelle double.

——— *299*

Dans un parc public, une femme fouille dans un sac en plastique et dit aux moineaux gros comme des poules qui viennent quémander leur pitance :

— Désormais, je vous mets au régime des restes de baguette. Manifestement, depuis quelques semaines, je vous ai trop gavés avec mes barres énergétiques.

——— *300*

— Tu as prévu, demande un homme à sa femme, d'apprendre la propreté au chiot que je t'ai offert pour ta fête ?

— Oui. Regarde : j'ai disposé trois bonsaïs autour de sa niche.

——— *301*

Un chimpanzé se présente dans une agence de Pôle emploi et explique au fonctionnaire qui le reçoit :

— Je cherche du travail.

Le fonctionnaire s'extasie :

— Un singe qui parle ! Ça, alors, c'est rare. Il faut vous faire engager dans un cirque.

— Un cirque ! proteste le chimpanzé. Qu'est-ce qu'un cirque pourrait bien faire d'un ingénieur en énergie nucléaire ?

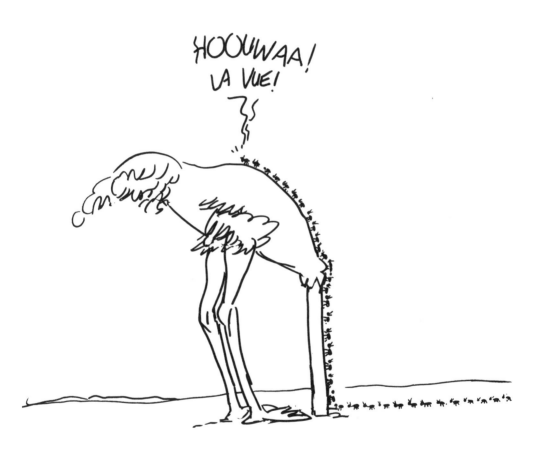

—— *302*

Un pivert, bien installé dans son nid, dit à sa compagne :
— Je redoute cet homme qui tient une perceuse électrique à la main.
— De quoi as-tu peur ?
— Qu'en perçant le tronc d'un chêne, il me montre ce que peut faire la concurrence.

—— *303*

Une femme répond au téléphone :
— Qui demandez-vous ?
— Le zoo.
— Le zoo, dites-vous. Permettez que je regarde attentivement mon mari, vautré sur le canapé, à manger des cacahuètes... Non, je regrette. C'est vrai que mon époux tient du gorille et du morse, à cause des moustaches, mais vous n'êtes pas vraiment au jardin zoologique.

—— *304*

Vu cette pancarte, dans le jardin d'un pavillon de banlieue :

ATTENTION AU CHIEN
Il a un esprit moqueur, caustique, ironique
et surtout mordant.

—— *305*

En entrant dans la salle de bains où son mari prend son bain, une femme lui dit :
— Olivier, manifestement, notre poisson rouge s'ennuie, tout seul dans son bocal. Je te le mets dans la baignoire pour que tu lui changes un peu les idées en jouant avec lui, avec la savonnette un peu comme tu le fais avec le chien quand tu lui lances sa baballe.

—— *306*

Un homme promène un crocodile en laisse sur un trottoir.
Il rencontre un ami qui s'écrie :
— Eh bien, toi, alors, tu ne crains pas de te faire remarquer ! Porter une cravate à pois avec une chemise à rayures !

——— 307

Le lynx, renommé pour son acuité visuelle, a été chargé d'assurer la police de la route dans la forêt.

Après quelques jours, il soupire, accablé :

— J'en ai marre d'arrêter, dix fois par jour, le même contrevenant pour excès de vitesse.

— Qui est-ce ?

— La tortue.

——— 308

— Mon fiancé Jean-Pierre, raconte une jeune femme à une amie, travaille dans un zoo. L'autre jour, pour s'amuser, il était entré dans la cage d'un chimpanzé et lui a fait porter le même tee-shirt que le sien.

— Comment l'as-tu reconnu ?

— Grâce à un test très simple : le chimpanzé aime surtout les bananes, alors que mon fiancé préfère les cacahuètes.

——— 309

Au moment d'acheter un perroquet, une femme s'inquiète :

— Si le perroquet m'observe pendant que je fais l'amour avec mon amant, ne va-t-il pas tout raconter à mon mari ?

— Rassurez-vous, Madame, répond le propriétaire de l'animalerie. Il parle, certes, mais en chinois comme son précédent propriétaire.

——— 310

Un serpent arrive, dans un état épouvantable, à son trou où l'attend sa compagne.

— Aide-moi, dit-il à celle-ci, à démêler tout cela.

— Mais que t'est-il arrivé ?

— Je m'étais aventuré dans un camp de scouts et ils apprenaient à faire des nœuds.

311

— J'ai perdu mon chien, se désole une employée de bureau. Une bête adorable, sensible et intelligente, mais intelligente...

Une collègue lui suggère :

— Pourquoi ne mettez-vous pas une annonce sur Internet ?

La femme se redresse, offusquée :

— Gardez pour vous vos plaisanteries de mauvais goût. Mon chien est, certes, très intelligent mais quand même pas au point de se brancher sur Internet.

312

— Qu'est-ce qui t'a donné l'idée de fabriquer cette cabane pour les oiseaux ? demande un visiteur à un ami.

— Au départ, j'avais prévu de construire une niche pour mon chien. Mais, comme je n'ai pas le compas dans l'œil, j'ai confondu les dimensions d'un doberman avec celles d'un rouge-gorge.

313

— J'avais un peu de mal à m'endormir à cause des moustiques, raconte une dame. J'en ai parlé à mon mari qui, hélas, a trouvé le meilleur moyen pour faire fuir ces sales bêtes.

— Et quel ce moyen ?

— Jouer du tuba.

314

Un fermier demande à sa femme :

— Pourrais-tu me passer une douzaine de tes bigoudis ?

— Pour quoi faire ?

— J'ai une brebis qui fait une grosse dépression parce que, contrairement à ses compagnes, elle ne frise pas naturellement. Je voudrais lui redonner un peu de joie de vivre.

315

Dans une oisellerie, un homme demande au patron :

— Pourquoi ce perroquet est-il proposé moitié moins cher que les autres ?

C'est le volatile lui-même qui lui en donne l'explication.

— Voici la raison : malgré tous leurs efforts, je n'ai jamais voulu apprendre à parler.

—— 316

Un homme demande à son poisson rouge :
— Cette nouvelle nourriture te plaît-elle ? Réponds-moi franchement : une bulle pour oui, deux bulles pour non.

—— 317

— Plus question de lire au lit, dit une fourmi femelle à son compagnon.
— Pourquoi ?
— EDF vient encore d'augmenter ses tarifs.
— EDF ? Qui est-ce EDF ?
— C'est ainsi que j'ai surnommé le ver luisant.

—— 318

Dans un parc animalier, alors que deux éléphants, trois tigres, un lion et un grizzly entourent la voiture dans laquelle est barricadée une famille de visiteurs, une petite fille s'extasie :
— Regarde, maman, sur cette feuille d'un platane, il y a une chenille !

—— 319

Une Brésilienne tente d'amadouer son perroquet, obstinément muet, en lui donnant une superbe mangue.
Mais le volatile proteste :
— Je ne parlerai qu'en présence d'un avocat.

—— 320

Un fermier téléphone au responsable du *Livre Guinness des Records*.
— Je voudrais vous signaler, dit-il, qu'une de mes vaches a fait, hier, un bond de 4 m de haut.
— En quelles circonstances ?
— Il y a eu un court-circuit dans la trayeuse électrique.

——— 321

— Tous les animaux possèdent une forme d'intelligence, assure un homme. Ainsi, moi, je parle beaucoup à mon poisson rouge et, à sa façon de me regarder, je suis sûr qu'il me comprend.

— Et que lui dites-vous ?

— En ce moment, j'essaie de lui faire bien comprendre qu'étant un poisson d'eau douce, il vaut mieux, pour lui, que je confie son bocal à ma gardienne plutôt que de l'emmener en vacances au bord de la mer.

——— 322

Un chien errant voit une araignée qui se balance au bout de son fil.

— Eh bien, tu vois, lui dit-il, c'est ce qui m'a toujours déplu : sortir en laisse.

——— 323

Au rayon des fromages à la coupe d'une supérette, deux mouches voient un gros morceau d'emmenthal.

— On va rigoler, dit l'une. Moi, je reste sur le comptoir pendant que tu vas prendre place dans un trou. On dirait que tu partirais en croisière sur un paquebot et que tu me ferais au revoir par un des hublots.

——— 324

Sur un trottoir très fréquenté, un homme qui marche sur les mains progresse par bonds.

Une passante questionne :

— Qu'est-ce qu'il fait, au juste ?

— Il me l'a expliqué avant de commencer, dit un passant : c'est un grand ami des bêtes et il veut attirer l'attention sur le sort déplorable des kangourous vivant aux antipodes.

——— 325

— Mon chat est très malin, raconte une femme. D'habitude, il se met en rogne et détruit tout dans l'appartement dès qu'il entend le mot « vétérinaire ». C'est pourquoi mon mari et moi évitons soigneusement de prononcer ce mot devant lui.

— Et alors ?

— Eh bien, voilà que, ce matin, sans raison apparente, il a fait son saccage habituel. En y repensant, nous avons compris pourquoi. Nous parlions des prochaines vacances et j'avais dit : « J'aimerais aller aux Seychelles. » À quoi mon mari avait répliqué : « J'oppose mon veto. »

——— *326*

Dans la jungle, en enfilant son pantalon, un chimpanzé demande à un autre :

— Je ne sais pas exactement ce qu'est l'évolution selon Darwin, mais je n'y crois pas un instant.

——— *327*

Le directeur du zoo s'indigne :

— Le chirurgien vétérinaire que nous avons récemment engagé est vraiment trop distrait. La semaine dernière, il avait déjà laissé un de ses instruments dans l'estomac d'un phoque mais, aujourd'hui, il s'est surpassé…

— De quelle façon ?

— Eh bien, après avoir ouvert puis recousu le ventre de l'éléphant, il s'affole parce que son assistante a disparu.

——— *328*

Une femme pénètre dans le cabinet d'un vétérinaire en criant :

— J'étais dans la salle d'attente et je bavardais avec le propriétaire d'un affreux bouledogue. À un moment, je me suis permis une réflexion désagréable sur la tête de cet animal et il m'a mordu.

— Ce chien d'apparence si paisible ?

— Non, son maître, complètement surexcité.

——— *329*

— Mes deux fils sont très différents, dit une brebis. L'un d'eux, très optimiste, se voit promis aux plus hautes destinées. Il tient absolument à ce qu'on l'appelle Cachemire.

— Et l'autre ?

— Il ne s'accepte pas tel qu'il est. Au point qu'il a adopté le pseudonyme de Polyester.

——— *330*

Un homme de service d'un petit zoo de province dit à la caissière :

— L'autruche a failli s'étouffer en avalant la montre d'un visiteur. Pendant que le vétérinaire extrait cet objet de son estomac, pourriez-vous lui garder son œuf, bien au chaud, entre vos cuisses, jusqu'à ce qu'elle rentre de la salle d'opération ?

——— *331*

Dans un bocal, un poisson rouge qui se trouve en face de son compagnon, lui dit :

— Glou, glou, glou…

— Mais, enfin, proteste l'autre, après tant d'années, tu n'as toujours pas appris à nager ?

——— *332*

Un homme, qui appelle un ami au téléphone, entend une voix nasillarde lui dire :

— Gaspard Bourdalet, souffrant d'une laryngite, a chargé son perroquet de répondre à sa place. Avant que vous ne me disiez ce que vous voulez, j'ai une bonne nouvelle à vous annoncer : « J'ai bien déjeuné, j'ai bien déjeuné… »

——— *333*

En ouvrant la porte de la salle d'attente, un vétérinaire fronce les sourcils à la vue d'un perroquet qui fume un gros cigare, juste sous la pancarte « Défense de fumer ».

Son propriétaire, qui le porte sur une épaule, explique au vétérinaire :

— C'est précisément pour cela que je viens vous consulter. Cette bête est très intelligente. Je lui ai facilement appris à parler. Je voudrais à présent lui apprendre à lire.

——— *334*

— Mon fils, raconte avec fierté une guenon, est très avancé sur la voie de l'évolution.

— Qu'est-ce qui vous fait dire cela ?

— Comme ses ancêtres, il mange des bananes, mais il les commande par régimes entiers sur Internet.

——— *335*

Une femme qui accompagne son mari sur un terrain de golf lui dit :

— Ce lapin, avec une grosse bosse sur le front, vient en délégation au nom de tous ses amis qui ont fait leur terrier sur le links. À cause de ta maladresse, ils n'osent plus sortir de chez eux.

—————— *336*

— C'est bizarre, dit une femme à une voisine, votre chien remue la queue d'un air ravi en se tournant vers la pancarte que vous avez mise dans votre jardin, à l'intention de vos visiteurs :
ESSUYEZ VOS PIEDS S.V.P.
— Oui, comme il ne sait évidemment pas lire, je l'ai gonflé à bloc en lui faisant croire que ce qui est écrit sur cette pancarte, c'est :
CHIEN MÉCHANT.

—————— *337*

— Pourquoi, demande-t-on à un ancien vétérinaire, avez-vous abandonné votre premier métier pour devenir acupuncteur ?
— J'avais été frappé, en vingt ans de carrière, d'avoir à soigner les animaux les plus divers sans jamais rencontrer un hérisson souffrant de quoi que ce soit.

—————— *338*

Deux chercheurs russes ont découvert un mammouth, parfaitement conservé, dans le sol glacé de la Sibérie.
Une inscription, sur le flanc de l'animal, attire leur attention.
— C'est curieux, dit l'un des savants, mais j'ai bien l'impression que cela signifie : « Ceci est un produit congelé. Date-limite de consommation : 314 875 avant Jésus-Christ. »

—————— *339*

Le chef d'un troupeau d'éléphants dit à une girafe :
— Nous allons traverser une nationale très fréquentée. Poste-toi en bordure de cette route et tends le cou à l'horizontale pour faire une barrière qui arrêtera la circulation automobile.

—————— *340*

— Nous avions une chienne d'un caractère difficile, raconte un homme, alors ma femme a eu l'idée de l'emmener à un cours de dressage. Depuis, elle lui obéit au doigt et à l'œil.
— Votre chienne obéit au doigt et à l'œil à votre femme ?
— Que vient faire ma chienne là-dedans ? Je vous parle de ma femme et de son amant, le dresseur.

—————— 341

— Maman, dit un tout jeune mille-pattes, j'ai mal à une jambe.
— Apprends vite à compter jusqu'à 1000, lui conseille sa mère.
— Pourquoi ?
— À ce moment-là, tu pourras me désigner avec précision la patte qui te fait souffrir.

—————— 342

Une araignée demande à une autre :
— Tu as vu Émilienne d'Alençon, ce matin ?
— Qui appelles-tu ainsi ?
— Cette araignée qui accomplit des prouesses. Tu as déjà vu une de ses toiles ?
— Non.
— On dirait de la dentelle.

—————— 343

Des plongeurs ont remarqué, à 50 m de profondeur, dans une baie qu'ils viennent d'explorer, une niche portant le nom de son habitant : Félix.
Après être remontés à la surface, l'un des deux fait part à l'autre de son étonnement :
— J'avais souvent entendu parler de poissons-chats mais, alors, là, j'avoue que ça m'épate !

—————— 344

Un éleveur de pigeons voyageurs raconte :
— J'ai donné un nom à chacun de mes oiseaux que j'utilise pour transmettre des messages.
— Quelle sorte de noms ?
— Fax, Mail, Prioritaire, Recommandé...

———— *345*

— As-tu mis de l'antimite dans la penderie ? demande un homme à sa femme.

— Oui, mais je suis persuadée que les nouveaux produits ne valent pas la bonne naphtaline d'autrefois.

— Qu'est-ce qui te fait penser cela ?

— Quand ma mère mettait sa naphtaline dans une armoire où elle avait repéré des mites, on entendait nettement le cri de terreur que celles-ci poussaient.

— Et alors ?

— Eh bien, hier, lorsque j'ai fait la même chose avec mes produits-miracle, j'ai cru entendre un ricanement.

———— *346*

Dans un chantier de matériaux de construction, un homme dit à un vendeur :

— Je voudrais du sable.

— Certainement, Monsieur. En quelle quantité ?

— C'est justement la question. Voyez-vous, j'ai participé, sur Internet, à une loterie organisée par un pays du Moyen-Orient et l'on vient de m'aviser que j'avais remporté le premier prix : un dromadaire.

———— *347*

— Où sont les oiseaux rares que vous annoncez ? demande un ami des bêtes au propriétaire d'une animalerie. Votre volière est totalement vide.

— Ils sont encore dans la jungle amazonienne : ces oiseaux sont tellement rares que personne n'a jamais réussi à en attraper un seul.

———— *348*

— J'aimerais, dit un coq très prétentieux, qu'un jour, le soleil soit debout de bonne heure pour m'écouter chanter plutôt que d'attendre paresseusement que je le réveille.

———— *349*

Le propriétaire d'une boutique d'animaux découvre un message qu'il a reçu d'habitué d'Internet :

« Veuillez m'indiquer le prix d'une tortue. De préférence une femail. »

―――― *350*

Juste avant le Déluge, Madame Noé dit à son mari :
— Enfermés par couples dans l'Arche pendant 40 jours, ces animaux vont sûrement avoir des enfants. Pense à embarquer une dizaine de cigognes pour leur apporter leurs bébés.

―――― *351*

Le vendeur de l'animalerie est formel :
— Si vous cherchez un chien de garde, je vous recommande celui-ci : c'est un authentique chien policier.
— Pouvez-vous me montrer son pedigree ?
— Mieux que cela, je vais vous faire voir son permis de port d'arme.
— C'est-à-dire ?
— La photo en gros plan de ses impressionnantes canines quand il se met en colère.

―――― *352*

Un vétérinaire qui s'installe a fait appel à un décorateur pour meubler son cabinet.
— Et ici, lui dit-il, vous me mettrez une borne à incendie.
— Une borne à incendie ! Pour quoi faire ?
— Quand, après avoir examiné un chien, pour confirmer mon diagnostic, j'aurai besoin de lui faire une analyse d'urine.

―――― *353*

— Mon perroquet femelle, raconte une femme, nous abrutissait, mon mari et moi, en répétant à son propos : « Cocotte est belle... Cocotte est belle », jusqu'à ce que j'aie l'idée de lui installer dans sa cage un miroir où elle pouvait se regarder.
— Et alors ?
— Eh bien, ça lui a radicalement coupé le sifflet !

—————— **354**

Le directeur du zoo dit à un homme qui cherche du travail :

— J'ai à vous offrir une place de nettoyeur d'enclos où évoluent nos pensionnaires. Certes, cet emploi n'est pas très bien payé, mais il comporte un avantage qui n'est pas négligeable...

— Lequel ?

— Si vous aimez les bonnes omelettes : vous pourrez, une fois par semaine, récupérer un œuf chez les autruches.

Bon anniversaire

Un restaurateur commande à un pâtissier un grand gâteau destiné à être servi à la fin d'un banquet donné en l'honneur d'un industriel qui fête son 60ᵉ anniversaire.

— Prévoyez, lui dit-il, que, brusquement, en jaillisse une femme nue chantant : « Bon anniversaire ».

— Une question, demande le pâtissier : votre établissement est-il toujours misérablement chauffé à 18 °C ?

— Oui.

— Alors, ne vous étonnez pas si la femme est obligée de porter un bon pull-over.

Pour appuyer sa candidature à une place d'employé municipal, un homme demande à l'un de ses voisins de lui faire une lettre de recommandation. L'autre accepte volontiers et écrit :

« Je connais bien Paul Pivolet. Au cours des 30 dernières années, il a déployé les plus grands efforts pour venir en aide aux habitants de son quartier. Je l'admire beaucoup. »

— C'est gentil, dit l'homme à la recherche d'un travail, mais je n'ai que 27 ans.

— On va arranger cela, fait le voisin.

Il regarde sa feuille et ajoute, sous sa signature :

« Compte tenu que, comme il me le fait remarquer, il n'a que 27 ans, je ne l'en admire que davantage. »

— Je ne sais pas, dit un homme, ce que je pourrais offrir en cadeau à ma femme pour son anniversaire.

— Pourquoi ne lui demandez-vous pas ce qu'elle souhaite ?

— Ah ! non ! Je veux bien dépenser de l'argent, à cette occasion, mais pas à ce point-là !

———— *358*

Deux femmes d'une soixantaine d'années échangent des confidences :
— Quand je revois ma vie, dit la première, j'ai l'impression d'assister à la projection d'une superproduction hollywoodienne. Et toi ?
— Moi ? De regarder ma photo prise dans un Photomaton.

———— *359*

Alors que son mari, assis dans un fauteuil, lit son journal, une femme répond à l'appel téléphonique d'une de ses amies.
— On peut se voir jeudi prochain, si tu veux, mais je dois te parler à mots couverts. La veille, ce sera mon A.N.N.I.V.E.R.S.A.I.R.E et j'espère qu'à cette occasion, Georges m'aura fait un beau C.A.D.E.A.U.

———— *360*

Un petit inventeur d'une cinquantaine d'années dit à sa femme du même âge :
— Je vais m'embarquer dans la machine à remonter le temps que je viens de mettre au point. Si, par hasard, je te rencontre, âgée de 18 ans, m'autorises-tu à te faire la cour ?

———— *361*

— C'est trop bête, s'écrie un homme : j'ai encore complètement oublié l'anniversaire de mon frère jumeau !

———— *362*

Un livre de cuisine donne cette recette :
Confectionnez vous-même un gâteau pour votre 30ᵉ anniversaire.
Ingrédients : 4 œufs, 140 g de sucre cristal,
250 g de farine, 5 g de levure chimique et 25 bougies.

———— *363*

— Papa, demande un adolescent, pourrais-tu me prêter ta voiture ?
— Non. Vois-tu, c'est une question d'âge.
— Mais, à 18 ans révolus, j'ai largement dépassé l'âge de conduire ta voiture.
— Oui, mais ma voiture n'a que trois ans et n'est donc pas encore assez vieille pour que je la laisse entre tes mains.

——— *364*

Le juge demande à une femme qui va être entendue comme témoin :
— Veuillez dire votre âge au tribunal.
La femme proteste :
— Ça, ce sont mes affaires !
— Félicitations, dit le juge. Manifestement, cela fait un moment que vous êtes dans les affaires.

——— *365*

Un homme de 75 ans confie à son médecin qu'il est devenu impuissant.
Après l'avoir examiné, le médecin écrit quelques mots sur une feuille de papier. Son patient l'interroge :
— C'est une ordonnance pour du Viagra ?
— Hélas ! J'ai bien peur que cela ne suffise pas à vous redonner votre vigueur d'autrefois. Non, c'est le site de voyages-sncf.com où vous pourrez acheter, à un prix intéressant, un billet de chemin de fer pour Lourdes.

——— *366*

Le patron d'une boutique de vente de chiens de toutes races, confie à une cliente :
— J'ai 34 ans.
— Combien cela ferait, l'interroge-t-elle, si vous étiez un humain ?

——— *367*

— Je veux vous commander un gros gâteau à la crème pour fêter les 30 ans de ma femme, dit un homme à un pâtissier.
— Que dois-je écrire dessus ? « Joyeux anniversaire » ?
— Mettez plutôt cet avertissement : « 300 calories pour chaque part ».

——— *368*

— Ah ! ma pauvre amie, confie une femme à une voisine, j'en ai eu, des malheurs, depuis la dernière fois qu'on ne s'est vues !
— Dites vite...
— Mon mari m'a quittée pour refaire sa vie avec ma meilleure copine. Ma fille a eu un bébé sans être mariée. Mon notaire s'est enfui avec toute ma fortune. Ma voiture a été pulvérisée dans un accident qui m'a laissée avec une jambe fracturée... C'est simple, en deux ans, j'ai au moins vieilli de six mois !

——— *369*

— Pour entretenir ma mémoire, raconte un septuagénaire, je fais, tous les soirs, un de ces... comment ça s'appelle, déjà ? Ce truc avec des cases blanches et des cases noires... où l'on place des mots horizontalement et verticalement ?

——— *370*

Une femme répond à un adolescent, qui lui a fait une déclaration d'amour enflammée :
— Moi, ce que j'aime, ce sont les hommes mûrs. Que diriez-vous qu'on se revoie pour parler de tout cela, dans une trentaine d'années ?

——— *371*

Une élève ophtalmologiste adresse ce SMS à un de ses camarades de classe :
« J'organise samedi après-midi un goûter pour fêter mon anniversaire. Seras-tu des nôtres ? »
Réponse :
« Volontiers, si tu m'adresses d'abord la liste...
— La liste des invités ?
— Non. Celle des pâtisseries. »

Après la pluie, le beau temps

——— 372

— Cette longue période de sécheresse qui impose de limiter la consommation d'eau est une bénédiction, dit un homme à sa femme.
— En quoi est-ce une bénédiction ?
— Le cirque Savatti et de nouveau dans la ville. Tu imagines la tête de leur éléphant quand il voudra prendre son bain chez nous, comme l'année dernière, et qu'il trouvera notre piscine à sec ?

——— 373

— Il souffle un véritable vent de tempête, ce matin, dit une femme à son mari.
— Comment peux-tu le savoir alors que tu n'as pas mis un pied dehors ?
— C'est notre voisine qui me l'a dit...
— De quelle façon ?
— En passant à toute vitesse à hauteur du premier étage.

——— 374

Un employé de Météo-France, qui a été convoqué par son chef de service, demande à l'assistante de celui-ci :
— Il est de bonne humeur, ce matin ?
— Un seul conseil : avant d'affronter un déluge de reproches, mettez-vous en Alerte orange.

——— 375

— Ça y est, dit à sa mère un enfant qui rentre, très excité, de l'école, le printemps est arrivé.
— Qu'est-ce qui te fait penser cela ?
— Je l'ai entendu pour la première fois de la saison.
— Le coucou chanter dans les bois ?
— Non, le marchand de glaces qui agitait sa clochette.

376

Trempé jusqu'aux os par une pluie particulièrement violente, un homme entre dans un hôtel et dit au réceptionniste :

— Auriez-vous une chambre ? Et je vous flanque une paire de gifles si vous me demandez : « Avec douche ? »

377

— Je me lamente sans cesse, raconte une femme, en me disant qu'il y a trente ans tout était mieux qu'aujourd'hui.

— Nous sommes en période de canicule, lui répond le psy. Alors, quand vous serez rentrée chez vous, installez-vous sur le canapé de votre salle de séjour et livrez-vous à vos jérémiades habituelles – après avoir coupé la climatisation.

378

En rentrant chez lui, un homme raconte à sa femme :

— Le vent souffle au moins à 140 km/heure. Quand j'ai été pris dans cette véritable tornade, j'y ai vu le symbole de l'économie mondiale qui, ayant repris des forces, allait de l'avant.

— Et alors ?

— Une rafale plus forte que les autres m'a rejeté violemment en arrière et projeté dans le caniveau. C'est alors que j'ai compris que nous n'en avions pas fini avec la récession.

379

Un astronome qui a l'œil rivé à son télescope depuis plusieurs heures appelle un de ses collègues :

— J'ai fait une découverte extraordinaire !

— Quel genre de découverte ?

— Une deuxième Voie lactée – écrémée, celle-là.

380

Un homme rentre tout mouillé chez lui. En l'apercevant, sa femme l'interroge naïvement :

— Il pleut ?

— Non, répond-il, furibard. Pour changer, j'ai voulu revenir par la rivière, mais il n'y avait plus de bateau.

──────── *381*

— Les prédictions fantaisistes de Météo-France me font toujours sourire, dit un homme. Moi, qui laisse ma voiture coucher dehors, j'aurais pu m'affoler et chercher à la mettre à l'abri quand ils ont annoncé, hier, qu'il allait tomber 10 cm de neige.
— Et ils s'étaient trompés ?
— Comme d'habitude. En fait, il en est tombé 1 m.

──────── *382*

— Comment appelle-t-on un jour ensoleillé qui arrive après deux jours de pluie ?
— Lundi.

──────── *383*

Lucas (7 ans) proteste auprès de sa mère :
— Quand il tombe trois gouttes d'eau, tu m'interdis d'aller jouer dans le jardin et, aujourd'hui où il y a un véritable déluge à ne pas mettre une Arche de Noé dehors, tu veux absolument que j'aille à l'école. Alors, où est la logique, là-dedans ?

──────── *384*

Alors que sévit depuis plusieurs mois une terrible sécheresse, un curé dit à ses ouailles, rassemblées dans l'église :
— Mes frères, je vous félicite d'être venus si nombreux pour que nous priions le Seigneur de faire enfin tomber la pluie.
Un temps puis il ajoute avec malice :
— Je constate que trois d'entre vous ont vraiment la foi : ils ont pris la précaution de se munir d'un parapluie.

──────── *385*

Sur un trottoir, deux passants voient venir vers eux un homme surmonté par un petit nuage noir qui déverse sur lui une pluie abondante.
— C'est ce qu'annonçait la Météo, dit un des passants : des averses sur toute la région, mais très ponctuelles.

―――― *386*

— As-tu récupéré au bureau des Objets trouvés le parapluie que tu avais oublié dans un autobus ? demande une femme à son mari.

— J'y suis allé et j'ai dû attendre une heure car c'était fermé. Quand le responsable de l'établissement est, enfin, arrivé, il a justifié son retard en disant qu'au moment de partir de chez lui, il s'était aperçu qu'il avait égaré la clé du bureau.

―――― *387*

Après qu'il eut abondamment neigé, dans la nuit, un automobiliste va, muni d'une pelle, dégager sa voiture qu'il a garée dans la rue, la veille au soir.

Un passant le regarde opérer, et l'homme à la pelle lui dit :

— C'est épuisant, ce boulot, vous ne trouvez pas ?

— Non, dit l'autre, je trouve cela plutôt amusant.

— Qu'est-ce que ça a d'amusant ?

— Voilà un quart d'heure que vous vous échinez, à grands coups de pelle pour dégager ce que vous croyez être votre voiture – alors, qu'en fait, c'est la mienne.

―――― *388*

Une employée de Météo-France demande à une de ses collègues :

— Ça marche, entre Thierry et toi ?

— Non, c'est fini.

— Déjà ! Mais votre histoire d'amour n'a duré qu'un peu plus d'un mois, n'est-ce pas ?

— Eh, oui. Et c'est bien normal. On s'était connu le jour de la Saint-Médard. Il m'a plu ensuite quarante jours plus tard.

―――― *389*

Tandis que le vent souffle en tempête, un homme dit à sa femme :

— Chérie, tu ne vas pas sortir avec cette robe légère ! Il suffit d'une bonne rafale et tout le monde verra ta culotte.

— Tu as raison, mon amour.

— Donc, tu ne sors pas ?

— Bien sûr que si, mais je ne mets pas de culotte.

―――― *390*

Une femme des cavernes s'en prend à son compagnon :
— Tu te vantes d'avoir inventé le feu. Et le réchauffement climatique qui va encore augmenter, tu y penses, au réchauffement climatique ?

―――― *391*

Un petit nuage libère quelques gouttes sur un minuscule carré de jardin, alors qu'il fait un temps superbe tout autour.
Le grand sorcier d'une tribu d'Indiens se justifie :
— J'ai bien tenté d'implorer les dieux en effectuant la danse de la pluie telle que la pratiquaient nos ancêtres. Mais, à cause de mes rhumatismes, je n'ai pas pu faire mieux.

En avant la musique !

────── 392

Un pianiste est surpris que sa jeune épouse qui lui semblait si naïve soit aussi douée pour le sexe.

Il lui dit :

— Ne me mens pas, Clara. Avant de me connaître, tu avais déjà fait l'amour ?

— Oui : une seule fois.

— Avec qui ?

— Les 68 musiciens de l'Orchestre philharmonique.

────── 393

Deux extraterrestres, fraîchement débarqués, tombent en arrêt devant un magasin de pianos.

— On dira ce qu'on voudra, fait un des voyageurs, mais ces Terriens ont vraiment de bons dentistes.

────── 394

— Rossini a eu tort de se moquer, dans une de ses œuvres, de la *Pie voleuse,* dit un chef d'orchestre.

— Pourquoi dites-vous cela ?

— Un jour où je m'apprêtais à la diriger, j'en ai été empêché...

— Pour quelle raison ?

— Un oiseau au plumage noir et blanc m'avait fauché ma baguette.

────── 395

Une cantatrice écrit à l'un de ses admirateurs qui lui a envoyé un magnifique collier de perles :

« Je ne saurais mieux exprimer mon enthousiasme que par le mot que vous employez pour exprimer le vôtre quand je chante : BIS ! »

—————— *396*

Un compositeur déclare au sujet d'un critique musical qu'il déteste :
— Il parvient tout juste à reconnaître *La Marseillaise* d'un nocturne de Chopin. Et cela uniquement parce que, lorsqu'on joue *La Marseillaise,* tout le monde se lève autour de lui.

—————— *397*

— C'est incroyable, dit un homme, l'effet que peut avoir la musique. Ma femme et moi étions d'accord pour divorcer. Afin de discuter des modalités du divorce, nous étions allés dîner dans un restaurant hongrois. Là, trois violonistes tziganes ont accompagné notre repas d'airs langoureux qui ont tiré des larmes à ma femme.
— Et que s'est-il passé ?
— Sous le coup de l'émotion, elle a abandonné toutes ses idées de divorce et c'est ainsi qu'alors que je voyais s'ouvrir la porte de la liberté, j'en ai repris pour vingt ans.

—————— *398*

— Quel opéra de Verdi séduit particulièrement les Inuits ?
— *Frigoletto.*

—————— *399*

— Comment avez-vous composé cette symphonie ? demande-t-on à un musicien.
— En inscrivant sur ma portée comme autant de notes la disposition des hirondelles sur les fils électriques.
— Mais d'où vient cette fausse note dans le deuxième mouvement ?
— Parmi les hirondelles, il y avait un corbeau.

—————— *400*

Un éditeur était venu proposer à Beethoven :
— Je suis prêt, si vous me laissez publier votre dernière sonate, à vous la payer 100 florins.
— Je suis sourd, répondit le compositeur, pourriez-vous renouveler votre offre ?
— En parlant plus fort ?
— Non, en me proposant 200 florins.

──────── *401*

Un pianiste de renommée mondiale dit modestement :
— Je dois mon succès au fait que, dès mon plus jeune âge, mes parents m'ont forcé à faire des gammes toute la journée.
— Ils souhaitaient que vous deveniez un grand artiste ?
— En fait, ils voulaient surtout m'empêcher de me mettre les doigts dans le nez.

──────── *402*

— Pour ce passage des *Maîtres chanteurs,* dit un chef d'orchestre à ses musiciens, j'attends de vous de la fureur. Pour la stimuler, que les hommes mariés pensent à leur belle-mère, les hommes célibataires à leur inspecteur des contributions directes et les femmes, mariées ou non, aux mensonges que leur débite l'homme de leur vie quand il rentre avec un bon coup dans le nez.

──────── *403*

Un mélomane en vacances sur une plage de l'Atlantique exprime sa déception :
— En portant un coquillage à mon oreille, je croyais que j'allais entendre *La Mer* de Debussy et tout ce que j'ai entendu c'est la chanson de Charles Trénet.

──────── *404*

Dans une maison de la Culture d'une grande ville de province, une salle contiguë à la bibliothèque a été insonorisée pour permettre aux amateurs de rock, disco et autre reggae, d'écouter, dans une joyeuse cacophonie, les disques qu'ils veulent emporter chez eux pour la semaine.
Sur les murs, une pancarte proclame :
« Surtout, pas de silence ! »

——————— **405**

Un berger raconte à un éleveur de bovins :
— J'avais lu que les animaux apprécient la musique classique. En écoutant mes moutons faire : « Bêê, bêê », j'en ai déduit qu'ils aimeraient que je leur diffuse des œuvres de Beethoven. C'est ce que j'ai fait.
— Et ça leur plaît ?
— Beaucoup.
— Je vais agir de même avec mes vaches. Elles répètent à longueur de journée : « Meuh, meuh, meuh », je suppose que cela signifie qu'elles aimeraient écouter du Meuzart.

——————— **406**

Un mélomane dit, en riant, à un musicien d'orchestre :
— Quelle est la difficulté à jouer des cymbales ?
— Ce n'est pas de savoir comment mais *quand.*

——————— **407**

— Je comparerais la carrière de mon mari à une symphonie de Schubert, dit une dame.
— *La Grande ?*
— Non ; *l'Inachevée.* Son patron l'a collé en pré-retraite à 50 ans.

——————— **408**

La maman sirène dit à sa fille :
— Cesse de nous briser les oreilles en braillant comme cela. Demande plutôt à la baleine, là-bas, la permission d'utiliser ses fanons pour nous jouer un petit air de harpe.

——————— **409**

Un chef d'orchestre dit à ses musiciens qui répètent mollement les *Quatre Saisons,* de Vivaldi :
— Pour parler comme un agriculteur en quête de subventions, je trouve que votre *Printemps* manque de précipitation.

—————— *410*

— Mon chien n'a absolument pas l'oreille musicale, raconte un homme à un ami.

— Qu'est-ce qui te permet d'affirmer cela ?

— Quand je m'entraîne à jouer à la flûte un morceau de Mozart, il n'arrête pas de hurler. Comment peut-on ne pas aimer Mozart ?

—————— *411*

Dans une salle de concerts, un homme dit à son voisin :

— Cette fois, j'ai bien peur que les adieux du pianiste Frédéric Lopin ne soient définitifs.

— Qu'est-ce qui vous fait dire cela ?

— L'avis qu'il a affiché sur son instrument : « Piano à vendre pour une bouchée de pain. »

—————— *412*

— Quels sont vos compositeurs favoris ? demande-t-on à une starlette.

— Les Bach.

— Jean Sébastien et Karl Emmanuel ?

— Non : Jean Sébastien et Jacques Offen.

—————— *413*

— Bon, dit une femme à son mari, je veux bien que, tout en dînant, on suive, sur la chaîne *Mezzo*, la retransmission du *Concerto de l'Empereur*, interprété par Lang Lang. Mais, si tu dois, comme à ton habitude, t'identifier au chef d'orchestre, fais attention en gesticulant de ne pas me coller, encore une fois, ta fourchette dans l'œil.

—————— *414*

— Hier matin, en faisant ma toilette, raconte une jeune femme, j'avais entendu à la radio une œuvre de Debussy, *Prélude à l'après-midi d'un faune*.

— Ça t'a plu ?

— Au point que j'ai décidé de prendre une RTT et de passer l'après-midi à la campagne à batifoler avec mon amant.

—————— *415*

Un homme voit cette affiche, à la porte d'une salle de concerts :
LES NOCES DE FIGARO
Prix d'entrée : 40 euros.
— Eh bien, s'écrie-t-il, j'ai souvent entendu parler de cadeaux de noces coûteux mais, alors, un comme ça !

—————— *416*

Dans un restaurant, un musicien demande à un dîneur qui vient de prendre place à table :
— Quel est le montant du pourboire que vous comptez me laisser ?
— Vous le verrez bien ! Pourquoi cette question ?
— C'est que, si ce pourboire est consistant, j'accompagnerai votre repas au violon mais s'il doit être de quelques euros seulement, vous aurez droit à un récital de cornemuse.

—————— *417*

— Aujourd'hui, dit un chef d'orchestre, sans illusion, à ses musiciens, vous allez affronter Mendelssohn. J'estime que vous vous en tirerez bien si vous arrivez à faire un match nul.

—————— *418*

— Tu vas à ton cours de musique ? demande une mère à son jeune fils.
— Oui, mais, comme j'ai cassé une corde à mon violon, j'emporte, à la place, ta plus grande casserole et la louche. Simplement, je demanderai au professeur si, à la place de la *Berceuse* de Fauré, que je joue d'habitude, je peux faire une improvisation sur le *Tannhäuser* de Richard Wagner.

—————— *419*

Deux pionniers américains de la conquête de l'Ouest ont beau pousser leurs chevaux au maximum, ils vont être rattrapés par un groupe de farouches guerriers indiens.
— Je te l'avais dit que tu t'encombrais inutilement, reproche un des fuyards à son compagnon. C'était sûr qu'on risquait des ennuis si, le soir, autour du feu de camp, au lieu de jouer de l'harmonica, comme dans tous les westerns, tu tenais absolument à nous régaler d'un solo de contrebasse.

——— *420*

Le directeur d'une salle de concerts souffre en écoutant un pianiste massacrer la sonate *Clair de lune,* de Beethoven.

— Je l'ai engagé du 1ᵉʳ au 30 novembre, soupire-t-il. Et, durant tout ce mois, pas une éclipse !

——— *421*

— Papa, dit un jeune garçon, je ne trouve plus mon violon sur lequel je faisais mes gammes.

— Je vois, répond le père, deux bonnes raisons à cette disparition.

— Et c'est quoi, ces deux raisons ?

— Mes oreilles.

——— *422*

On interroge un chef d'orchestre :

— Avez-vous eu beaucoup de réactions après avoir dirigé l'interprétation par vos musiciens du *Vol du bourdon,* de Rimski-Korsakov ?

— Aucune. Sauf une offre de service d'un spécialiste de la destruction des insectes nuisibles.

——— *423*

La secrétaire du directeur d'une salle de concerts lui dit :

— J'ai noté scrupuleusement le ton furieux, très wagnérien, de la lettre pleine de fureur, en do majeur, que vous m'avez dictée pour ce pianiste qui vous a fait faux bond. Voyez cette partition : toutes les notes y sont. Croyez-vous que ce soit la peine d'y ajouter des paroles que vous pourriez regretter ?

Passons la monnaie

424

Mathis regarde le billet de 20 euros que lui a donné sa grand-mère pour son 10ᵉ anniversaire.

— Oh ! merci, s'écrie-t-il. Qu'est-ce que j'ai, comme chance !

— Quelle chance ? s'étonne sa grand-mère.

— Si tu avais été plus généreuse, je risquais d'avoir à payer l'impôt sur la fortune.

425

Le patron d'une petite entreprise convoque l'un de ses employés.

— Compte tenu de l'excellent travail que vous avez effectué cette année, lui dit-il, j'aimerais vous donner un bonus.

Et, en saisissant un adorable chaton qui dormait dans son panier, il ajoute :

— Allez, va avec ton nouveau maître, Bonus.

426

Un homme dit à sa femme :

— Mon oncle Auguste n'a plus confiance dans le système financier européen : il a retiré tout l'argent qu'il avait à sa banque et a rangé la pile de billets de 500 euros dans un coffre-fort chez lui. Quand il est déprimé, il ouvre son coffre et il lui suffit de contempler sa fortune pour que son moral remonte.

— On pourrait en faire autant, suggère sa femme.

— J'y ai pensé, ma chérie. Aurais-tu une pièce de 10 centimes pour amorcer la pompe ?

427

Un élève de CM1 demande à son instituteur :

— Monsieur, qu'est-ce que c'est qu'un grippe-sou ?

L'instituteur lui répond :

— Donne-moi un euro et je te le dis.

—————— *428*

En sortant de la banque où ils sont employés, deux traders sont surpris de voir que le sol se met à trembler.

— De deux choses l'une, dit un des traders : ou il s'agit d'un séisme de niveau 7, sur l'échelle de Richter, ou c'est l'économie mondiale qui se remet en marche. Bon, maintenant qu'on a bien rigolé, essayons de trouver une place particulièrement dégagée pour laisser passer la secousse.

—————— *429*

Un homme examine le billet de 100 euros que lui a délivré un distributeur et s'écrie :

— Je n'ai jamais rien vu d'aussi faux – depuis le rire de ma femme quand, en rentrant d'un voyage d'affaires, je lui ai demandé si elle m'avait été fidèle.

—————— *430*

— Pour me rappeler la douzaine de codes secrets que je dois avoir en tête, avec mes diverses cartes, raconte un homme, j'ai donné un nom d'aliment à chacun des chiffres de 0 à 9.

— C'est pratique ?

— En un sens, oui, mais cela me fait ingurgiter de drôles de menus. Par exemple, quand je vais tirer de l'argent à ma banque, je commence par un cassoulet, j'enchaîne sur une blanquette, ensuite, une tarte Tatin et, enfin, une terrine de harengs pommes à l'huile. En six mois, ma mémoire s'est beaucoup améliorée – mais j'ai pris trois kilos.

—————— *431*

— Je m'étais aménagé une confortable niche fiscale, raconte un commerçant. Quand je m'y réfugiais, j'avais l'impression d'être un chien de luxe, paressant sur des coussins moelleux.

— Et alors ?

— Un affreux doberman du service des Contributions directes a surgi en montrant les dents et m'en a délogé.

––––––– *432*

Un serveur de restaurant raconte :
— J'ai reçu mon plus beau pourboire d'un membre de l'Association pour le développement de la natalité. Après avoir dîné, il m'a demandé : « Combien d'enfants avez-vous ? » J'ai répondu : « six ». Alors, il m'a tendu six billets de 10 euros en me disant : « Tenez, c'est pour vous : un par enfant. »
— Vous avez dû regretter de ne pas lui avoir menti en répondant « huit ».
— En fait, j'estimais que j'avais déjà suffisamment menti en lui dissimulant que j'étais un célibataire endurci.

––––––– *433*

Le directeur d'un cirque reçoit fraîchement un de ses clowns :
— Vous réclamez une augmentation sous le prétexte que vous pratiquez bien votre métier. Mais, mon ami, ce que vous me dites là est à pleurer !

––––––– *434*

À proximité d'un puits qui attire beaucoup de touristes se trouve cette pancarte :

POUR QU'UN DE VOS VŒUX SE RÉALISE
JETEZ UNE PIÈCE DANS CE PUITS
LA MUNICIPALITÉ QUI RÉCUPÈRE CES PIÈCES
POUR SES ŒUVRES SOCIALES
FAIT LE VŒU QUE VOUS VOUS LIMITIEZ AUX EUROS.

––––––– *435*

Un tailleur pour hommes explique à son jeune fils :
— Il faut absolument que tu fasses un effort pour apprendre à écrire. Imagine la triste vie d'un homme qui est incapable de signer un chèque. Il lui faut tout payer au comptant et, pour cela, il doit avoir constamment sur lui des liasses de billets. Et rien ne déforme plus les poches.

─────── *436*

Le cas de la France est étudié dans une agence de notation américaine.

— Il n'est pas question, dit le directeur, de lui redonner le triple A qu'elle avait, autrefois, mais comment la qualifier, aujourd'hui ?

— Tenons compte, dit un de ses collaborateurs, que ça a été un grand pays : Napoléon, la tour Eiffel, le Concorde, Brigitte Bardot...

— C'est cela, fait le directeur de l'agence, faisons un clin d'œil à Brigitte Bardot. On va classer la France en B.B.

─────── *437*

Un homme que sa femme a quitté pour aller vivre avec son amant, s'épanouit en lisant son horoscope du jour :

« Vous allez retrouver quelque chose qui vous est cher. »

— Enfin, s'écrie-t-il, je vais peut-être savoir où est passé ce billet de 20 euros que je cherche en vain depuis huit jours.

─────── *438*

Dans une région du Moyen-Orient, totalement désertique, un petit garçon demande à son père un supplément d'argent de poche.

— Apprends, dit le père, que l'argent ne pousse pas sur les arbres. C'est un bon précepte.

— Dis, papa, fait le gamin, qu'est-ce que c'est...

— Un précepte ?

— Non, un arbre.

─────── *439*

Le directeur d'une agence bancaire a convoqué un architecte.

— Nous cherchons à séduire la clientèle des jeunes, lui explique-t-il. Alors, je voudrais raser l'immeuble d'aspect classique où nous sommes actuellement.

— Et que souhaitez-vous mettre à la place ?

— Un bâtiment de deux étages en forme de cochon-tirelire.

─────── *440*

Une femme qui vient de faire un achat dit à la caissière de la boutique :

— J'ai 27 ans. Et vous ?

— 48 ans, exactement le double de votre âge.

— C'est bien ce que je pensais, dit la cliente. Vu la façon dont vous comptez, j'ai intérêt à vérifier la monnaie que vous m'avez rendue.

―――― *441*

Le hall d'entrée d'une grande banque abrite la statue de son fondateur. Sur le socle, on peut lire :

« Régis Micoulet
Un génie de la finance.
Il achetait n'importe quoi, n'importe comment,
Mais ce qui a fait la prospérité de cet établissement,
C'est qu'il a su vendre au bon moment. »

―――― *442*

Le patron d'une petite entreprise dit à l'un de ses employés :
— Vous tombez mal avec votre demande d'augmentation : je songeais à vous emprunter 20 euros pour finir le mois.

―――― *443*

— Tu ne m'as jamais aimée, gémit une femme. Tu m'as épousée parce que mon père m'avait laissé une grosse fortune.
— Alors, là, tu te trompes. Je t'aurais aussi bien épousée si cette grosse fortune t'avait été léguée par un oncle ou un cousin.

―――― *444*

Le directeur de l'agence bancaire dit à l'un de ses meilleurs clients :
— Certes, pour vous être agréable, je suis tout disposé à vous accorder le prêt que vous sollicitez : 300 000 euros à 4 %, par exemple, mais, en aucun cas je n'ai l'intention de vous prêter mon assistante pour un week-end en Sologne.

―――― *445*

Une femme téléphone à sa mère :
— Dès qu'il est rentré à la maison, mon mari est allé se réfugier en pleurant, sous le placard de l'évier.
— Et qu'en conclus-tu ?
— Que la Bourse a encore baissé et qu'il nous fait une grosse déprime.

——— *446*

— Ça y est ! dit un homme à sa femme, j'ai enfin affronté mon patron pour lui réclamer l'augmentation que j'attends en vain depuis deux ans.
— Comment cela s'est-il passé ?
— Je l'ai regardé droit dans les yeux et je lui ai posé un ultimatum : « Ou vous m'augmentez ou je quitte votre sale boîte. »
— Et alors ?
— Nous sommes parvenus à un compromis en y mettant chacun du sien : de son côté, il ne m'augmente pas et, du mien, je ne quitte pas sa sale boîte.

——— *447*

Un épargnant est perplexe après avoir consulté un conseiller financier :
— J'ai bien entendu ce que vous m'avez dit sur la situation internationale et sur les chances de rebond de notre économie, mais est-ce là une incitation à acheter, à vendre ou à sauter par la fenêtre ?

——— *448*

— Mon petit bonhomme, dit une femme à son mari, ne pense surtout pas que ton manège passe inaperçu. Quand je te vois ramasser en douce tous les couteaux de cuisine pour les enfermer dans le placard à balais, je sais, à coup sûr, que tu t'apprêtes à me faire, en toute sécurité, des reproches sur ma façon d'administrer l'argent du ménage.

——— *449*

Un journal financier à la main, Arthur (8 ans) dit à son père :
— La baisse de l'euro par rapport au dollar est très inquiétante.
— Je ne savais pas, s'étonne le père, que tu t'intéressais à ce genre de chose à ton âge.
— Et comment ! À propos, pour compenser, pourrais-tu faire passer mon argent de poche hebdomadaire de 15 à 20 euros ?

——— *450*

Une femme raconte à une amie :
— Lors d'un bal costumé, mon mari s'était déguisé en contrôleur de l'administration des Contributions directes. Il était si convaincant que tous les invités ont tenu à lui verser d'eux-mêmes 40 % de leurs revenus annuels.

——— *451*

Un journaliste interroge le P.-D.G. d'une très prospère multinationale :
— Quel est l'élément déclencheur de votre réussite ?
— Le jour où, me rendant compte que je n'étais pas très malin, j'ai décidé de n'engager que des collaborateurs beaucoup plus intelligents que moi.

——— *452*

Le directeur d'une banque, qui a convoqué son conseil d'administration, fait son entrée en costume de spéléologue.
— Et maintenant, dit-il, je vais vous demander de plonger avec moi dans le gouffre sans fond de nos investissements dans un pays auquel toutes les agences de notation ont retiré la note AAA pour un XYZ sans pitié.

——— *453*

— J'ai eu une discussion sévère avec mon mari, à propos d'argent, raconte une femme, mais il a fini par céder.
— De quoi s'agissait-il, au juste ?
— Avant d'aller faire un tour dans les magasins, je lui demandais tout simplement de me faire de la monnaie en me donnant un billet de 50 euros contre deux de 10.

——— *454*

— Il fut un temps, explique l'instituteur, où l'argent n'existait pas. Pour se procurer ce qu'on voulait, on pratiquait le troc.
— Ça veut dire quoi ? demande un élève.
— On se rendait au marché pour « acheter » un chou ou des carottes en emportant, en guise de monnaie d'échange, une poule ou un canard.
Qu'est-ce qui te fait t'esclaffer ainsi, Gabriel ?
— Je pensais qu'**ils** devaient être drôlement grands...
— Qui ça ?
— Les porte-monnaie.

—— *455*

— Je crois aux signes, raconte un boursicoteur. Pour changer une ampoule électrique grillée, j'avais posé un tabouret en équilibre instable sur quatre gros livres.

— Et alors ?

— Eh bien, quand j'ai grimpé sur le tabouret, tout a basculé et je me suis retrouvé sur le plancher avec un bras cassé.

— Où est le signe, là-dedans ?

— Le jour même, je demandais à mon banquier toutes mes actions et trois jours plus tard, je m'en félicitais en voyant la Bourse chuter de 40 %.

—— *456*

Un professeur d'économie explique à ses élèves :

— On parle souvent de la relation capital-travail. C'est très simple. Si je demande à l'un de vous de me prêter 10 000 euros, cela m'assurera un bon *capital*. Et je peux vous jurer que si vous voulez récupérer cette somme, un jour, ce sera un drôle de *travail*.

—— *457*

Un homme se rend au bureau des Contributions directes et dit à l'huissier :

— J'ai rendez-vous avec le marquis de Sade.

— Pardon ?

— Je veux dire : avec votre impitoyable inspecteur des impôts.

—— *458*

Le représentant syndical d'un groupe d'ouvriers spécialisés dans le travail de précision sort d'une réunion avec la direction :

— Camarades, annonce-t-il, j'ai le plaisir de vous annoncer qu'au terme d'une longue négociation, nous avons obtenu une augmentation de nos salaires.

— Hourra ! crient en chœur les ouvriers. Elle sera de combien ?

— Très exactement de 1,348972196 %.

—— *459*

Un agriculteur se désole en voyant la somme ridicule que lui a rapportée sa moisson.

— C'est vrai, dit-il, que si j'étais du blé et que je voie le misérable prix qu'on me paie, je ne prendrais sûrement pas la peine de me lever.

——— *460*

Dans un café, un consommateur déclare, en asséchant son verre de pastis :

— Finalement, ce n'est pas sorcier d'être ministre des Finances. Un mec rapporte sa paie et on lui en pique les trois-quarts. Ma femme, elle, fait ça depuis vingt ans.

——— *461*

— On paie, parfois très cher, pour ne pas en avoir.
— De quoi s'agit-il ?
— *Des dettes.*

——— *462*

Le directeur d'un établissement bancaire dit à ses principaux collaborateurs :

— Répartissez-vous en deux groupes selon la façon dont vous vous définissez : à ma droite, les optimistes. À ma gauche, les pessimistes.

Lorsqu'ils ont ainsi procédé, le directeur enchaîne :

— Les pessimistes, je vais vous charger d'accorder les prêts en épluchant sans pitié les garanties que vous proposent les emprunteurs. Et vous, les optimistes, vous pouvez toujours penser que vous arriverez, un jour, à récupérer cet argent.

CHÉRE RASADE, RACONTE ENCORE L'HISTOIRE DE LA TAVERNE D'ALI BARA.

Pays étrangers

——— 463

Un couple, en voyage au Mexique, est tombé en admiration devant un superbe pot de terre décoré, fabriqué par un artisan local.
— Combien le vendez-vous ? demande le mari.
— 50 pesos, répond le potier.
Flairant une bonne affaire, l'homme poursuit :
— Et si je vous en prenais mille, vous me les feriez à combien ?
— Là, ce serait 200 pesos pièce.
— Vous vous moquez de moi ?
— Pas du tout, explique le potier. Voyez-vous, fabriquer *un* pot, pour moi, c'est un plaisir. Alors qu'en fabriquer *mille*, ce serait une corvée et cela, ça se paie !

——— 464

Sur une île déserte, un naufragé dit à son compagnon d'infortune :
— Voilà dix ans, aujourd'hui, que nous avons échoué ici, après le naufrage de notre bateau de croisière. À cette occasion, je propose qu'on se montre un peu moins guindé dans nos relations.
— On pourrait se tutoyer ?
— Nous n'en sommes pas là, mais que diriez-vous si nous ne portions plus de cravate pour le dîner ?

——— 465

À quelques centaines de mètres du principal cratère de l'Etna, le guide dit au groupe de touristes dont il a la charge :
— Le spectacle de ce volcan crachant le feu risquant d'émouvoir les âmes les plus sensibles, je vais lentement vous y habituer en fumant une cigarette et en faisant sortir de mon nez des ronds de fumée.

—— 466

— Ça y est, dit un explorateur à un autre, nous avons découvert une des dernières tribus sauvages des Nouvelles Hébrides.
— L'homme avec qui tu parlais tout à l'heure est leur chef ?
— Oui et je vais t'en dire une bien bonne. Sais-tu pour qui il m'avait pris, quand il m'a aperçu ?
— Non. Dis-moi.
— Il a cru que je venais lui livrer l'antenne parabolique qu'il avait commandée sur Internet.

—— 467

Au bord du loch Ness, un hôtelier facétieux dit à ses pensionnaires :
— Passez une bonne journée à vous promener sur les rives du lac et, surtout, ne vous tracassez pas si vous ne voyez pas le monstre. Ma femme est allée passer quelques jours chez sa mère, mais quand vous rentrerez ce soir, je vous la présenterai.

—— 468

Une Européenne, qui a loué une voiture pour parcourir un pays d'Afrique, est arrêtée à un carrefour par un policier local qui lui demande :
— De quelle couleur suis-je à votre avis ?
— Euh… noire.
— Pas du tout ! Quand vous me voyez de profil, les deux bras tendus, je suis vert et là, comme j'étais de face, les bras croisés, j'étais rouge et vous auriez dû vous arrêter.

—— 469

La squaw d'un chef indien lui dit :
— Si tu veux que je fasse du feu dans notre tente, il faudrait que je puisse fendre du petit bois et je n'ai rien pour faire cela. Alors, déterre la hache de guerre ou fiche-moi la paix !

─────── **470**

Alors qu'ils voguent en gondole sur le Grand canal de Venise, une femme dit à son mari :

— Cette promenade est agréable, mais elle pourrait être beaucoup plus romantique.

— Si le gondolier nous chantait *O sole mio* ?

— Non, si, à ta place, c'était ton ami, Gérard, un homme tellement câlin, qui m'accompagnait.

─────── **471**

Un naufragé du Sahara, qui se traîne dans le sable brûlant depuis plusieurs jours, voit enfin un panneau lui annonçant :

BONNE NOUVELLE
DU FAIT QUE VOUS ÊTES LÀ
CET ENDROIT N'EST PLUS UN DÉSERT.

─────── **472**

Deux Français et un Belge ont été arrêtés au Nicaragua.

Inculpés d'espionnage, ils sont condamnés à être fusillés.

Un des Français passe en premier. L'officier qui commande le peloton d'exécution dit à ses hommes :

— Attention... En joue...

— OURAGAN ! hurle le condamné.

Fous de terreur à l'idée d'être victimes de l'ouragan annoncé, quelques soldats s'enfuient à toutes jambes et le premier Français en profite pour s'évader.

Son compatriote a compris la leçon.

L'officier ordonne à ses hommes qu'il a réussi à rassembler :

— Attention... En joue...

— CYCLONE ! hurle le Français.

Et, de la même façon, il s'évade.

C'est, maintenant, le tour du Belge.

L'officier ordonne :

— Attention... En joue...

Le Belge cherche quelle calamité naturelle il pourrait annoncer pour faire fuir les soldats. Enfin, il en trouve une. Hilare, il hurle :

— FEU !

Et il tombe, percé de douze balles.

—————— **473**

— Comment, demande-t-on à un scribe égyptien, avez-vous eu l'idée de représenter le nombre « dix mille » par un 1, suivi de quatre zéros ?

— Le pharaon m'avait ordonné de graver sur la paroi de la pyramide qui devait lui servir de tombeau un hommage à ses 10 000 valeureux guerriers. Et je n'avais pas le courage de graver 10 000 fois le hiéroglyphe représentant un guerrier.

—————— **474**

Un jeune homme vient d'être engagé comme garçon d'étage dans un des gigantesques hôtels de Las Vegas.

— Surtout, lui recommande un vieil employé, n'entre jamais dans la chambre 238. Tu y verrais un spectacle horrible.

— Des fantômes comme ceux que découvre le fils de Jack Nicholson dans *Shining* ?

— Non, plutôt une femme du genre de Shelley Winters avant sa cure d'amaigrissement, dans *L'Aventure du Poséidon.*

—————— **475**

Deux Sioux observent la femme d'un soldat de Fort Apache qui sort de la mare où elle s'est baignée toute nue.

— Je n'ai rien contre la pâleur, dit l'un d'eux, dès l'instant où elle est ailleurs que sur un visage.

—————— **476**

— Depuis dix ans que je suis sur cette île, dit Robinson Crusoé à l'indigène dont il vient de faire la connaissance, j'ai complètement perdu la notion du temps. Alors, je vais t'appeler au pif, Avril, Juillet ou encore Décembre.

—————— **477**

Un explorateur du pôle Nord affronte un terrible blizzard par une température de 40 °C en dessous de zéro. À un moment, il voit un Inuit à qui il dit bêtement :

— Le temps ne s'arrange pas.

— C'est vrai, ça, fait l'indigène. Voilà au moins deux jours que je n'ai pas vu un papillon !

──────478

— Comment appelle-t-on un homo à Lisbonne ?
— Un Portu*gay*.

──────479

Dans un pays du Moyen-Orient, un homme raconte :
— Pour commencer, j'ai appris à sauter à la perche.
— Et après ?
— En pratiquant ce sport, j'ai enfin réussi à me jucher sur le dos d'un chameau.

──────480

Un pharaon d'Égypte a fait entièrement démanteler une pyramide. Face aux 5 000 blocs de pierre de 5 tonnes chacun, il dit au chef des 20 000 fellahs qui ont exécuté l'opération :
— Et, maintenant, vous allez m'aider à me livrer à mon passe-temps favori : reconstituer un puzzle... en 3D.

──────481

Deux naufragés du désert errent depuis plusieurs jours sous le brûlant soleil du Sahara.
Soudain, un bruit de moteur leur fait dresser la tête et ils aperçoivent un sous-marin qui avance dans le ciel sans un nuage.
— Tout de même, s'écrie un des naufragés, admiratif, ils ont fait des progrès fantastiques en matière de mirages !

──────482

En Turquie, un automobiliste dit à sa femme :
— Le tremblement de terre qui vient de survenir a tout bouleversé. Je me demande où nous pouvons bien être.
— Consulte ton GPS, lui conseille sa femme.

―――― *483*

Le souverain d'un royaume d'Extrême-Orient dit, avec humour, à un nouvel ambassadeur qui vient de lui présenter ses lettres de créance :
— En vous adressant à moi, vous m'avez appelé Kadubontaba IV. Je vous signale que je suis, en fait, le roi Kadubontaba V. Manifestement, vous avez fait un faux numéro.

―――― *484*

En Italie, sous l'œil attendri de ses parents, un petit volcan prononce son premier mot :
— Magma !

―――― *485*

Un sociologue commente les statistiques de croissance effrénée de la population mondiale :
— Le pire est qu'il n'y a aucune chance que cette explosion s'arrête un jour.
— Pourquoi cela ?
— C'est trop amusant d'allumer la mèche.

―――― *486*

Un diplomate chinois affirme à l'un de ses collègues européens :
— Nous autres, Chinois, sommes certainement les individus les plus intelligents du monde.
— N'exagérez-vous pas un peu ?
— Réfléchissez plutôt : nous avons inventé la pâte à papier, les nouilles que Marco Polo a rapportées en Italie et la poudre pour faire des feux d'artifice. Et, du jour où nous avons eu la boussole, nous nous sommes bien gardés de l'utiliser pour découvrir l'Amérique.

―――― *487*

En Écosse, un touriste se rend au siège de l'association des Fantômes. Sur la porte est affiché cet avis :
NOUS NE SOMMES PAS LÀ POUR L'INSTANT,
MAIS NOUS REVIENDRONS DANS LA NUIT.

―――― *488*

Tarzan, une jambe dans une gouttière et un bras en écharpe, vient se plaindre au chef de l'État. Après avoir écouté ses doléances, celui-ci lui dit :
— Je regrette, mais il m'est impossible de renforcer la solidité de toutes les lianes auxquelles vous pouvez être amené à vous suspendre. Puis-je plutôt vous suggérer, pour assurer la sécurité de vos déplacements, d'entreprendre une sévère cure d'amaigrissement ?

―――― *489*

Une terrible tornade s'est abattue sur la Floride.
— J'étais sur la route, raconte un rescapé, quand j'ai été pris dans son tourbillon.
— Ça a dû être très dur, pour vous.
— Surtout quand j'ai dû me justifier après avoir été flashé par un radar automatique de rouler à 412 km/h, dans mon tracteur.

―――― *490*

Christophe Colomb se présente piteusement devant la reine d'Espagne, Isabelle la Catholique.
— Comme Votre Majesté le sait, dit-il, j'étais parti vers l'ouest à la recherche des Indes mais, à la suite d'une incompréhensible erreur de navigation, j'ai découvert…
— L'Amérique ?
— Non. La Suisse.

―――― *491*

— Au pays des Mille et Une Nuits, Ali Baba vient d'avoir un fils. Comment l'appellera-t-on ?
— Ali Bébé.

―――― *492*

Alors qu'il est dans les bras de la reine d'Égypte, Jules César ne peut s'empêcher de lui faire cette réflexion :
— Si tu comptes passer à la postérité, ne garde pas le nom de Cléopâtre : il n'accroche pas du tout.
— Et que me conseilles-tu ?
— Prends un pseudonyme qui sonne bien à l'oreille : par exemple, Liz Taylor.

CATCH MEXICAIN.

———— **493**

Dans une réserve des États-Unis, un Indien explique :

— J'ai enfin compris comment faire pour que les touristes cessent de tripoter le totem planté devant la tente du Grand Chef.

— En leur expliquant que c'est un tabou ?

— Non, en posant dessus une pancarte : « Peinture fraîche. »

———— **494**

Une Japonaise se plaint d'avoir un mari très paresseux.

— Il y a une heure, dit-elle, je lui ai demandé de secouer ma salade.

— Et alors ?

— Depuis, il se tient dans le jardin, le panier à salade à la main, en attendant le prochain tremblement de terre.

Décollage immédiat

———— 495

Une jeune femme, qui s'apprête à prendre un avion à Roissy, a déposé sur le tapis roulant son grand sac à main.

— Pendant que vous le scannerez pour vérifier qu'il ne contient ni liquide ni couteau de poche, dit-elle à l'employé chargé du contrôle de sécurité, tâchez, dans tout ce fouillis, de retrouver mon tube de rouge à lèvres. Je le cherche en vain depuis deux jours.

———— 496

Avant le décollage, une hôtesse attire l'attention des passagers en leur disant :

— Selon les meilleurs experts, il existe 36 façons de faire l'amour. J'aimerais vous en exposer quelques-unes mais, auparavant, le règlement de la compagnie m'oblige à vous expliquer *la seule* façon de quitter cet appareil en cas d'atterrissage forcé.

———— 497

Un chef d'entreprise dit à l'employé d'une compagnie aérienne :

— Je dois me rendre à Varsovie et je voudrais voyager en classe Affaires.

— Bien, Monsieur.

— Mais compte tenu de l'état de mes affaires, je me contenterais – si vous me faites une petite réduction – d'un fauteuil tout démantibulé et d'un croûton de pain rassis pour le repas.

———— 498

Dans un aéroport, un employé dit à un voyageur :

— J'ai deux nouvelles pour vous : une bonne et une mauvaise.

— Donnez-moi la bonne d'abord.

— Vos bagages ont été retrouvés...

— Et la mauvaise ?

— ... Par un chien de la brigade antidrogue.

—————— *499*

— Ça y est, annonce un homme à son psy, j'ai enfin vaincu ma phobie de monter en avion.
— Alors, vous allez vous décider à utiliser ce moyen de transport ?
— Non.
— Pourquoi ?
— Parce que j'ai trop peur...
— Peur de quoi ?
— De la nourriture qui est servie à bord.

—————— *500*

Le président d'une compagnie d'aviation lourdement endettée dit aux membres de son conseil d'administration :
— Avant de vous faire part de notre bilan, je vous recommande d'attacher vos ceintures : nous allons entrer dans une zone de turbulences.

—————— *501*

Un homme se rend à l'aéroport de Roissy pour accueillir son frère qui arrive de New York.
L'ami qui l'accompagne lui demande :
— Allez-vous le reconnaître ?
— J'ai bien peur que non. Voilà quarante ans qu'il a quitté la France pour se fixer aux États-Unis.
— Et lui, vous reconnaîtra-t-il ?
— Certainement. Moi, je n'ai jamais bougé.

—————— *502*

Le passager d'une compagnie aérienne mange une cuisse de dinde, réchauffée au four à micro-ondes. Quand il a fini son repas, il s'écrie :
— C'est extraordinaire !
Un peu étonnée, l'hôtesse l'interroge :
— Ça vous a plu à ce point-là ?
— Pas du tout mais ce que je trouve extraordinaire, c'est ce qu'on arrive à faire, de nos jours, avec du carton recyclé.

──────── *503*

— Je me méfie, dit une grande voyageuse, des employés qui procèdent au contrôle des bagages et des passagers avant l'embarquement s'ils portent des lunettes noires.
— Pour quelle raison ?
— Eh bien, j'ai toujours pensé que ce genre de lunettes était, pour eux, un moyen d'investigation supplémentaire – surtout depuis que l'un d'eux m'a complimenté sur l'élégance de ma petite culotte à fleurs.

──────── *504*

— Cela ne vous dérange pas, demande une visiteuse à une amie, d'habiter à proximité d'un grand aéroport avec tous ces avions qui passent, à longueur de journée, à 10 m au-dessus de votre toit ?
— Pas du tout, le vacarme des réacteurs de ces appareils, toutes les cinq minutes, couvre complètement les chanteurs de rock que mon fils écoute à plein volume toute la journée.

──────── *505*

Le garçon d'hôtel apporte les bagages d'un client dans sa chambre.
— Mais, s'écrie le voyageur, cette valise n'est pas à moi.
— Avec la pagaille qui règne à l'aéroport, répond le garçon, estimez-vous encore heureux que je vous aie récupéré une valise.

──────── *506*

— Quel est le dernier cri en matière de voyages par avion sur une compagnie pratiquant les tarifs les plus bas du marché ?
— Sautez !

──────── *507*

Dans un aéroport, une hôtesse lit ce message :
— Avis à tous les voyageurs : si vous tentez d'entrer en conversation avec une personne qui, manifestement, n'entend pas un mot de ce que vous lui dites, soyez aimable de l'informer par écrit que sa prothèse auditive a été retrouvée.

—————— *508*

Un homme demande naïvement à l'employée d'une compagnie aérienne qui consulte son dossier sur l'ordinateur :
— Cela fait deux ans que je voyage chez vous et que j'accumule les points de fidélité. Je dois en avoir un paquet, à présent. À quoi cela me donne-t-il droit ?
— Au cours de votre prochain Paris-Rome, vous serez autorisé à appeler l'hôtesse par son prénom, Caroline.

—————— *509*

— Je regrette, dit l'hôtesse de l'air à un voyageur tout tremblant, mais il n'est absolument pas possible que vous consultiez le brevet de notre commandant de bord afin de juger ses compétences. En revanche, permettez-moi de vous montrer quelques photos de moi toute nue, particulièrement croustillantes, qui devraient vous faire complètement oublier votre peur de l'avion.

—————— *510*

Un ingénieur en aéronautique est engagé pour travailler sur un projet ultra-secret.
— De quoi s'agit-il, au juste ? demande-t-il à son chef de service.
— Chut ! Secret défense ! Tout ce que je peux vous dire, c'est que l'état-major de l'armée de l'air nous a chargés de mettre au point un son qui aille plus vite que le plus rapide des avions.

—————— *511*

Une hôtesse de l'air qui rentre chez elle à la tombée de la nuit, sent brusquement un objet dur lui entrer dans les reins tandis que deux mains lui saisissent les seins.
— Je suis un pirate de l'air, dit son agresseur, et j'inaugure une nouvelle forme de détournement. Tu te dirigeais vers ton appartement ; tu vas mettre le cap sur le mien. Et, attention, même si elle ne comporte aucune partie métallique, l'arme dont je te menace est drôlement chargée.

—————— *512*

Une voyageuse se plaint au service des réclamations d'un aéroport :
— Alors que j'allais en vacances à Lille, vous avez envoyé mes bagages à Tahiti. La prochaine fois, pourriez-vous faire le contraire ? J'ai toujours eu une envie folle de connaître Tahiti.

──── *513*

Le commandant de bord d'un Airbus A 320 interroge une nouvelle hôtesse de l'air :
— Est-ce que vous en faites déjà partie ?
— De quoi ? questionne-t-elle, naïvement.
— Du Club des trois mille.
— Le Club des trois mille ? Qu'est-ce que c'est ?
— Un club auquel appartiennent d'office les femmes qui ont déjà fait l'amour à plus de 3 000 mètres.
— Ah ! dit la belle hôtesse, rêveuse. Au fait, voulez-vous me rappeler l'altitude du pic du Midi ?

──── *514*

Un ingénieur de la base de lancement de fusées de Cap Canaveral a dû quitter son bureau pour quelques instants. Il affiche cet avis sur la porte :
SERAI DE RETOUR DANS
5...
4...
3...
2...
1...
MINUTE !

──── *515*

Tandis que le Boeing, avec ses cent passagers, pique du nez vers l'océan, une séduisante hôtesse de l'air dit, d'un ton sévère, au commandant de bord :
— Je ne sais pas ce que vous avez en tête mais je vous préviens tout de suite, le coup de la panne, ça ne prend pas avec moi.

──── *516*

— Mon mari, raconte une femme à un psy, se prend pour un avion de ligne d'Air France.
— En quoi cela vous gêne-t-il ?
— Quand il se met aux fourneaux, il faut voir les repas qu'il me sert.

—— *517*

Une hôtesse de l'air annonce joyeusement aux passagers d'un avion qui vient de se poser :

— Nous sommes bien à Rome. D'en haut, j'ai aperçu le Colisée. La sortie est à gauche, à l'avant de l'appareil. Vous pouvez y aller, les gladiateurs !

—— *518*

Quatre hommes de diverses nationalités ont pris place dans la nacelle d'une montgolfière.

Alors qu'ils évoluent à 800 m d'altitude, une avarie survient.

L'aérostier qui guide la montgolfière les avertit :

— Nous allons nous écraser au sol si nous ne lâchons pas du lest. Il faut que l'un de vous se sacrifie.

Sans hésiter, l'Anglais saute par-dessus bord, en criant :

— God save the Queen !

Comme ce n'est pas suffisant, le Français saute à son tour en criant :

— Vive la République !

La montgolfière continuant de perdre de l'altitude, un troisième sacrifice s'impose.

L'Américain se manifeste :

— Souviens-toi d'Alamo ! crie-t-il.

Et il jette le Mexicain dans le vide.

Ça s'arrose !

Un farceur entre dans un café. Le patron lui demande :
— Que désirez-vous ?
— Gagner à Euromillions, rencontrer une superbe créature, partir avec elle sur mon yacht...
— Je veux dire, insiste le cafetier, que voulez-vous prendre ?
— J'aimerais prendre une bonne fois la décision de ne plus fumer.
Le cafetier commence à s'énerver :
— Voulez-vous boire quelque chose ou quoi ?
— Je ne sais pas. Qu'est-ce que vous avez ?
Là, le patron du café prend sa revanche en répondant :
— Une forte hypertension, du cholestérol, un peu de diabète, les jambes lourdes et un rhumatisme dans l'épaule gauche.

Après avoir passé une soirée à boire avec ses copains, un homme s'éveille en proie à une terrible migraine.
En se tenant une poche pleine de glaçons sur la tête, il dit à sa femme :
— Le moindre bruit me défonce le crâne. Certes, tu as calmé le chien qui aboyait et isolé dans le garage le canari mais, je t'en supplie, demande au poisson rouge de cesser son vacarme.

— Donnez-moi un whisky, ordonne un client au barman. Mais, d'abord, est-il bien authentiquement écossais ?
— Si vous me laissez deux minutes, je peux vous le prouver.
— En me montrant son certificat d'origine ?
— Non. Avant de vous le servir, je vais troquer mon pantalon contre un kilt.

—————— *522*

La police de Moscou enquête sur une série de morts mystérieuses.
— J'ai peut-être une piste, lance un inspecteur.
— Dites toujours...
— Hier, les infirmiers de l'hôpital ont amené un homme dont les derniers mots furent : « Je me demande ce qu'ils peuvent mettre dans leur vodka pour réussir à la vendre si bon marché. »

—————— *523*

Alors que l'homme qui l'a invitée à dîner au restaurant se fait de plus en plus entreprenant, une belle blonde au décolleté plongeant, appelle le maître d'hôtel :
— Je crois, lui dit-elle, que notre chablis est frais à point. Il est temps de le retirer du seau à glace... et d'y plonger la tête de ce monsieur.

—————— *524*

— Ce café est-il vraiment instantané ? demande une femme à un vendeur.
— Absolument. Si vous ne tenez pas compte des dix minutes d'efforts nécessaires pour ouvrir le flacon.

—————— *525*

En voyage au Japon, un Français entre dans un bar.
— J'aimerais, dit-il, goûter une de vos boissons locales.
— Il y a le saké.
— N'est-ce pas trop fort ?
— Pas du tout.
— Alors, allons-y pour un saké.
Le barman lui apporte sa consommation.
Le Français l'avale d'un trait. Devenant blême, il s'écrie :
— J'ai l'impression que je ne tiens plus sur mes jambes, que tout s'effondre autour de moi. Pourtant, vous m'aviez affirmé que le saké n'était pas un alcool très fort.
— Certes, mais ce n'est pas le saké qui vous produit cet effet : c'est un tremblement de terre.

───── *526*

— Depuis trois mois que ma femme est partie, raconte un homme, je me suis mis à la boisson mais je ne parviens toujours pas à l'oublier. Je crois que je vais passer de l'Évian à quelque chose de plus fort comme la San Pellegrino.

───── *527*

Un étudiant dit à son colocataire :
— Pourquoi, quand tu veux ouvrir une canette de bière, utilises-tu toujours un ouvre-boîtes, plutôt que de tirer sur la languette prévue à cet usage ?
— Tu crois qu'on a le droit de faire cela ? J'ai toujours pensé qu'il s'agissait là d'un système de secours à n'utiliser qu'en cas d'extrême urgence – par exemple, quand on avait oublié son ouvre-boîtes.

───── *528*

À Paris, un touriste anglais refuse la consommation que lui a servie un garçon.
— Remportez-moi cela, dit-il, et servez-moi autre chose comme boisson chaude.
— Thé ou café ?
— Si ce que vous m'avez apporté d'abord était du thé, donnez-moi du café. Et si c'était du café, donnez-moi du thé.

───── *529*

— Le journal local, raconte une femme, a publié en première page un article sur trois colonnes, avec une grande photo, dans lequel mon mari raconte comment, alors qu'il buvait comme un trou, il s'est inscrit aux Alcooliques anonymes.
— Et ils l'ont guéri ?
— Comme en témoigne cet article, s'il est toujours alcoolique, au moins, il n'est plus anonyme.

───── *530*

Dans un bar, un homme a avalé trois whisky. Il demande au barman :
— Je vous dois combien ?
— 30 euros.
— Décidément, dit-il, en soupirant, mon médecin a raison de me répéter que je ne devrais pas boire tant avec ce que j'ai.
— Et qu'avez-vous donc ?
— Juste un billet de 20 euros.

——— *531*

— J'avais toujours eu cette devise : « Fontaine, je ne boirai pas de ton eau », raconte un philosophe. Et puis le gouvernement a considérablement augmenté la taxe sur les sodas.

——— *532*

Très satisfait des bières qui lui ont été servies, un consommateur dit au barman :
— Je veux vous remercier. Tenez : voici un homard vivant.
— Merci, dit le barman. Je vais l'emporter à la maison pour dîner.
— Il a déjà dîné, précise le client. Si vous voulez lui faire plaisir, emmenez-le plutôt au cinéma.

——— *533*

— Mon mari buvait trop d'alcool, raconte une femme, aussi l'ai-je convaincu d'aller consulter un psychanalyste.
— Et alors ?
— Son traitement a duré trois ans.
— Avec quel résultat ?
— Il a compris la leçon des anciens Romains : désormais, il ne boit plus qu'allongé sur un divan.

——— *534*

Dans un bar, un consommateur dit à un autre :
— Comme vous, je suis très pessimiste à propos de la crise monétaire qui affecte toutes économies européennes. Pour vous remonter un peu le moral, puis-je vous offrir un verre à moitié vide de bourbon ?

——— *535*

— Messire, vous rentrez encore ivre, dit une belle châtelaine à un chevalier en armure.
— C'est... vrai... mais co... comment... le... savez-vous ?
— J'ai relevé la visière de votre casque pour voir quelle tête vous faisiez et tout ce que j'ai vu, ce sont vos deux pieds.

———— *536*

Un cow-boy pénètre dans un saloon et ordonne au barman :
— Servez un scotch bien tassé à mon cheval.
— Tout de suite, monsieur. Et, vous-même, vous ne prenez rien ?
— Vous n'y pensez pas, proteste le cow-boy. C'est moi qui conduis.

———— *537*

Qu'est-ce qu'on ne peut jamais manger dans un loup ?
Réponse : Les arêtes.
Ça, c'est la version belge d'une devinette.
La version originale fait appel à l'autre nom du poisson nommé « loup »
pour demander : Qu'est-ce qu'on ne peut jamais manger dans un bar ?

———— *538*

— Ce qui est arrivé à mon mari est terrible, raconte une femme à une
amie.
— Racontez-moi vite…
— Vous savez qu'il travaille dans un garage.
— En effet.
— Eh bien, hier, sans faire attention, il a bu un grand verre d'essence au
lieu de son soda habituel.
— C'est atroce. Et alors ?
— Maintenant, quand il a le hoquet, il klaxonne.

———— *539*

Après avoir avalé son quatrième pastis, un homme dit à la serveuse du
bar :
— Mon drame, dans la vie, c'est que personne ne me comprend.
La serveuse tente de le rassurer :
— Beaucoup d'hommes sont dans votre cas.
— Oui, mais ce qui est grave, en ce qui me concerne, c'est que je suis
traducteur à l'ONU.

——— *540*

Le marchand demande à l'homme qui vient de pénétrer dans sa boutique :
— Vous me dites que ce sera, demain, le dixième anniversaire de votre mariage et vous souhaitez acheter un vin approprié à cet événement. Alors, d'abord, une question : cet anniversaire, voulez-vous vraiment le fêter ou l'oublier ?

——— *541*

Une femme qui emploie deux domestiques dit au représentant de sa compagnie d'assurances :
— Comme vous nous y aviez incités, mon mari et moi avons beaucoup renforcé la sécurité dans notre maison. D'abord, nous avons mis un cadenas à l'armoire à liqueurs.

——— *542*

Le directeur d'un laboratoire proteste auprès de ses chercheurs :
— Vous exagérez. Cela fait six mois qu'à chaque fois que je pénètre dans votre antre, je vous trouve en train de fêter, verre de whisky en main, ce que vous affirmez être un pas décisif pour la mise au point d'un calvados de synthèse !

——— *543*

En débouchant un Charmes-chambertin 2002, un homme dit à sa femme :
— Je l'ai acheté en suivant les conseils de Robert Parker, l'expert américain. Ce qui est curieux, c'est qu'il a adopté une échelle de notation qui va jusqu'à 100 mais pour les plus infâmes piquettes, il ne met pas zéro, comme on s'y attendrait, mais 50. Je me demande ce que cela donnerait si l'on appliquait son système pour s'attribuer des notes entre époux.
— Rassure-toi, mon chéri, répond la femme : je peux t'affirmer que tu aurais la moyenne.

——— *544*

Un bar annonce aux passants :
« DE 17 À 19 HEURES : HAPPY HOUR.
Certes, nos consommations restent aux mêmes prix
mais notre serveuse, peu gâtée par la nature,
et qui, d'ordinaire, évolue les seins nus, met,
durant ces deux heures, un soutien-gorge. »

———— *545*

Une jeune mariée s'étonne en voyant son époux poser, sur la table de nuit, un verre plein d'eau et un verre vide.

— C'est tout simplement, lui explique-t-il, parce qu'il m'arrive de m'éveiller en pleine nuit. Le verre plein d'eau est prévu au cas où j'aurais soif. Et le vide, au cas où je n'aurais *pas* soif.

———— *546*

— Qu'est-ce que je vous sers ? demande un barman à un farceur.

— Donnez-moi un koutchanosktrof loudvi kuloum arvingaminiskch-trouph.

— Je vous ai mal compris, fait le barman.

— Vraiment ? dit le farceur, hilare.

— Votre koutchanosktrof loudvi kuloum arvingaminiskchtrouph, vous le voulez avec ou sans glace ?

———— *547*

Un critique explique aux visiteurs d'une galerie de peinture :

— L'artiste dont les œuvres sont exposées ici a connu trois grandes époques dans sa production : la blanche, la rouge et la rosée.

— D'après les couleurs qu'il utilisait quand il peignait ses tableaux ?

— Non, d'après le vin qu'il buvait pour se donner des idées.

———— *548*

Trois amis assoiffés n'ont pas un centime.

— Attendez, dit l'un d'eux, on va tenter le coup. Je vais entrer dans ce café, commander une bière et quand le garçon me réclamera de l'argent, je lui soutiendrai que j'ai déjà payé.

Il fait comme il a dit.

Le garçon tique un peu, mais ça marche.

Le second soiffard pénètre à son tour, dans le café, commande, boit et s'en va en soutenant qu'il a payé.

Le troisième tente sa chance. Au moment où il va partir discrètement, le garçon l'interpelle :

— Vous ne savez pas ce qui m'arrive ? Je perds la mémoire. Voilà deux fois que je réclame de l'argent à des clients qui m'avaient payé. Qu'en pensez-vous ?

— Rien, répond l'autre. Je suis pressé. Rendez-moi vite ma monnaie que je m'en aille.

——— *549*

Un veilleur de nuit qui va prendre son service tend à sa femme une bouteille Thermos en lui disant :

— Mets-moi là-dedans quatre tasses de café chaud : deux bien sucrées pour moi et deux sans sucre pour mon collègue.

——— *550*

Une femme, très jalouse, lance à son mari :

— Tu m'as bien dit, en rentrant, hier soir, sur le coup de 2 heures du matin, que ton patron, pour te remercier de vingt ans de bons et loyaux et services, t'avait invité à une soirée arrosée au champagne ?

— Oui.

— Et que, pour cette petite fête, vous étiez allés au *Lido* ?

— En effet.

— L'assistante de ton patron a appelé, ce matin et, dans la conversation, elle m'a appris que le cabaret où vous vous êtes rendus, s'appelle le *Copacapana*. Alors, pourquoi me dire que cela s'est passé au *Lido* si c'était au *Copacabana* ?

— C'est que, lorsque j'ai regagné la maison, cette nuit, j'étais incapable de prononcer le nom de *Copacabana*.

Employés de bourreaux

──────── **551**

Le président d'une grande société a réuni les douze membres de son conseil d'administration.

— Notre bilan est catastrophique, leur annonce-t-il. Alors, voici ce que je vous propose : il nous reste en caisse de quoi aller au Café de la Gare pour prendre le menu du jour, avec fromage **et** dessert. Allons donc déjeuner et, ensuite, nous mettrons l'entreprise en liquidation.

──────── **552**

Un employé désœuvré est en train de fabriquer de petits avions en papier qu'il fait voler en les lançant, à travers son bureau.

À un moment, il entend une voix derrière lui, c'est son chef de service qui lui dit :

— C'est votre commandant de bord qui vous parle. Vous allez entrer dans une zone de turbulences qui pourrait fort bien vous contraindre à un atterrissage en catastrophe. Allez, hop ! Cap sur Pôle Emploi.

──────── **553**

Au comble de la fureur, un homme d'affaires s'en prend à son assistante en s'écriant :

— C'est une véritable maison de fous, ici !

La jeune femme objecte :

— Tout de même, monsieur le directeur, il y a une grande différence.

— Laquelle ?

— Dans une maison de fous, au moins, le directeur est sain d'esprit.

──────── **554**

Alors qu'il s'installe pour prendre son petit déjeuner, un employé d'un ministère, les yeux bouffis et rougis, dit à sa femme :

— Bonjour. com... commentvastu. fr ? Tuasbiendormi. org ?

— Inutile, s'écrie l'épouse, de me préciser que tu as encore passé la nuit à consulter Internet !

———— *555*

— Monsieur le directeur, annonce une assistante à son patron, il y a un monsieur qui insiste pour vous voir.

— Il vous a donné son nom ?

— Non, mais il m'a appris tous les droits dont vous disposez. Savez-vous que vous avez le droit de garder le silence mais que si vous vous décidez à parler, tout ce que vous direz pourra être retenu contre vous ?

———— *556*

Le patron d'une petite entreprise convoque une de ses employées :

— Mademoiselle Dutillard, lui dit-il, vous n'étiez pas sortie depuis dix minutes de mon bureau, où je vous avais fait l'amour sur le tapis, que mes 47 collaborateurs, sans exception, étaient déjà au courant. Tant d'efficacité mérite sa récompense.

— Oh ! Monsieur le directeur…

— Je vous nomme responsable du Service de propagande et des relations publiques.

———— *557*

À la porte du Bureau des objets trouvés se trouve cet avis :
« En raison du non remplacement des employés
qui partent à la retraite, nous travaillons avec un
effectif réduit, ce qui génère de longues attentes
pour les personnes qui viennent récupérer un objet.
Alors, par pitié, si vous avez déjà perdu un parapluie
ou votre portefeuille, en plus
NE PERDEZ PAS PATIENCE. »

———— *558*

Un employé mécontent écrit un petit mot à son patron :

« Monsieur le directeur,
J'ai la joie de vous annoncer que je démissionne de votre
horrible boîte.
Antoine Bigoudin

PS. : J'éprouve une joie plus grande encore à vous dire que,
contrairement à ce que vous font croire quelques lèche-culs,
les histoires prétendument drôles que vous racontez n'ont
jamais faire rire personne. »

FILIÈRE PAPIER CARTON.

IL Y A
DES DÉBOUCHÉS
7/

BRidenne

——— *559*

Un chef d'entreprise était amoureux de sa ravissante secrétaire. Celle-ci encourageait cette folle passion sans, cependant, la satisfaire.

Pour l'anniversaire de son directeur, elle eut, toutefois, une attention qui le toucha droit au cœur. Elle l'invita à dîner, dans le charmant appartement qu'elle possédait.

Quand le patron arriva, le soir, avec un coffret d'orchidées, la jeune femme lui dit gentiment :

— Mettez-vous à l'aise. Je vous rejoins dans cinq minutes.

Il lui obéit.

Et, cinq minutes plus tard, la secrétaire revint, entourée de tout le personnel du bureau qui chantait en chœur : « Joyeux anniversaire », à l'intention du directeur.

Mais celui-ci, impatient de faire l'amour à sa belle secrétaire, s'était entièrement déshabillé.

——— *560*

Alors qu'il quitte son bureau, un homme est interpellé par son chef de service.

— Je regrette, dit l'employé, mais, comme vous pouvez le constater, il est 18 heures 10.

— Et alors ?

— Depuis dix minutes, je n'accepte plus de recevoir aucun ordre – sauf de ma femme, bien sûr.

——— *561*

Le président d'une grande société a réuni les membres de son conseil d'administration pour leur annoncer :

— Nous allons prendre connaissance d'un rapport d'un de nos collaborateurs, Raymond Lagrume, sur *Les méfaits de l'absentéisme*. Enfin, nous aurions dû entendre notre ami Lagrume, mais il n'est pas venu au bureau ce matin, prétextant qu'il avait mal au ventre.

——— *562*

— La reprise de votre entreprise par un consortium chinois s'est-elle bien passée ? demande-t-on à un industriel.

— Parfaitement. Les Chinois nous ont imposé peu de changements. Il n'y a qu'à la cantine que les employés renâclent : ils ont beaucoup de mal à manger leur bifteck frites avec des baguettes.

563

Un employé pénètre chez le grand patron qu'il trouve à son bureau avec, sur la tête, un seau renversé d'où dégouline une eau sale.

— Je voulais vous apprendre, lui dit-il, que la femme de ménage a gagné 27 millions d'euros à Euromillions, mais je vois qu'elle vous a déjà annoncé, elle-même, la bonne nouvelle.

564

— J'ai un mal de tête épouvantable, dit un employé de bureau à un collègue.

— Quand cela m'arrive, répond l'autre, j'ai un truc infaillible : je fais l'amour avec ma femme.

— Merci pour le tuyau, dit son camarade.

Il disparaît pendant une bonne heure et, à son retour, il lance à son collègue :

— J'ai essayé ta méthode. Elle est très efficace. Et, entre parenthèses, tu as vraiment un bel appartement.

565

— Allô, dit un homme qui appelle sa femme depuis son bureau, j'ai deux nouvelles à t'annoncer. La bonne, d'abord : ce soir, je boirai du champagne. La mauvaise, à présent : ce sera au cours du pot d'adieu qu'organisent mes collègues pour me témoigner leur sympathie après que le patron m'a foutu à la porte !

566

Une assistante sans indulgence dit de son patron :

— Il passe son temps à chanter ses louanges : toujours en solo.

567

Un employé désire prendre sa retraite alors que son patron aimerait le garder parmi ses collaborateurs.

— Écoutez, lui dit le patron, on va faire une chose : je vous donne huit jours de congé exceptionnel, à condition que vous consacriez ce temps à regarder la télévision à longueur de journée, comme le font tous les retraités. Ne me remerciez pas : je suis sûr qu'au bout des huit jours, vous me supplierez de vous laisser reprendre votre travail.

―――― *568*

Rentrant chez lui à l'improviste, un comptable trouve son épouse au lit avec son patron, en train de se livrer à une joyeuse partie de jambes en l'air.

— Mon cher Briard, lui dit celui-ci, sans lui laisser le temps d'ouvrir la bouche, je suis heureux de vous annoncer qu'il y a, dans notre entreprise, une place de sous-directeur pour un homme capable de conserver son sang-froid et de montrer de l'humour en toutes circonstances.

―――― *569*

— Je vous avais engagée à l'essai pour un mois, dit un patron à sa séduisante assistante.

— En effet.

— Je prolonge cette période d'essai de trois mois. Ce ne sera pas trop pour que vous tentiez de réparer les dégâts que vous avez faits au cours du premier mois.

―――― *570*

Un écrivain qui tape son dernier roman voit son ordinateur planter brusquement.

Un message apparaît sur le petit écran :

« Pour me remettre en marche, appuyez sur une touche
au hasard en sachant bien qu'une de ces touches déclenche
la bombe nucléaire. (Mais non, grosse bête, je plaisante.) »

―――― *571*

Une attachée de direction dit à une autre :

— Je sors de chez le patron. Il a un petit sourire inhabituel qui ne présage rien de bon. Manifestement, il vient de trouver à qui il pourrait bien faire endosser la responsabilité de sa dernière connerie.

―――― *572*

Très déçue, une secrétaire dit à son patron qu'elle a accueilli dans son lit :

— Vous m'aviez alléchée en vous présentant comme un sexe-machine. Votre problème est le même qu'avec les ordinateurs. Un jour ou l'autre, il faut se résoudre à les mettre à la ferraille quand ils ne sont plus sous garantie.

─── *573*

L'épouse du directeur d'une petite entreprise lui dit :
— J'ai téléphoné à ton assistante pour l'aviser que tu es grippé et que tu ne pourras pas aller au bureau pendant les trois prochains jours. Elle m'a chargé de te transmettre ses meilleurs vœux de prompt et complet rétablissement.
— Vraiment ? Tu peux me citer les mots précis qu'elle a employés pour dire cela ?
— Un seul mot : « Ouf ! »

─── *574*

Le patron d'une petite entreprise convoque un de ses employés.
— M. Loupinot, lui dit-il, est-ce que votre récente promotion vous est montée à la tête au point de vous faire perdre toutes vos facultés ?
— Bien sûr que non.
— Alors, enlevez immédiatement votre vieux vélo rouillé de la place de parking portant l'inscription : « Réservé à la Mercedes du directeur. »

─── *575*

— Comment, dit un directeur à l'un de ses employés, cela fait douze ans que vous n'avez pas été augmenté ! Il fallait me dire cela plus tôt. Par exemple, à 9 heures, ce matin, si vous n'aviez pas la désagréable habitude de vous présenter au bureau sur le coup de 10 heures 30.

─── *576*

Furieux d'avoir été éconduit par une employée du bureau où il travaille, un homme la menace :
— Je vais aller raconter au patron que vous avez couché avec la moitié de son personnel.
— Si vous voulez vraiment me faire avoir de l'avancement, lui répond-elle, tranquillement, communiquez-lui la liste de mes spécialités amoureuses dont voici un résumé sur papier, à l'attention des véritables amateurs.

─── *577*

En entendant un terrible vacarme dans le hall d'entrée, un employé dit à l'un de ses collègues :
— C'est l'anniversaire de la fondation de cette entreprise, il y a vingt ans. À cette occasion, le patron tient absolument à rappeler à tout le monde qu'il est venu de son village natal à Paris en sabots pour créer sa boîte !

———— *578*

— Moi, dit une secrétaire, proche de l'âge de la retraite, à une petite nouvelle, je classe le courrier que reçoit mon patron en trois catégories, selon mes principes religieux :
1°) À traiter avant le Déluge.
2°) À remettre à Dieu sait quand.
3°) À envoyer au diable.

———— *579*

Un homme arrive un matin au Service des personnes disparues qui l'emploie et s'étonne de trouver les locaux vides.
Pris de panique, il se met à crier :
— Oh ! là ! Y a quelqu'un ?

———— *580*

L'assistante d'une femme d'affaires totalement inculte est appelée dans le bureau de sa patronne qui veut lui dicter une lettre.
Sans illusion, elle dit à l'une de ses collègues :
— Ça y est, Mme de Sévigné s'apprête, une fois de plus, à rater sa correspondance.

———— *581*

En arrivant au bureau, un employé trouve cet e-mail de son patron :
« À votre entrée dans notre maison, je vous avais prédit que vous feriez du chemin. Ce jour est arrivé : l'usine se délocalisant, vous êtes muté à Bucarest, en Roumanie. »

———— *582*

— Je suis bien contente, dit une secrétaire à sa mère. Mon patron vient de monter en grade. Il est nommé sous-directeur de l'entreprise.
— Et qu'est-ce que ça change pour toi ?
— Ça change que, désormais, au lieu de m'allonger sur du linoléum glacial, pour qu'il me fasse l'amour, j'aurai droit à un tapis 100 % laine !

———— **583**

— J'ai une mauvaise nouvelle pour vous, dit le directeur à l'un de ses employés qui va partir en retraite.
— Laquelle ?
— Eh bien, la boîte contenant le montant de la collecte qui avait été effectuée auprès de vos 56 collègues pour vous offrir un cadeau a été dérobée. Ce n'est pas trop grave, dans la mesure où elle ne comportait que 2,37 euros.

———— **584**

Un homme, qui se fait constamment reprendre par le correcteur d'orthographe de son ordinateur, rapporte celui-ci au marchand, en expliquant :
— J'ai longtemps pardonné les chausse-trapes qu'il accumulait sur mon écran, mais il en a tant fait que je n'ai pas pu m'en accommoder et que j'ai fini par perdre ma bonhomie.

———— **585**

Un employé de bureau dit à l'un de ses collègues :
— J'ai appris, en lisant un livre très sérieux, que certains individus ont beau avoir l'air intelligent, ce sont de parfaits abrutis.
L'autre s'indigne :
— C'est pour moi que tu dis cela ?
— Certainement pas : je n'ai jamais trouvé que tu avais l'air intelligent.

———— **586**

En se rendant à son bureau à pied, un homme fait une chute spectaculaire après avoir glissé sur une peau de banane. Il dit à l'un de ses collègues :
— J'ai peut-être eu tort de répéter cent fois que je déteste les lundis. À force d'entendre cela, j'ai bien peur que les lundis ne se mettent à me détester à leur tour.

——— *587*

Un garçon dit à sa petite amie :

— Un de tes collègues m'a raconté que le soir de la fête annuelle, à ton bureau, on avait éteint toutes les lumières.

— En effet.

— Et il affirme que, lorsqu'il a proposé successivement aux quatre secrétaires de coucher avec elles, une seule lui a dit non. J'ai tout de suite été sûr que c'était toi.

— Sûrement, répond nerveusement la jeune femme. Ce que je me demande, depuis ce soir-là, c'est à quel homme sur les huit qui m'ont fait des propositions, j'ai bien pu dire non.

——— *588*

— Qu'est-ce qui te prend, demande une assistante à un collègue de bureau, de venir travailler avec, pour tout vêtement, une ceinture de bananes ?

— Il y a un poste à pourvoir, au Honduras, et je voudrais suggérer au patron que je suis le plus qualifié pour l'occuper.

——— *589*

Un employé reçoit, sur son lieu de travail, cet e-mail :

« Cui... cui... cui... »

— Oh ! s'écrie-t-il, c'est le pivert qui loge dans le grand chêne du jardin qui, en voyant la fenêtre de mon bureau ouverte, a encore eu l'idée de s'amuser avec mon ordinateur.

Perles de pub

───── *590*

Un journal de province publie cette alléchante petite annonce :
L'AMOUR À TROIS
C'est agréable et pas cher. Venez, avec votre femme ou avec votre petite amie, passer un week-end dans ce qui fut longtemps la capitale de la bonneterie. L'hôtel des Six Canards vous fera des conditions exceptionnelles.

PS. : Veuillez excuser la distraction du rédacteur de cette annonce.
Il voulait bien évidemment titrer sur « *L'amour à Troyes* ».

───── *591*

Un as de la publicité dit à une jeune fille dont il est tombé amoureux :
— Je vais vous faire bénéficier d'une offre exceptionnelle et qui ne sera pas renouvelée : voulez-vous m'épouser ?
À quoi elle lui répond sèchement :
— Moi, je vais tenter de bien me faire comprendre. Supposez que votre message passe sur TF1. Eh bien, en ce qui me concerne, j'ai envie de changer de chaîne.

───── *592*

Le directeur d'une entreprise de vente par correspondance dit au responsable de son service de publicité :
— Les gens que nous prospectons ne prêtent plus la moindre attention aux enveloppes sur lesquelles nous leur annonçons qu'ils ont gagné 10 000 euros. Pour notre prochaine campagne, on va les faire réagir en les informant que, cette fois, ils *nous doivent* ces fameux 10 000 euros.

—————— *593*

— Il y a un profond illogisme en ce qui concerne nos ennemis potentiels, note un membre du gouvernement. D'une part, notre armée, nos avions, notre porte-avions nucléaire donnent des Français une image de force et d'invincibilité. D'autre part, si ces mêmes ennemis regardent notre télévision et, particulièrement, les entractes publicitaires, ils constatent que lorsque nous ne souffrons pas du foie, c'est parce que nous avons des maux de tête, des rhumatismes ou des cors aux pieds.

—————— *594*

Un industriel confie à un ami :
— La moitié des sommes faramineuses que je dépense en publicité est perdue. Après avoir constaté cela, je vais – et ce ne sera pas le plus facile – tâcher de déterminer de quelle moitié il s'agit.

—————— *595*

Un spécialiste des concours publicitaires dit à sa femme qui s'apprête à lui développer la longue liste de ses griefs :
— Je t'écoute, mais tu connais la règle de tous nos concours : sous peine d'être disqualifiée, tu dois exprimer tout ce que tu veux dire en moins de 25 mots.

—————— *596*

Une chaîne de télévision annonce :
— Voici maintenant notre émission *La France sera toujours la France*. Et d'abord, un grand merci à nos sponsors : Les voitures Totoyota, la Banque nationale de Chine, le soda américain Coucou-Cola et les surgelés du pôle Nord.

—————— *597*

Alors qu'il vient de prendre place à table, le directeur d'une agence de publicité voit sa femme apporter le plat, en tenue de vahiné tahitienne.
— Je t'en prie, lui dit-il, laisse-moi déjeuner en paix sans m'imposer tes images subliminales, pour tenter d'influencer mon choix pour nos prochaines vacances.

188 / *Le Grand Livre des histoires drôles 2013*

─────── *598*

— Mais si, les agents de publicité ont le sens de la beauté, dit un représentant qui voyage beaucoup, à un ami. Sinon, ils ne choisiraient pas les plus magnifiques endroits de France pour les saccager avec leurs panneaux publicitaires.

Dans de beaux draps

——— 599

En s'éveillant, un homme dit à sa femme :
— J'ai fait un rêve très contrariant.
— Lequel ?
— J'avais écrit un roman et le directeur d'un des plus grands studios d'Hollywood voulait en acheter les droits d'adaptation pour un million de dollars.
— En quoi est-ce si contrariant ?
— Tu as bougé, ce qui m'a réveillé juste au moment où ce nabab s'apprêtait à signer un gros chèque à mon nom.

——— 600

Désespéré après des années d'insomnie, un homme raconte :
— Je me suis décidé à consulter un spécialiste et il a trouvé le moyen de me faire m'endormir paisiblement.
— Il t'a prescrit un remède à base de plantes ?
— Non, il m'a conseillé de m'acheter un ours en peluche.

——— 601

Un homme que le réveil a difficilement tiré du lit arrive en pyjama, à la table du petit déjeuner, la barbe envahissante, l'œil torve et les cheveux en bataille.
— Mais c'est mon bon Mr Hyde ! s'écrie joyeusement sa femme. Qu'est-ce que tu préfères comme potion magique, thé ou café, pour tenter de reprendre une apparence humaine ?

——— 602

— C'est quand même étonnant, dit un homme à sa femme, de penser que les Chinois vont se coucher au moment où nous nous levons. Cela ne t'épate pas ?
— Pas du tout ! Il me faut t'avouer que, dans mon enfance, j'en ai vu d'autres avec ma mère qui était femme de journée tandis que mon père était gardien de nuit.

—————— *603*

— Tiens, dit une jeune femme à l'homme qu'elle s'apprête à rejoindre au lit, protège-toi avec ce préservatif.
— D'accord.
— Et, à propos de caoutchouc, mets donc aussi ces gants.
— Pour quelle raison ?
— Ça évitera que mon mari, qui est commissaire de police, ne relève tes empreintes sur mes fesses et mes seins.

—————— *604*

Un employé de bureau raconte son dernier rêve à l'un de ses collègues.
— Je me trouvais devant un terrible dragon qui crachait le feu en poussant des cris affreux. S'il s'agit d'un rêve prémonitoire que peut-il m'annoncer ?
Son collègue lui suggère :
— Te connaissant comme je te connais, tu n'auras jamais le culot d'aller affronter le patron pour lui demander une augmentation. Alors, c'est, sans doute, que ta belle-mère va débarquer chez vous à l'improviste pour y passer une quinzaine de jours.

—————— *605*

— Je dors comme une souche, particulièrement au petit matin, raconte un homme à son psy.
— Et quel est votre problème ?
— Je rêve que ma femme va me réveiller, et je tremble en la voyant arriver avec, sur l'épaule, une hache de bûcheron.

—————— *606*

Une étudiante dit à sa colocataire :
— Quand je suis rentrée, hier, à minuit et demi, tu étais dans les bras de Morphée.
— Tu as tout faux, proteste l'autre. D'abord, il était déjà parti. Et, ensuite, d'après ce qu'il m'a dit, il s'appelle Patrick.

———— **607**

— Je croyais, dit une femme, avoir trouvé un truc très efficace pour obliger mon mari à se lever le matin. J'avais fait dresser un gros saint-bernard pour qu'il aille tirer mon mari par la manche de son pyjama, pour l'inciter à ne pas se rendormir.

— Et ça n'a pas marché ?

— C'est surtout que le chien grogne encore plus fort que mon mari quand, une demi-heure plus tard, j'essaie de les tirer du lit, *tous les deux*.

———— **608**

Un employé arrive, un matin, l'air renfrogné, dans un magasin spécialisé dans la vente de divans et de matelas.

Son chef de service l'interroge :

— Alors, Martin, avez-vous bien dormi ?

— Non, dit-il en louchant vers un lit d'exposition, mais dès que j'aurai enlevé mon pardessus, je compte bien me rattraper.

———— **609**

Un homme rentre chez lui sur le coup de dix heures du soir alors qu'il n'était attendu que le lendemain.

Tandis qu'il fait tourner sa clé dans la serrure, l'amant de sa femme a juste le temps de se glisser sous le lit conjugal.

Le mari pénètre dans l'appartement, sa femme l'accueille avec tendresse et ils font l'amour toute la nuit. Et puis, à l'aube, les deux époux s'accordent enfin un somme réparateur.

Vers dix heures du matin, le mari ouvre un œil et dit à sa femme :

— Je vais nous préparer un bon petit déjeuner. J'ai envie d'un café bien noir avec des toasts. Et, pour toi, mon amour ?

— Du thé, avec un peu de pain grillé.

— Parfait.

Le mari se met à quatre pattes pour regarder sous le lit et questionne :

— Et pour monsieur, qu'est-ce que ce sera ?

———— **610**

— Tu m'as réveillé en sursaut en criant que tu avais soif, dit un homme à son fils. Alors, je t'en prie, bois le verre d'eau que je t'apporte et abstiens-toi de lever ton verre en disant : « À la santé du meilleur papa du monde. »

———— *611*

On interroge un compositeur de musique :
— Comment s'intitule votre dernière sonate ?
— *Insomnie.*
— Parce que vous l'avez composée la nuit quand vous n'arriviez pas à dormir ?
— Euh… surtout parce que mes voisins n'ont pas cessé de taper au mur, tandis que, bribe par bribe, je la jouais au violon.

———— *612*

Un médecin a conseillé à une grande insomniaque de compter des moutons. Un mois plus tard, elle va consulter un spécialiste de l'obésité.
— Voilà, explique-t-elle, j'ai grossi de six kilos à cause de mon insomnie.
— Je ne saisis pas le rapport, s'étonne le médecin.
— Vous allez comprendre. Quand je n'arrive pas à m'endormir, je compte des moutons. Et, à chaque fois, cela me donne l'idée d'aller voir, dans le réfrigérateur, s'il ne reste pas un peu de gigot.

———— *613*

La femme d'un artiste de music-hall qui a monté un numéro de ventriloque, lui dit :
— Prends ton pantin, que tu fais parler en le tenant sur tes genoux, et allez tous les deux raconter *deux* histoires à nos jumeaux pour les aider à s'endormir.

———— *614*

— Docteur, dit un nouveau patient, je souffre d'insomnie. C'est terrible ! Ah ! que j'aimerais dormir, dormir, dormir.
— Je vais vous donner un bon somnifère qui vous fera dormir à coup sûr. Tenez, voici une ordonnance pour un mois.
— Ça ne me déplairait pas du tout, dit le patient, de dormir un mois de suite, mais comment vais-je réussir à faire accepter cela par mon patron ?

——— *615*

Au lit avec un montagnard très musclé, une femme que son mari a envoyée passer huit jours aux sports d'hiver, lui téléphone :
— Allô, mon biquet ! J'ai eu la chance de retrouver le même moniteur que l'année dernière et, dès le premier jour, il a jugé que j'avais fait d'énormes progrès.

——— *616*

Un jeune homme, dont la plus grande joie est de couvrir les murs de ses tags, s'éveille en sursaut. Sa compagne l'interroge :
— Tu as fait un mauvais rêve ?
— Un atroce cauchemar.
— Raconte-le-moi, vite !
— J'étais devant la Grande muraille de Chine et j'avais oublié ma bombe de peinture noire à la maison.

——— *617*

En remettant à une vieille dame une boîte de somnifères, une pharmacienne lui dit :
— Méfiez-vous de l'effet secondaire de ce genre de médicament.
— Quel genre d'effet ?
— Il peut provoquer une certaine somnolence.

——— *618*

Un garçon très jaloux dit à la fille dont il est amoureux :
— Jure-moi que tu n'es jamais allée au lit avec aucun de mes copains.
— Je te le jure et c'est vrai. Avec Jean-Pierre, nous avons fait l'amour dans la pinède, avec Olivier sur la moquette de son bureau, avec Hugues, dans la paille d'une grange, avec Éric, dans sa baignoire, avec François...

─────── **619**

— J'ai fait un rêve curieux, cette nuit, dit un homme à sa femme. Je me voyais à Rome, en train de manger des spaghettis.
— Cela semble te tracasser.
— C'est que je n'arrive pas à retrouver le cordon de mon pyjama.
— Ce n'est pas la première fois que cela t'arrive.
— Ah ! bon !
— Rappelle-toi la nuit où tu avais rêvé que tu étais à la Foire du Trône et que tu mangeais de la barbe à papa. En t'éveillant, tu avais constaté qu'il manquait la moitié des plumes de ton oreiller.

─────── **620**

— Avez-vous un réveille-matin ? demande un psy à son nouveau patient.
— Bien sûr.
— J'en saurai déjà beaucoup plus sur vous quand vous aurez répondu à cette question : quand vous entendez sonner le réveil le matin, le considérez-vous comme votre pire ennemi ou comme votre meilleur ami ?

─────── **621**

Un représentant dit à la ménagère qui lui a ouvert la porte :
— J'ai à vous proposer un tranquillisant à base de plantes d'une grande efficacité pour un sommeil bien calme et reposant. Si vous me permettez de m'allonger sur votre divan pour faire une petite sieste, quand j'en aurai pris 5 gouttes, sitôt réveillé, je vous en décris les bienfaits.

─────── **622**

— J'ai trouvé ce long cheveu blond sur ta veste de pyjama, dit une femme, très jalouse, à son mari. Nieras-tu une fois de plus que tu as rêvé de Sharon Stone, cette nuit ?

─────── **623**

Au volant de son 35 tonnes, chargé de 200 matelas à ressorts, un routier dit à son coéquipier :
— J'espère qu'on va trouver des chambres dans une auberge. Sinon, je me demande bien comment on pourra dormir, cette nuit.

—— *624*

Ayant trouvé sa femme, toute nue, dans le lit conjugal en train de batifoler avec le propriétaire de la maison voisine, un homme dit à la belle infidèle :

— À ta place, moi, je m'inquiéterais, quand je vois dans quel état il a mis ma tondeuse à gazon après s'en être servi juste une journée.

À l'école du rire

──────── 625

Pour tenter de réveiller un peu ses élèves particulièrement amorphes, une enseignante a demandé à son mari de l'appeler sur son portable pendant une heure de cours.

Après avoir écouté ce qu'il lui disait, elle s'écrie :

— Les enfants, j'ai une nouvelle sensationnelle à vous communiquer : Christophe Colomb vient de découvrir l'Amérique !

Le cancre de la classe proteste :

— Vous auriez dû nous dire cela plus tôt, madame. Mon frère aîné, qui vit à New York depuis dix ans se serait fait une joie d'aller l'accueillir.

──────── 626

Alors que la neige tombe avec violence, Théo (7 ans) se présente au domicile d'une camarade de classe. Il demande à la mère de celle-ci :

— Jade peut-elle venir jouer dehors avec moi ?

— Il n'en est pas question, répond la mère. Elle est grippée et souffre d'une extinction de voix.

— Ce n'est pas grave, fait le jeune garçon. De toute façon, quand nous sommes ensemble, nous ne nous adressons jamais la parole : nous communiquons par SMS.

──────── 627

Deux gamins qui se rendent à l'école font un long arrêt sous un panneau portant l'inscription :

ATTENTION AUX ENFANTS !

— Bon, conclut l'un d'eux, on y va ! Et tant pis pour les professeurs : ils auront été bien prévenus !

——— *628*

La maîtresse dit à un élève :
— J'aime mon père, je chéris ma mère et j'adore ma petite sœur. Mets-moi cela au passé composé.
L'enfant questionne :
— Ça marche votre truc avec quelqu'un qui, comme moi, appartient à une famille recomposée ?

——— *629*

Un professeur de mathématiques lance à ses élèves :
— Vous utilisez environ 25 % des ressources de votre cerveau. Imaginez-vous les prouesses que vous pourriez accomplir si vous vous décidiez à utiliser les 85 % restants ?

——— *630*

L'institutrice demande :
— Qui peut me dire ce qu'est une onomatopée ?
Clara lève la main :
— C'est la reproduction d'un bruit ou d'un cri.
— Très bien. Peux-tu me citer un exemple d'onomatopée ?
— Quand ma mère pique un gigot, avant de le mettre au four, et que le gigot crie : Ail !

——— *631*

Inès (7 ans) dit à un camarade de sa classe :
— J'ai fait des gâteaux avec de la boue et je les ai recouverts de chocolat. Tu veux en goûter un ?
Le gamin mord dans le gâteau qu'elle lui tend et s'écrie :
— C'est immangeable ! Tu n'en aurais pas un plutôt à la noix de coco ?

——— *632*

— Tu m'assures, dit la maîtresse à un élève, que tu as bien lu, comme je te l'avais demandé, le livre de Collodi, *Pinocchio*. Je serais plus tentée de te croire si tu me regardais bien en face, pour me dire cela, au lieu de me tourner le dos afin que je ne voie pas ton nez.

───── **633**

— Pourquoi consultes-tu tous ces dictionnaires ? demande une femme à son mari.
— Je cherche à savoir le sens exact du mot « thèse ».
— Pourquoi cela ?
— J'aimerais savoir ce que voulait dire exactement notre grande fille quand elle nous a raconté, l'autre jour : « J'ai eu beaucoup de succès, à la Fac, en présentant ma thèse à mes professeurs. »

───── **634**

La maîtresse demande :
— Combien font 5 multiplié par 2 ?
Yoann répond :
— 10.
— Bien. Et 10 par 10 ?
— 100.
— Et 100 par 100 ?
— Coton.

───── **635**

Un professeur décrit à ses élèves le triste sort de Tantale, condamné à se tenir pour l'éternité devant une branche chargée de fruits qui s'écarte, dès qu'il essaie de la saisir.
— Pouvez-vous, demande-t-il, imaginer un tel supplice à notre époque ?
— Certainement, répond le fils d'un réparateur en automobiles. Mon père, les mains dégoulinantes de cambouis, incapable d'atteindre les sièges d'un des véhicules que lui a laissé un client pour les essuyer dessus.

───── **636**

— Comment t'appelles-tu ? demande l'institutrice à un nouvel élève.
— Enzo.
— Enzo comment ?
— Enzo...
— Voyons, il y a toujours quelque chose après un prénom.
— Ah ! oui ! Maman me dit toujours : « Enzo, arrête de faire ce boucan ! »

——— *637*

Victime d'un accident, un homme couvert de bandelettes, sur un lit d'hôpital, se met à rire.

Une infirmière s'étonne :

— Vous voir dans cet état vous fait rire ?

— Oui, parce que je suis professeur d'histoire ancienne dans un lycée. Et je m'imagine, entrant dans la classe, en cette tenue et disant à mes élèves : « Aujourd'hui, nous allons parler de l'Égypte antique et de ses momies. »

——— *638*

La maîtresse demande à Jérôme (8 ans) :

— Comment illustrerais-tu le proverbe : « Il n'y a pas de rose sans épine » ?

— La mousse au chocolat, c'est délicieux en dessert, mais avant, il faut manger les affreux brocolis.

——— *639*

En ouvrant une enveloppe, un homme dit à sa femme :

— C'est le directeur du lycée où j'ai fait mes études, à propos d'une donation.

— Il veut que tu lui fasses une donation ?

— Non. Il n'a pas oublié le cancre que j'étais et il me propose de m'envoyer un chèque de 2 000 euros – à condition que je ne raconte jamais à qui que ce soit que j'ai fréquenté son établissement.

——— *640*

Un professeur de collège demande à ses élèves :

— À votre avis, deux phrases totalement contradictoires peuvent-elles dire, l'une et l'autre, la vérité ?

Les élèves éclatent de rire en s'écriant :

— Certainement pas !

— Nous allons voir cela. Si je vous dis : « Cette phrase contient exactement six mots », est-ce la vérité ?

— Oui, bien sûr.

— Et, maintenant, si je vous dis : « Cette phrase ne contient pas exactement six mots », est-ce la vérité ?

— Oui.

Le professeur conclut :

— C.Q.F.D.

───── **641**

— C'est de famille, dit un collégien : nous avons réponse à tout. Les professeurs appelaient mon père Pic de la Mirandole, les miens m'ont surnommé Wikipedia.

───── **642**

— Papa, maman, dit Adrien (8 ans) en rentrant de l'école, j'ai été élu chef de classe à l'unanimité par mes copains.
La mère s'étonne :
— Pourquoi t'aiment-ils à ce point-là ?
— Je leur ai révélé que j'avais la ferme intention d'être élu président de la République et que, dès mon entrée à l'Élysée, je ferai voter une loi pour réduire leurs impôts de 30 %.

───── **643**

— Mon fils, raconte tristement un homme à un ami, est sans doute le seul lycéen au monde qui ait obtenu la note « 5 en dessous de zéro » quand il a passé le baccalauréat.
— Comment est-ce possible ?
— Il avait déjà eu zéro à toutes les épreuves mais, en plus, sur toutes ses copies, il a mal orthographié son nom.

───── **644**

À l'époque des cavernes, des adolescents cherchent ce qu'ils pourraient bien faire, à l'âge adulte.
— Moi, dit l'un, ce que j'aimerais, c'est être professeur d'histoire. Malheureusement, nous n'avons pas encore d'histoire.

───── **645**

Julien (10 ans) sonne à la porte d'un pavillon, puis explique à la femme qui lui ouvre :
— Je suis un camarade de classe de votre fils. J'ai reçu un SMS désespéré de votre mari. Visiblement, il n'arrive pas à faire son dernier devoir de maths.

―――― **646**

— Ça marche tes amours avec une prof ? demande un homme à un collègue.

— Moyennement, à cause de son métier, précisément. Le mois dernier, elle m'a collé un 9 sur 20 en communication et 6 seulement en éducation sexuelle.

―――― **647**

Un petit garçon rentre de l'école.

— Qu'est-ce que vous avez appris de beau aujourd'hui ? lui demande son père.

— La maîtresse nous a raconté ce que Charlotte Corday a fait à Marat pendant qu'il était dans sa baignoire.

— Bon sang ! s'écrie le père, indigné, c'est quand même un comble : payer les institutrices à des tarifs pareils pour qu'elles passent leur temps à raconter des cochonneries à des enfants innocents.

―――― **648**

— Mon fils travaillait mal au collège, raconte un homme. Je l'ai pris en tête-à-tête et je lui ai dit : « Il faut me confier ce qui te tracasse, c'est l'essentiel. »

— Et que vous a-t-il répondu ?

— « Ce qui me tracasse, ce n'est pas l'essentiel, c'est le principal. »

―――― **649**

Une lycéenne a revêtu sa jupe la plus sexy pour aller passer l'oral du bac.

En veine de galanterie, l'examinateur lui demande :

— Sur quoi aimeriez-vous que je vous interroge pour juger au mieux de vos connaissances ?

— Le mieux, répond-elle, serait un confortable divan.

―――― **650**

L'instituteur a entrepris de faire découvrir les fractions à ses élèves.

— Rémi, dit-il à l'un d'eux, suppose que ton père aille déjeuner dans un McDo et qu'il commande un hamburger dont il mangera les trois-quarts. Que restera-t-il, dans son assiette ?

— Les oignons, papa a horreur de ça !

─────── **651**

Un professeur demande à l'une de ses collègues :
— Savez-vous quelle est la différence entre l'histoire et la géographie ?
— Euh… je ne vois pas.
— Nous n'aurons jamais une géographie d'amour passionnée, mais que diriez-vous d'une belle histoire ?

─────── **652**

Une maîtresse de maternelle dit à une fillette :
— Cite-moi le nom d'un jour de la semaine qui commence par un *l*.
La gamine propose :
— « Aujourd'hui. »
— Voyons « aujourd'hui » ne commence pas par un *l*.
— Mais si, puisque nous sommes lundi.

─────── **653**

— Je suis un raté, confie un homme à son psychanalyste.
— Et à quoi attribuez-vous cela ?
— J'aurais pu réussir, dans la vie, si, quand j'étais au collège, j'avais chargé ma mère de faire mes devoirs au lieu de demander bêtement ce petit service à mon père qui en était bien incapable.

─────── **654**

Le proviseur d'un lycée dit à l'un de ses adjoints :
— Incontestablement, le niveau de nos élèves en orthographe s'améliore.
— Qu'est-ce qui vous fait dire cela ?
— J'ai jeté un coup d'œil, en arrivant, ce matin, aux murs de l'établissement. Parmi les douze inscriptions : « Fuck the police », taguées sur ces murs, il n'y en a que quatre où « Polisse » est écrit avec deux **s**.

─────── **655**

Une mère de famille raconte à une amie :
— Aller voir les professeurs de mon fils m'a longtemps ennuyée.
— Et cela vous plaît désormais ?
— Beaucoup. Depuis que je me suis trouvée en tête-à-tête avec son professeur de gymnastique qui m'a fait avoir le plus beau de mes orgasmes après m'avoir révélé quelques-unes de ses prises secrètes de judo.

—————— *656*

Un professeur de géographie dit à l'un de ses élèves :
— Suppose que je t'invite à déjeuner à l'intersection du 24e méridien nord et du 38e parallèle nord, accepterais-tu ?
— Certainement pas.
— Et pourquoi donc ?
— Ce sont les coordonnées d'Athènes et je déteste la cuisine grecque.

—————— *657*

— Citez-moi, demande l'institutrice, un exemple illustrant la fraction « un dixième ».
— Un mille-pattes qui fait les cent pas, répond un élève.

—————— *658*

Un collégien demande à l'un de ses camarades qui a la mine défaite :
— Pourquoi es-tu bouleversé ?
— Ma mère a estimé que j'étais en âge de tout connaître sur la sexualité. Alors, elle m'a pris à part et m'a tout expliqué, absolument tout, sur ce qui se passe entre les mâles et les femelles des oiseaux, des chiens, des chats...
— Eh bien, dis donc !
— Attends, ce n'est pas fini. Ma mère a enchaîné en me racontant ce qui se passe entre mon père et son assistante, mon ancienne baby-sitter, la charcutière, la bibliothécaire, la secrétaire de mairie, la serveuse du Bar des amis, ainsi que les six pensionnaires de l'accueillante maison : *Au Joyeux Pinson.*

—————— *659*

Le nouveau ministre des Finances, interrogé à la télévision, raconte :
— À l'école primaire, j'étais très fort en maths. Je jonglais littéralement avec la table de multiplication : 2 fois 2, 4 ; 3 fois 3, 9 ; 4 fois 4, 16 ; 5 fois 5... euh... euh... J'étais aussi très fort en géographie.

—————— *660*

Une petite fille rentre de l'école, très contrariée. Elle raconte à sa mère :
— J'ai été élue l'élève la plus populaire de ma classe.
— Tu dois être contente, alors ?
— Non, parce que, depuis, toutes mes copines me détestent.

——— *661*

— Comment, demande un examinateur à une candidate à l'oral du bac, classeriez-vous les verbes ?
— Eh bien, il y a les masculins et les féminins.
— Vraiment ? Pouvez-vous me donner l'exemple d'un verbe typiquement féminin.
— « Accoucher. »

——— *662*

— J'ai demandé à la maîtresse, raconte un élève de CM1 à un copain, si ce que mon père m'avait dit – la lumière se déplace à environ 300 000 kilomètres à la seconde – était bien vrai.
— Et alors ?
— Elle m'a assuré que c'était parfaitement exact. Moi, franchement, ça m'épate.
— Une vitesse aussi prodigieuse ?
— Non : que mon père sache des trucs pareils !

——— *663*

Un producteur de cinéma va trouver l'institutrice de son jeune fils.
— Plutôt que de mettre comme appréciation, sur son livret : Assez bien, Bien ou Très bien ; pourriez-vous lui mettre quelque chose de ce genre : Formidable, Extraordinaire ou Colossal ?

——— *664*

— J'ai une preuve irréfutable de la dérive des continents, dit un professeur agrégé de géographie.
— Laquelle ?
— À l'âge des cavernes, quand sa compagne lui demandait : « Où vas-tu ? », un homme préhistorique répondait : « À Lascaux ». Aujourd'hui, à la même question, il répondrait : « Alaska ».

——— *665*

Anthony (8 ans) demande à un copain de classe :
— À ton avis, combien ça fait la moitié d'un tout ?
— Euh... Je ne sais pas.
— Ça fait 3 mètres.
— D'où tiens-tu cela ?
— De mon père. Quand il s'apprête à bricoler, il dit toujours : « Le tout, c'est de 6 mètres. »

Prière de sourire

—— 666

Un homme très frileux meurt et, ayant eu une vie irréprochable, il est accueilli par saint Pierre qui lui ouvre grand les portes du Paradis.

— Je vous remercie infiniment, dit l'homme, en grelottant, mais étant donné que je crains beaucoup les refroidissements, je préférerais aller en Enfer où je serais certain d'avoir bien chaud.

— Ne prenez pas une décision que vous risqueriez de regretter pendant tout une éternité, lui dit saint Pierre. Voici ce que je vous propose : passez la prochaine nuit en Enfer, sans engagement de votre part. Et je suis sûr de vous revoir demain matin.

Effectivement, l'homme se présente, le lendemain, à la porte du Paradis.

— Alors, lui dit saint Pierre, vous venez vous installer définitivement chez nous ?

— Pas du tout ! Je suis juste venu chercher un édredon et deux couvertures supplémentaires.

—— 667

À la veille de leur mariage, un jeune homme et sa fiancée vont se confesser.

La jeune fille passe en premier et ressort du confessionnal après cinq minutes.

Le garçon s'agenouille, à son tour, et dit au curé :

— Je suis un peu pressé. Donnez-moi vite l'absolution.

— Mais… vous ne m'avez pas confessé vos péchés.

— C'est simple. Prenez ce que vous a avoué ma fiancée et multipliez-le par trente-six – le nombre de femmes avec lesquelles j'ai péché de la même façon, avant de la connaître.

—— 668

La femme de Noé se fâche :

— Homme de peu de foi ! Tu en es déjà à ta 100e leçon de natation et tu es toujours incapable de parcourir deux mètres à la brasse. Vas-tu te décider à admettre qu'il va y avoir un Déluge et te mettre à construire une Arche, comme il t'a été ordonné ?

─────── *669*

La bonne du curé ronchonne, toute seule, dans sa cuisine :
— Ce matin, sous prétexte que je ne montrais pas suffisamment de repentir, Monsieur le curé a refusé de me donner l'absolution. Pour midi, je vais lui servir un « poulet à la diable ». Ça lui fera les pieds !

─────── *670*

Le gardien du temple des Philistins s'affaire à disposer, un peu partout, des pancartes :
NE PAS S'APPROCHER
PEINTURE FRAÎCHE.
Un des prêtres présents lui demande :
— Croyez-vous vraiment que cela dissuadera Samson de s'appuyer sur les colonnes qui soutiennent le temple et de les faire s'écrouler ?

─────── *671*

Au Paradis, deux bienheureux sursautent en entendant un grand « bang ».
— Je ne comprends pas, dit l'un d'eux, comment saint Pierre a pu admettre cet ancien pilote de chasse. Depuis qu'on l'a équipé d'une paire d'ailes, il n'a qu'une idée : s'amuser à passer le mur du son.

─────── *672*

Alors que les Rois mages s'apprêtent à suivre l'étoile qui les mènera à la crèche, Gaspard dit à Balthazar :
— En y réfléchissant, je me suis dit que la myrrhe ne devrait pas faire tellement plaisir à un nouveau-né. À la place, j'ai prévu d'apporter à l'Enfant Jésus un bel ours en peluche.

─────── *673*

Après la messe, un curé dit à un fidèle qu'il ne connaît pas :
— Mon sermon où je développais l'idée que la religion a beaucoup aidé l'homme à s'élever, a paru vous intéresser particulièrement.
— C'est que je connais bien le sujet : je fabrique des escabeaux.

IL N'Y A RIEN À DIRE, ELLES SONT ENTIÈREMENT COUVERTES
Bridenne

─────── **674**

Un séminariste effeuille une marguerite pour savoir ce que l'avenir lui réserve.

À chaque pétale, il dit :

— Curé... Évêque... Archevêque... Cardinal... Pape... Rien du tout... Curé... Évêque... Archevêque... Cardinal... Pape... Rien du tout...

─────── **675**

Une femme confie à une amie :

— Des sept péchés capitaux, c'est l'avarice qui concerne mon mari. Il est avare au point que lorsqu'il s'installe devant la télévision pour suivre la messe du dimanche, il choisit toujours le moment de la quête pour aller aux toilettes.

─────── **676**

Un curé, totalement épuisé, s'écrie :

— J'abandonne ! De toute façon, vouloir faire répondre comme l'aurait fait n'importe quel candidat au mariage l'homme qui a battu tous les records d'endurance au jeu du *Ni oui, ni non* était voué à l'échec.

─────── **677**

Pendant la traversée du désert par les Hébreux, une nourriture inattendue se met à tomber du ciel.

Un des Hébreux, affamé, la goûte et s'écrie :

— C'est de la manne.

À ce moment se produit une nouvelle averse de nourriture.

Le même Hébreu la goûte et annonce à ses compagnons :

— Celle-ci est bien meilleure. Ce doit être de la super-manne.

─────── **678**

Un pasteur affiche à la porte du temple cet avis à l'adresse de ses fidèles :

« Quand vous avez des ennuis avec un meuble à monter vous-même, vous finissez, pour vous tirer d'affaire, par consulter le mode d'emploi. Quand vous avez des ennuis avec la vie, faites-en donc autant : LISEZ LA BIBLE. »

—— *679*

À l'époque de la Création, un ange se permet de dire au Père Éternel :
— Si je ne me trompe pas, vous avez doté les singes d'une forme d'intelligence.
— En effet.
— Alors, s'ils sont vraiment intelligents, pourquoi auraient-ils l'idée saugrenue d'évoluer pour devenir des hommes ?

—— *680*

En se penchant imprudemment, Mme Noé est tombée de l'Arche.
— Vite, ordonne Noé à l'un de ses fils, prends l'un de ces serpents qui ont l'habitude de se mordre la queue et jette-le à l'eau à ta mère en guise de bouée de sauvetage.

—— *681*

Un curé écrit dans le bulletin de la paroisse :
« À la fin de l'office, Mlle Bigouden a chanté un cantique intitulé *Adieu, mes chers amis, je vais au Paradis,* à la grande satisfaction de toute l'assistance ».

—— *682*

Un homme au visage ingrat est allé s'inscrire dans une agence matrimoniale.
— Voici votre reçu, lui dit l'employée qui l'a aidé à constituer son dossier et, en prime, un portrait de sainte Rita que je vous conseille d'afficher au-dessus de votre lit et de prier ardemment, chaque soir.
— Qu'a-t-elle à voir avec moi, votre sainte Rita ?
— C'est la patronne des causes désespérées.

—— *683*

Un curé annonce les numéros qu'il tire d'un sac au cours d'une partie de Loto :
— Les apôtres : le 12.
— Les Rois mages : le 3.
— Les commandements. Si, comme la plupart d'entre vous on ne tient pas compte de celui qui ordonne « Tu ne commettras pas l'adultère » : le 9.

——— **684**

Un paysan confie ses soucis financiers au curé de son village. Celui-ci le réconforte :
— Sachez bien, mon fils, que Dieu aide ceux qui s'aident eux-mêmes.
— Et qu'arrive-t-il à ceux qui n'ont pas envie de s'aider ?
— Ceux-là vont réclamer une subvention au ministre de l'Agriculture.

——— **685**

Un prêtre parle à l'un de ses paroissiens de tous les bouleversements qui agitent l'Église, en ce moment.
— Et ce n'est pas fini, ajoute-t-il. Pour intéresser davantage les femmes, nous envisageons de changer complètement l'image que l'on se fait du Paradis. Désormais, celui-ci sera présenté aux fidèles comme un endroit plein d'imperfections.
— Et pourquoi cela ?
— C'est évident. Une femme qui a passé sa vie à transformer le caractère de son mari et à modifier tous les huit jours la disposition des meubles dans sa maison, ne peut pas se résoudre de gaieté de cœur à rester toute l'éternité dans un endroit où il n'y a aucune amélioration à faire.

——— **686**

Le jeune fils d'un pasteur questionne :
— Est-ce que Dieu est dans la Lune ?
— Bien sûr.
— Est-ce qu'il est dans ce pommier ?
— Certainement.
— Est-ce qu'il est aussi dans mon estomac ?
— Dieu est partout et, par conséquent, il est également dans ton estomac.
— En ce cas, plutôt que tes interminables sermons, tu ne crois pas qu'il apprécierait que je lui offre le reste de la mousse au chocolat que maman nous a servie au dessert ?

POUR UN PAPE ÉCOSSAIS

Bridenne

——— *687*

Une femme qui a des remords à l'idée d'avoir trompé son mari ne parvient pas à trouver le sommeil. En désespoir de cause, elle décide de tout avouer à un prêtre.

Sur le coup de minuit, elle compose le numéro du presbytère de sa paroisse.

Du moins, c'est ce qu'elle croit faire.

Une voix d'homme lui répond :

— Allô ! Ici la brasserie du Théâtre.

Sincèrement indignée, la femme s'écrie :

— Monsieur le curé, que faites-vous au café à une heure pareille ?

——— *688*

Dans un couvent complètement isolé du monde, un moine qui tient à la main un sablier demande à un autre moine :

— Je ne me rappelle plus comment ça marche, ces engins-là. Pour passer à l'heure d'été, faut-il ajouter un douzième de sable ou, au contraire, l'enlever ?

——— *689*

Le curé demande à une fillette du catéchisme :

— Comment la première femme qui a vécu sur cette terre se nommait-elle ?

— Euh… Je ne vois pas… Pourriez-vous me mettre sur la voie ?

— Pense à une pomme.

— Ah ! oui ! Granny Smith.

——— *690*

Alors que l'Arche est déjà surchargée, un couple de baleines se présente.

— Ah ! non ! proteste Noé, pas question avec vos 60 tonnes, de vous prendre à bord ! Je vais installer une lanterne rouge à la poupe du bateau : vous n'aurez qu'à vous repérer sur elle pour nous suivre à la nage.

——— *691*

La mère du petit David est très en colère :

— Encore un carreau de cassé ! Fais attention, David ! Un jour ou l'autre, tu risques de faire très mal à quelqu'un avec ta fronde…

——— 692

Trois hommes arrivent au Paradis et sont accueillis par le Bon Dieu.
— Éternel, dit le premier, la paix régnera-t-elle un jour sur toute la Terre ?
— Certainement.
— Éternel, demande le deuxième, y aura-t-il un jour, sur Terre, une égale répartition des richesses qui rendra tout le monde heureux ?
— Certainement.
— Éternel, demande le troisième, y aura-t-il un jour où, sur la Terre, toutes les femmes seront fidèles ?
— Cela peut se produire, bien sûr, dit l'Éternel, mais je ne crois pas que je vivrai assez vieux pour voir cela.

——— 693

Un curé monte en chaire et déclare à ses paroissiens :
— J'ai calculé la somme que chacun de vous donne en moyenne à la quête. Je reconnais que mes sermons ne valent pas grand-chose mais j'estime que vous en avez bien pour vos dix centimes.

——— 694

Un homme et une femme, qui avaient toujours été très bons amis, meurent le même jour et se présentent ensemble aux portes du Paradis en exprimant le vœu d'être mariés pour l'éternité.
— Pourriez-vous réfléchir tranquillement à votre décision pendant 4 000 ou 5 000 ans ? leur dit saint Pierre. Et, quand vous reviendrez me voir, si vous êtes toujours décidés et s'il n'y a toujours pas un seul curé au Paradis, je vous marierai moi-même.

——— 695

Un prêtre dit à ses paroissiens :
— Mes frères, j'avais écrit un assez long sermon pour vous inciter, vous qui êtes pratiquement tous des automobilistes, à être prudents quand vous prenez le volant. Finalement, je l'ai résumé en seul mot :
RALENTISSEZ !

─────── **696**

À l'approche du Déluge, deux zèbres s'impatientent devant la passerelle qui donne accès à l'Arche.

— C'est quand même malheureux, dit l'un d'eux, qu'en étant arrivés parmi les tout premiers, on doive se résigner à voir monter avant nous les escargots, les limaces et les tortues.

— Et pourquoi cela ? questionne l'autre.

— Parce que Noé a eu l'idée stupide de faire l'appel des animaux selon l'ordre alphabétique.

─────── **697**

Un curé monte en chaire pour dire à ses fidèles assemblés :

— Il y a, parmi vous, un homme qui trompe sa femme avec l'épouse de son meilleur ami. Si, lors de la quête, il ne dépose pas un billet de 20 euros, je devrai, à mon grand regret, dévoiler son nom en public.

Quand le bedeau vide l'aumônière contenant le montant de la quête, le curé trouve trente billets de 20 euros et un billet de 10 euros sur lequel a été fixé un Post-it : « Je vous verserai les 10 euros manquants dimanche prochain, après avoir touché ma paie. »

─────── **698**

Un homme politique explique :

— Pour le prêtre de ma paroisse, je suis un athée. Je suis sûr que le Bon Dieu, lui, considère simplement que je suis dans l'opposition.

─────── **699**

Un nouveau curé arrive dans une petite ville et dit à un adolescent :

— Je suis complètement perdu. Pourrais-tu m'indiquer où se trouve l'église ?

Le jeune lui donne toutes les explications nécessaires.

— Merci, conclut le curé. Au fait, j'espère que tu viendras écouter mon sermon, dimanche.

— Pourquoi cela ?

— J'entends faire découvrir à mes paroissiens le chemin du Paradis.

— Ça, alors, s'esclaffe l'adolescent, elle est bien bonne ! Vous prétendez nous faire découvrir le chemin du Paradis alors que vous n'avez même pas été foutu de trouver tout seul celui de l'église !

QU'EST-CE QUI T'ARRIVE, JULOT ?
C'EST TOUT CE QUE J'AI TROUVÉ POUR EFFRAYER LE BOURGEOIS.
Bridenne

―――― *700*

Un fidèle s'étonne de voir le prêtre de sa paroisse avec, au-dessus de la tête, une auréole en forme de roue de bicyclette.

— Pour moi, dit le curé, c'est un cadeau du ciel. Cela s'est manifesté, pour la première fois, au lendemain du jour où, afin d'éliminer les rejets de CO_2 dans l'atmosphère, j'ai vendu ma vieille voiture pour m'acheter un vélo.

―――― *701*

Deux belles touristes en minirobes ultralégères se promènent sur la place Saint-Pierre, à Rome.

En voyant venir dans leur direction deux jeunes abbés en soutane, l'une d'elles glisse à l'oreille de l'autre :

— Je te parie qu'ils nous imaginent toutes nues.

Au moment où ils passent à la hauteur des deux superbes créatures, un des religieux leur dit en souriant :

— Vous avez gagné.

Au musée on va s'amuser

───── **702**

Léonard de Vinci dit à la jeune femme qui lui sert de modèle :
— Si vous voulez que je vous immortalise sous les traits de la Joconde, vous devez vous forcer à sourire. Si vous ne voulez pas dire « cheese », comme le font les Américains, essayez quelque chose de plus local ; par exemple : « gorgonzola ».

───── **703**

— Vous m'aviez demandé, dit un sculpteur à un riche mécène, de concevoir une œuvre sur le thème de « Nous sommes bien peu de chose sur terre ».
— En effet.
— Voici un projet de statue qui devrait parfaitement vous convenir : elle représente le géant Atlas qui porte le monde sur ses épaules, en se tenant en équilibre sur un pied. Et, de l'autre, il s'apprête à marcher sur une peau de banane.

───── **704**

Une jeune fille, solidement ficelée à un poteau, au-dessus d'un tas de fagots, pose pour un peintre qui brosse un tableau représentant Jeanne d'Arc au bûcher.
— Si jamais vous avez froid, fait l'artiste, avec gentillesse, dites-le moi. J'allumerai un feu.

───── **705**

Le directeur d'une galerie dit d'un peintre dont il expose les œuvres :
— Il a commencé en amateur. Il devait cumuler les petits boulots pour survivre tout en pratiquant son art.
— Et maintenant ?
— C'est un professionnel : il a épousé une femme qui gagne assez pour les nourrir tous les deux.

───── *706*

Devant un nu lascif d'Artemisia Gentileschi, un homme qui visite une galerie de peinture entend, sur l'audio-guide ce commentaire :

« Si vous êtes mineur, fermez les yeux et dirigez-vous à tâtons vers la droite pour admirer une magnifique nature morte aux pommes de Cézanne qui vous mettra en appétit pour le goûter. »

───── *707*

Un peintre s'est fait copieusement huer après avoir exposé sa dernière œuvre : un gros rond noir au milieu d'une toile blanche.

En sortant de la galerie où a eu lieu l'inauguration, il dit à sa femme :

— Ça y est ! J'ai compris pourquoi les amateurs de peinture n'ont pas réservé à mon tableau l'accueil qu'il méritait : un employé stupide l'avait accroché à l'envers.

───── *708*

Une jeune femme timide, qui sert de modèle à un peintre pour la première fois, est terriblement gênée de se trouver toute nue devant l'artiste.

— Tout de même, lui dit-elle, vous pourriez m'autoriser à sauvegarder un peu ma pudeur.

— Bien sûr, ma jolie, répond le peintre, en souriant. Couvrez-vous un peu. Tenez, comme on est en période de carnaval, voici un confetti.

───── *709*

Le peintre questionne une grosse femme :

— Pour votre portrait, je prévois une peinture à l'huile ?

— J'aimerais mieux une aquarelle : mon médecin m'a conseillé d'éviter les matières grasses.

───── *710*

Le conservateur d'un musée vient de prendre possession de sa dernière acquisition : une grande toile représentant Mirabeau, un bras tendu pour montrer au peuple le chemin de la liberté.

— On va l'accrocher à ce mur, dit-il à son adjoint, il épargnera à nos gardiens d'être constamment harcelés par des visiteurs puisqu'il indiquera avec autorité la direction des toilettes.

———— *711*

Après avoir admiré un tableau représentant un fil inextricablement emmêlé, une femme demande à son auteur :
— Pourquoi avez-vous intitulé cette œuvre *Pelote de laine* ?
— Parce que je ne savais pas comment s'écrit labyrinthe.

———— *712*

Un visiteur demande au propriétaire d'une galerie qui expose les tableaux d'un peintre contemporain :
— Ces toiles prendraient-elles de la valeur si leur auteur disparaissait brusquement, disons dans les deux mois ?
— Certainement.
— J'en achète une douzaine.
Le galeriste questionne :
— Vous êtes sans doute le plus grand admirateur de cet artiste ?
— Non : son médecin traitant.

———— *713*

— C'est bizarre, dit un touriste, cette statue représentant un militaire à cheval avec, en croupe, un homme trempant sa plume dans un encrier.
— Notre ville a deux enfants célèbres : le général d'empire Jules Ramponneau et le poète Alfred de Mitonnet. Mais, quand nous avons décidé de les honorer, nous ne possédions de crédits que pour une seule statue.
— Et alors ?
— Eh bien, nous avons décidé de les regrouper.

———— *714*

Dans une galerie d'art, un peintre expose sa dernière œuvre : six toiles représentant chacune une partie d'un mille-pattes, avec la tête pour la première et la queue pour la dernière.
— Naturellement, explique-t-il aux spectateurs intéressés, je vends les six d'un coup, sinon, cela ne voudrait plus rien dire.

——— *715*

Un peintre se vante :
— Tous les critiques qui voient mes tableaux insistent sur la richesse de mon imagination.
— Vraiment ?
— Oui. Ils me disent tous : « Si vous appelez cela de la peinture, vous avez beaucoup d'imagination. »

——— *716*

Une conseillère du cœur dit à un jeune homme qui est venu la consulter :
— En ce qui concerne les femmes, partez bien de ce principe : elles sont exactement comparables aux tableaux modernes.
— Que voulez-vous dire ?
— Eh bien, dans un cas comme dans l'autre, vous ne pouvez pas espérer les goûter pleinement si vous essayez de les comprendre.

——— *717*

Dans un musée de Florence, le guide conseille aux touristes :
— Regardez au plafond cette magnifique fresque d'un peintre de l'école de Lorenzo Lotto, représentant le *Mariage mystique de sainte Catherine*. Pour ceux qui, souffrant d'arthrose cervicale, ne peuvent pas lever la tête, j'ai tout prévu : qu'ils jettent un coup d'œil dans le corsage, abondamment décolleté, de mon accompagnatrice et ils y verront deux petites merveilles du dernier quart du XXe siècle, celles-là.

——— *718*

On demande au directeur d'une galerie :
— Comment va votre sœur ?
— Hélas ! Elle est morte.
— Je suis désolé. Mais qu'avait-elle, au juste ?
— Pas grand-chose : deux Modigliani, un Seurat, un Pissaro...

——— *719*

Un homme préhistorique qui vient de décorer les parois d'une grotte de peintures représentant des ours, des mammouths laineux et des rhinocéros bicornes, dit à l'un de ses congénères :
— Cela m'embêterait qu'un éditeur malhonnête gagne de l'argent en reproduisant gratuitement mes œuvres dans un album. Rappelle-moi : c'est combien les droits d'auteur dans notre tribu : 20 000 ou 30 000 ans ?

─────── **720**

Un peintre mondain s'était spécialisé dans les portraits de Parisiennes du meilleur monde.

Un jour, il propose à l'une d'elles de la représenter de dos, complètement nue, en exposant largement son postérieur.

— Certainement pas, proteste la dame, horrifiée : n'importe qui pourrait me reconnaître !

─────── **721**

Un visiteur a admiré toute une série d'autoportraits de peintres célèbres, dont les noms sont inscrits en bas des cadres : Rembrandt, Van Gogh, Monet, Picasso...

Soudain, il se trouve devant un miroir dans lequel se reflète la tête rougeaude d'un homme à moitié chauve, avec ce simple commentaire :

« Vous, hélas ! »

─────── **722**

À la suite du naufrage du bateau sur lequel ils faisaient une croisière, un artiste peintre et sa femme ont trouvé refuge sur une île minuscule.

Ils se couchent et, au petit matin, l'artiste réveille son épouse en lui disant :

— J'ai l'impression que nous allons voir un beau soleil levant.

─────── **723**

— Comment, demande-t-on à un peintre spécialisé dans la représentation de fleurs, fixez-vous le prix d'un de vos tableaux ?

— Quand celui-ci est terminé, je vais dans une boutique de Monceau Fleurs noter le prix d'un bouquet correspondant à celui que je viens de peindre – et je le multiplie par mille.

De la farce au menu

————— 724

Un homme raconte à un ami :

— Dans le restaurant où j'avais emmené dîner ma femme pour fêter notre premier anniversaire de mariage, un violoniste tzigane jouait des airs qui constituaient de véritables hymnes à l'amour.

— Et tu as vu ta femme, terriblement émue, fondre en larmes ?

— En fait, je l'ai plutôt entendue rire aux éclats, dans la cuisine du restaurant, où cette musique l'avait incitée à aller faire l'amour avec deux marmitons.

————— 725

Un célèbre chroniqueur est interrogé par un journaliste :

— Vous publiez chaque année un guide qui recommande un certain nombre de restaurants dans lesquels vous avez pris, au moins, un repas. Mais pouvez-vous jurer qu'il n'y a pas de copinage entre les auteurs de tels guides et les propriétaires de certains établissements particulièrement généreux ?

— Là, répond le chroniqueur, je suis affirmatif. Il n'y a pas plus de copinage, en ce domaine, qu'il n'y a de margarine dans un croissant « pur beurre ». C'est tout dire !

————— 726

Un jeune homme a convié une charmante blonde à dîner dans un grand restaurant.

— Je vais, dit-elle, commencer par un carpaccio de bœuf.

— Sais-tu, fait son ami, que l'on appelle ce plat « carpaccio » parce qu'il constituait le régal d'un peintre italien du XVIe siècle, Vittorio Carpaccio ?

— Je ne te crois pas, répond la blonde, pas plus que je n'ai cru le petit malin dans ton genre qui m'affirmait, un jour où j'avais commandé un gaspacho, que ce potage porte ce nom en souvenir du vieux papa de Pinocchio.

—————— *727*

Un client se plaint vigoureusement :
— Le steak que vous m'avez servi est immangeable.
— Voulez-vous parler, demande le garçon, du plat que le chef a baptisé « steak à la James Bond » ?
— Exactement.
— Il fallait vous y attendre : ce steak, comme le héros de Ian Fleming dont il porte le nom, est froid et dur avec des nerfs d'acier.

—————— *728*

En voyant son mari prendre sous son bras un extincteur, une femme ne peut s'empêcher de protester :
— Le restaurant où nous allons dîner propose en dessert des profiteroles, un Paris-Brest, une île flottante, de la mousse au chocolat, une coupe de fruits rafraîchis, des sorbets...
— Certes, admet le mari, mais, moi, ce que je préfère, malgré tous les risques que cela comporte, ce sont leurs crêpes flambées.

—————— *729*

Le navire sur lequel il effectuait une croisière ayant fait naufrage, un passager réussit à gagner à la nage un îlot rocheux.
Là, il est accueilli par la victime d'un précédent naufrage, un maître d'hôtel en grande tenue qui lui demande, avec arrogance :
— Vous avez réservé ?

—————— *730*

À la fin d'un congrès de restaurateurs, l'organisateur de la manifestation prend le micro :
— Et maintenant, chers amis, nous allons entamer notre hymne qui glorifie ce qui nous permet bien souvent de dissimuler nos erreurs : *La Mayonnaise.*

──────── *731*

Un couple a pris place dans un restaurant quand, soudain, l'homme quitte sa chaise et se jette sous la table.

Le maître d'hôtel interroge la femme :

— Puis-je me permettre de vous demander pour quelle raison votre mari a jugé bon de se cacher sous la table ?

— Vous faites erreur, mon ami, répond la femme. Je peux vous assurer que mon mari n'est absolument pas sous cette table.

— Voyons, s'obstine le maître d'hôtel, je l'ai vu, de mes yeux vus.

— Si vous aviez vraiment de bons yeux, vous auriez vu mon mari entrer dans cette salle – ce qui a incité mon amant à chercher prudemment refuge sous cette table.

──────── *732*

Un dîneur s'étonne :

— Vous n'avez pas de carte à me présenter ? demande-t-il au patron d'un petit restaurant.

— Non et cela sur le conseil pressant de mon avocat. Pour éviter les poursuites, il m'a incité à ne rien avouer par écrit.

──────── *733*

Une jolie serveuse dit à l'homme aux allures de play-boy qui vient de s'attabler :

— Avant que vous ne m'adressiez des critiques sur les plats que je vous aurai servis, je vous précise que le chef est champion de boxe, catégorie mi-lourds, de la région Île-de-France. Et, avant que vous ne me mettiez la main aux fesses, j'ajoute qu'il est aussi mon mari.

──────── *734*

Le chef d'un grand restaurant rentre chez lui et trouve sa femme, installée, comme d'habitude, sous sa lampe à bronzer.

— Je te jure, lui dit-il, que si je m'avisais de servir à mes clients une entrecôte dans cet état, ils me la renverraient en cuisine en protestant : « Trop cuit ! »

—————— 735

Un homme a convié deux amis à dîner dans un restaurant chic et très fréquenté.

Un maître d'hôtel arrogant l'interroge :

— Avez-vous réservé ?

Avec un clin d'œil appuyé à ses amis, l'homme glisse dans la main du maître d'hôtel un billet de 50 euros.

Le maître d'hôtel empoche le billet et écrit quelques mots sur un morceau de papier qu'il tend au généreux donateur. Celui-ci lui demande :

— C'est le numéro d'une bonne table que vous mettez à notre disposition ?

— Non, c'est l'adresse d'un troquet voisin où il n'y a jamais personne.

—————— 736

Le patron d'une pizzéria a été convoqué par son inspecteur des impôts.

— Après avoir examiné avec attention votre déclaration de revenus, dit celui-ci, j'aimerais que vous m'expliquiez comment vous justifiez, pour l'année passée, six allers-retours Paris-New York.

— Si vous passez devant ma boutique, vous aurez l'explication en lisant ce qui est écrit sur la vitrine :

« Nous livrons à domicile. »

—————— 737

— Que me conseillez-vous ? demande un dîneur à une serveuse.

— D'aller manger ailleurs.

— Pourquoi cela ?

— Lassé des critiques du patron, le chef a donné sa démission qui a été refusée. Alors, ce soir, il a composé un menu qui devrait le faire renvoyer.

—————— 738

Deux amis déjeunent ensemble au restaurant.

L'un d'eux s'apprête à commander des girolles. L'autre fronce les sourcils et dit :

— À ta place, je ne prendrais pas cela. Mon grand-père est mort à cause des girolles.

— Voyons, ces champignons, parfaitement inoffensifs, n'ont jamais pu l'empoisonner.

— Certes, mais pendant qu'il en ramassait, il s'est fait charger par un sanglier furieux.

—— *739*

En soulevant son mari par le fond de son pantalon pour lui permettre de lire le menu affiché à l'entrée d'un restaurant, une femme explique au patron qui se tient sur le pas de la porte :
— Certes, il ne mange pas beaucoup, mais il n'est pas assez grand pour déchiffrer ce menu tout seul. C'est l'ennui d'avoir épousé un jockey.

—— *740*

Un explorateur de la région du pôle Nord a découvert un igloo que son propriétaire a converti en restaurant.
Avant de passer sa commande, il demande, inquiet, à l'Inuit qui fait office de serveur :
— Pouvez-vous m'assurer que le chef n'emploie aucun produit surgelé ?

—— *741*

Un touriste américain, auquel le serveur vient d'apporter une tranche d'un délectable foie gras de canard, ordonne d'un ton sans réplique :
— Ketchup !
À quoi le serveur répond aimablement :
— À vos souhaits !

—— *742*

Un homme et sa femme qui déjeunent au restaurant ont chacun commandé une tarte fine aux pommes.
En voyant que la part de son épouse est quatre fois plus grosse que la sienne, le mari s'écrie, fou de rage :
— Et, après cela, tu oseras me soutenir que le garçon qui nous a servis n'a pas été un de tes amants !

—— *743*

Dans un restaurant chinois, un dîneur dit au serveur :
— Vous me donnerez un 24.50.
— Vous voulez dire que vous commandez les plats numérotés, sur notre carte, 24 et 50 ?
— Non. Servez-moi n'importe quoi, pourvu que l'addition ne dépasse pas 24,50 euros.

———— 744

— La semaine dernière a été celle de toutes les catastrophes, raconte un jeune homme.

— Comment cela ?

— Eh bien, le mardi, j'ai échoué, pour la sixième fois, à l'examen du permis de conduire. Et le jeudi, j'ai perdu ma place de voiturier, chargé de garer les voitures des clients, que j'occupais depuis six ans dans un grand restaurant des Champs-Élysées.

———— 745

Le garçon d'un bistrot suggère au client qui vient de composer son menu :

— Notre chef a un terrible besoin qu'on reconnaisse ses capacités de cuisinier. Si vous le félicitez pour son cassoulet, il sera si heureux qu'il y a de fortes chances qu'au dessert, il vous mette double dose de rhum sur votre baba.

———— 746

— À la cantine, à midi, raconte un employé, on m'a servi un potage avec des pâtes alphabet.

— Ça t'a plu ?

— En fait, je ne trouve pas de mots pour le qualifier.

———— 747

— J'avais fait la connaissance d'une jeune femme particulièrement sexy, raconte un play-boy à un ami. Je lui ai proposé d'aller dîner dans un restaurant chinois. Et tu sais ce qu'elle m'a répondu ?

— Non.

— Elle m'a dit : « Paris-Pékin, en avion, ça paraît bien long. J'aimerais mieux qu'on s'embarque dans un train, à la gare de Lyon, et qu'on aille manger de bons spaghettis à Rome. »

—— *748*

Le serveur d'un bistrot annonce au couple qui vient de s'installer :
— La grande spécialité du chef est le coq au vin. Toute la matinée, il a goûté différents crus pour trouver ce qui conviendrait le mieux à son plat fétiche : brouilly, beaujolais, juliénas ou encore pomerol ? Bref, totalement incapable de se mettre aux fourneaux, il est en train de cuver sa cuite.
— Et alors ?
— Eh bien, je ne saurais trop vous recommander de prendre une belle tranche de jambon.

—— *749*

Un dîneur dit au serveur :
— J'ai bien envie de prendre un « Délice thaïlandais ». Qu'est-ce que c'est, au juste ?
— Entre nous, Monsieur, répond le serveur, en désignant du regard une superbe Asiatique, en tenue légère, assise dans un coin de la salle, je vous conseillerais plutôt ce succulent dessert, un soir où vous reviendrez manger ici sans votre femme.

—— *750*

Dans un restaurant, un maître d'hôtel dit à un autre :
— Je déteste quand TF1 diffuse, comme ils l'ont fait hier soir, un film de cow-boys dont le héros est un champion du lasso.
— Pourquoi ?
— Le lendemain, il y a toujours un de nos clients qui se livre à cet exercice sur le maître d'hôtel parce qu'il mettait trop de temps à venir prendre sa commande.

—— *751*

— Donnez-moi une sole, dit le client au serveur.
Celui-ci se penche pour murmurer à l'oreille du dîneur :
— Le poisson rouge du patron, qui évolue dans son aquarium, juste derrière vous, est assez susceptible, sur ce point. Je vous conseillerais, plutôt, de choisir une belle entrecôte.

——— *752*

Une femme, qui donne un grand dîner, dit à l'extra qu'elle a engagé :
— Vous servirez la tête de veau avec un citron dans la bouche et du persil dans les oreilles.
— Compte tenu du prix auquel je suis payé, j'accepte, mais, surtout, pas un mot à mon syndicat qui n'accepterait pas que je me ridiculise ainsi.

——— *753*

Un magistrat, habitué des procès d'assises, va déjeuner dans un petit restaurant. Il dit au garçon :
— Donnez-moi la pièce à conviction n° 1.
— Pardon ?
— Le chef comprendra très bien ce que je veux dire : le menu.

——— *754*

Après qu'une serveuse, particulièrement sexy, lui a énuméré les plats du jour, un client lui dit :
— Vous avez une façon charmante de rouler les R.
— Si vous tenez absolument à remarquer quelque chose que je roule à la perfection, répond la belle enfant, remontez d'une lettre dans l'alphabet.

——— *755*

Un homme, qu'un ami a invité à déjeuner dans un petit restaurant, s'étonne :
— Pourquoi tous les serveurs sont-ils en tenue de coureurs à pied ?
— C'est un truc du patron pour faire oublier la médiocre qualité de sa cuisine. Au moins, ici, le service est rapide.

——— *756*

Deux jours avant de servir les convives d'un banquet, un restaurateur s'impatiente :
— Les 72 douzaines d'escargots que j'avais commandées sont arrivées depuis longtemps, mais que peut bien faire le lièvre que j'attends pour confectionner mon pâté ?

—————— *757*

Un homme est venu déjeuner au restaurant avec sa femme qui n'a pas l'air d'être portée sur la gaudriole.

Le service étant « laissé à l'appréciation de la clientèle », il en profite pour déposer généreusement sur la soucoupe une pièce de 50 centimes.

Le maître d'hôtel se répand en remerciements :

— Merci beaucoup, Monsieur, lui dit-il, d'une voix forte. D'autant que je n'ai pas oublié le gros billet que vous m'avez laissé le jour où je vous ai indiqué un bon hôtel pour finir agréablement la soirée avec la ravissante petite blonde qui vous accompagnait, ce soir-là !

Garde-à-vous !

——— 758

Un lieutenant nommé Rapoport, bégayait dès qu'il était ému, ce qui amusait beaucoup son capitaine.

Celui-ci lui disait, chaque matin :

— Allons, lieutenant, au Rapoport.

Le malheureux, ainsi interpellé, cherchait à commencer par :

« Mon capitaine », mais tout ce qu'il parvenait à dire, c'était :

— Mon caca... mon caca...

Le capitaine se taillait alors un succès facile auprès des autres participants en lançant :

— Si votre caca vous tracasse tellement, lieutenant, allez le faire en paix et revenez-nous quand vous en aurez terminé.

Or un jour que le capitaine lui eut dit le traditionnel : « Allons, lieutenant, au Rapoport », le lieutenant bégayeur s'écria :

— Mon pipi... mon pipi...

Un autre officier intervint :

— Permettez-moi de traduire ce que le lieutenant essaie de vous dire sans vraiment y parvenir : il avait un pistolet et on le lui a fauché cette nuit.

——— 759

Au bal de l'ambassade, une invitée en robe très décolletée dit au général, en grande tenue, qui l'a invitée à danser :

— Votre collection de médailles est très impressionnante, mais elles me glacent les seins quand nous valsons. Si vous voulez que je vous accorde une autre danse, débrouillez-vous pour ôter discrètement toute cette ferraille de votre poitrine et vous la fixer dans le dos.

——— 760

Le clairon du régiment vient trouver le capitaine :

— Beaucoup de mes camarades se plaignent, explique-t-il, d'être réveillés en sursaut quand je sonne l'extinction des feux. Que diriez-vous si je remplaçais mon clairon par une harpe ?

—— 761

Un nouvel agent secret reçoit les dernières instructions de son chef de service :
— Surtout, quand vous rédigerez un rapport à mon attention, utilisez une encre invisible.
— Mais… si jamais l'encrier contenant cette encre était vide sans que je m'en sois rendu compte ?
— Continuez à écrire. Ce n'en sera que plus discret.

—— 762

Une ravissante naufragée, errant sur un radeau de fortune, sur les flots déchaînés de l'océan Pacifique, a été recueillie à bord d'un cuirassé.
— Ouf ! s'écrie-t-elle, je suis sauvée !
— Ouais, ricane le capitaine. Autant qu'une belle fille comme vous peut s'estimer sauvée en se trouvant au milieu de 300 hommes qui n'ont pas fait l'amour depuis près de cinq semaines.

—— 763

Le général carthaginois Hannibal dit à l'un de ses officiers :
— Réquisitionnez plusieurs ateliers de tissage en ordonnant à leurs ouvrières de fabriquer au plus vite 50 écharpes de laine, de 5 m de côté.
— À quel usage ?
— Pour éviter que nos éléphants ne s'enrhument quand nous leur ferons franchir les Alpes en plein hiver.

—— 764

Un Indien annonce aux hommes de sa tribu qui s'apprêtaient à aller guerroyer :
— Notre chef vient de signer un traité de paix avec le gouvernement américain et, par conséquent, les peintures de guerre dont vous vous êtes barbouillé le visage ne sont plus d'actualité. Allez, hop ! Tout le monde à la douche !

—— 765

— Je regrette, colonel, dit le médecin au militaire qui vient le consulter, mais je ne m'occupe que de médecine générale. Revenez me voir quand vous aurez été promu.

—— *766*

Un soldat vient en permission, trois mois après son incorporation, et retrouve la femme qu'il a épousée à la veille de son départ à l'armée.

Pour plaisanter, la jeune femme lui ordonne :

— Garde-à-vous !

— Voilà trois mois que j'y suis, au garde-à-vous, dit-il en se déshabillant à toute vitesse. Par contre, moi, je ne suis pas près de t'ordonner : « Repos ».

—— *767*

Un général d'une armée sud-américaine a pris place dans le fauteuil d'un dentiste.

— Pour compléter votre superbe collection de décorations, lui dit le dentiste, voyez la belle médaille que je m'apprête à vous décerner si vous faites preuve d'un peu de bravoure sous la roulette.

—— *768*

— Moi, se vante un homme, je suis descendu de dix fois plus d'arbres que je n'en ai escaladés.

— C'est impossible. Que faites-vous, dans la vie ?

— Parachutiste.

—— *769*

Une jeune fille s'écrie :

— Mon arrière-grand-père était général, mon grand-père était général, mon père est général…

— Je comprends, dit son soupirant, que vous soyez fière de votre géné-ralogie.

JE VAIS LEUR FOUTRE LA TROUILLE AVEC LE JOUET DU GAMIN
Bridenne

—— *770*

Un jeune soldat, follement amoureux de sa petite amie, a dû la quitter pour aller servir au Moyen-Orient. Pendant six mois, les deux jeunes gens entretiennent une correspondance enflammée.

Enfin, l'heure du retour arrive.

— J'ai une telle envie de toi, écrit le soldat à sa petite amie, que, lorsque tu viendras m'accueillir à l'aéroport, je te conseille d'avoir juste une robe légère facile à enlever pour qu'on puisse faire l'amour sans délai.

— Entendu, répond-elle. Je viendrai t'attendre ainsi vêtue. Mais, à ton tour, je vais te donner un bon conseil : sois le premier homme à sortir de l'avion.

—— *771*

Dans un pays en proie à une véritable guerre civile, la marraine de Cendrillon dit à celle-ci :

— Amuse-toi bien au bal du prince, ma chérie, et n'oublie pas que tu dois rentrer de bonne heure : ici, le couvre-feu est fixé à 18 heures.

—— *772*

Au cours de manœuvres, un artilleur a failli bombarder le quartier général.

Fou furieux, le général arrive et se met à crier au maladroit :

— Savez-vous sur quoi vous avez tiré ?

— Oui, mon général.

— Alors… sur quoi avez-vous tiré ?

— Sur l'ordre du lieutenant, mon général.

—— *773*

Un général, qui était au lit avec une prostituée, s'est réfugié, honteux de sa défaillance, sous le lit de celle-ci en agitant son mouchoir comme un drapeau blanc.

— Voyons, dit la fille, tu devrais savoir, qu'on peut perdre une bataille sans avoir perdu la guerre. Allez, sors de là et reprenons le combat !

─────── **774**

Au ministère des Armées, on cherche le meilleur moyen d'honorer la mémoire du plus efficace des espions.

— On pourrait, suggère un militaire, lui ériger un monument sur une place de Paris.

— Bonne idée, mais comment le représenter ?

— Sachant qu'il a toujours su se glisser dans les endroits réputés inaccessibles sans jamais se faire repérer, le mieux serait d'inscrire simplement son nom sur le socle en s'abstenant de lui ajouter une statue.

─────── **775**

— Cela m'avait amusé, raconte un homme, de retrouver, en rangeant le grenier, le casque que je portais quand j'étais soldat. Je m'en suis coiffé et j'ai débarqué ainsi au moment de passer à table. Tout le monde a éclaté de rire, mais ma fille de 8 ans a été particulièrement frappée par cette apparition.

— Vous n'allez pas me dire que cela lui a donné l'envie de faire plus tard sa carrière dans l'armée ?

— Non, mais cela lui a donné l'idée du cadeau idéal pour la Fête des Pères.

— Lequel ?

— Elle m'a offert une tortue.

─────── **776**

Un soldat, hospitalisé à la suite d'une grave blessure, était tombé amoureux de l'infirmière qui le soignait et, d'un commun accord, ils décidèrent de se marier le jour même où il sortirait de l'hôpital – ce qui fut fait.

Quand la cérémonie nuptiale fut terminée, les deux nouveaux époux se livrèrent, bien innocemment, à quelques commentaires qui horrifièrent le curé :

— Vous savez, dit le soldat, c'est la première fois que je la vois avec une robe.

— Et moi, ajouta l'infirmière, c'est la première fois que je le vois avec un pantalon.

—— *777*

Un général arborant toutes ses médailles a longuement attendu la jeune femme à laquelle il avait fixé rendez-vous.

— C'est assez désagréable, lui dit-il quand elle arrive enfin, d'être pris pour un portier d'hôtel.

— Je suis désolée.

— Ça aurait même été insupportable s'il n'y avait pas les pourboires. Rien qu'en ouvrant les portières, j'ai gagné 75 euros.

Bridenne

Humour maison

―――― *778*

— Le médecin m'ayant recommandé de faire de l'exercice, raconte un homme, j'avais décidé, dans un premier temps, de ne plus prendre l'ascenseur pour gagner mon logement du 6ᵉ étage.

— Et dans un deuxième temps ?

— J'ai préféré déménager pour m'installer au rez-de-chaussée.

―――― *779*

Par un jour de pluie, un homme rentre chez lui tout crotté.

— Fais donc attention avec tes pieds boueux, crie sa femme. Tu salis tout dans l'entrée. Tu aurais pu t'essuyer les pieds au préalable.

— C'est à des détails comme ça qu'on voit que tu as de l'instruction, fait le mari, en riant. Moi, ton préalable, j'ai toujours appelé cela un paillasson.

―――― *780*

En rentrant d'une soirée passée à l'Opéra, un couple constate que leur appartement a été entièrement bouleversé par des cambrioleurs.

Le mari saisit son téléphone mais la femme proteste :

— Tu ne vas tout de même pas appeler la police pour qu'ils voient la maison dans cet état !

―――― *781*

Mollement allongé sur le canapé du salon, un homme avise sa femme qui a commencé de repeindre les murs :

— N'hésite pas à me dire si jamais tu as besoin d'aide : j'appellerai ta sœur qui ne demandera pas mieux que de venir te donner un coup de main.

―――― *782*

— J'avais engagé, raconte un homme à un ami, un homme de confiance pour veiller à ce que personne ne touche à mes propriétés et pendant longtemps, je n'ai eu qu'à me louer de ses services.
— Tu en parles au passé. Que lui est-il arrivé ?
— Il est parti avec ma femme.

―――― *783*

Un homme passe un coup de fil à l'entrepreneur qu'il a engagé pour construire son pavillon :
— Avez-vous terminé vos travaux ?
— Complètement.
— Avez-vous réussi, comme vous me l'aviez promis, à prévoir une chambre d'amis pour mes invités ?
— Non, faute de budget, mais la tente de camping que j'ai dressée dans le jardin devrait leur donner toute satisfaction.

―――― *784*

— Je suis exaspérée, dit une jeune femme à une amie qui habite comme elle une tour aux immenses baies vitrées, par le sans-gêne des laveurs de carreaux.
— Tu as raison.
— Qu'ils se groupent derrière la vitre pour m'observer longuement quand je prends mon bain, passe encore. Mais, hier, l'un d'eux s'est permis d'entrer, sous prétexte de rincer son éponge crasseuse dans l'eau de ma baignoire !

―――― *785*

Dans un ascenseur, un homme dit à un autre :
— Vous venez d'appuyer successivement sur le bouton du 3e et sur celui du 5e. Il faudrait vous décider. À quel étage allez-vous, au juste ?
— Au 8e, mais le bouton correspondant à cet étage ne fonctionne pas.

―――― *786*

Peu avant la Sainte-Barbe, jour de leur banquet annuel, les pompiers d'un petit village distribuent dans toutes les boîtes aux lettres une invitation :
VENEZ À NOTRE BAL ET
NOUS IRONS À VOTRE INCENDIE !

UNE FAMILLE RECOMPOSÉE

Bridenne

—————— **787**

Au cours d'une soirée, un invité s'assied lourdement sur la chaise Louis XVI que lui tend son hôtesse, mais la chaise s'effondre à grand fracas.

Confus, il se répand en excuses, mais la maîtresse de maison lui dit en ramassant les débris de son siège :

— Ne vous tracassez pas, je suis ravie, absolument ravie. Figurez-vous que j'avais acheté cette chaise chez un antiquaire, mais j'avais quelques doutes sur son authenticité. À présent, je suis fixée : c'était bien un meuble d'époque.

—————— **788**

Un Parisien raconte :

— Après avoir pris ma retraite, j'ai acheté une petite maison dans un village d'Auvergne dont le maire m'a accueilli avec chaleur en me disant :

— Vous pouvez être sûr que vos nouveaux voisins compatiront quand vous aurez des ennuis.

Je lui ai demandé :

— Et si je n'ai pas d'ennuis ?

— Soyez tranquille, m'a-t-il dit, avec eux, vous en aurez.

—————— **789**

En pleine nuit, une femme réveille son mari :

— Le parquet grince, lui dit-elle, il fait « squirk, squirk ». Je n'arrive pas à dormir car je suis persuadée que c'est une souris.

— Moi aussi, j'ai entendu un bruit de parquet, répond le mari, mais je l'ai traduit par « miaou, miaou ». Retiens simplement l'idée que mon chat va croquer ta souris et rendors-toi tranquillement.

—————— **790**

— Maman, dit Emmanuel (8 ans), c'est le facteur qui t'apporte une lettre recommandée. As-tu un euro dans ton porte-monnaie ou dois-je, comme la dernière fois, aller jouer une demi-heure sur le balcon pendant que tu lui donnes son pourboire ?

—————— *791*

Une femme qui n'a qu'une passion, changer les meubles de place dans son appartement, s'est laissé convaincre par son mari d'aller consulter un psychiatre.

Quand elle revient de sa première séance, son mari l'interroge :

— Alors, comment le rendez-vous avec le psy s'est-il passé ?

— Ça a été dur : il a discuté pendant vingt bonnes minutes avant d'admettre, enfin, que son divan, au lieu d'occuper le milieu de la pièce, serait beaucoup mieux dans un coin.

—————— *792*

— Je dormais, paisiblement, dans mon appartement du quatrième étage, raconte un homme, quand j'ai été pris de panique en entendant du bruit. Pensant qu'il s'agissait d'un cambrioleur, je me suis précipité vers la fenêtre pour m'enfuir par l'escalier de secours.

— Et alors ?

— Eh bien, c'est en arrivant au sol que j'ai pris conscience de ma lourde erreur.

— Il n'y avait pas de cambrioleur ?

— C'est, surtout, qu'il n'y avait pas d'escalier de secours.

—————— *793*

Juché sur un escabeau, un homme est en train de repeindre le plafond de sa cuisine.

Sa femme, qui rentre d'une tournée dans les magasins, lui lance, joyeusement :

— Alors, Michel-Ange, ça avance, ta Sixtine ?

—————— *794*

Un homme est sollicité par téléphone pour la énième fois de la semaine.

— Comptez-vous prochainement remplacer vos portes et vos fenêtres ? demande son interlocuteur.

— Vous tombez bien, répond l'homme excédé. Voyez-vous, je suis un Inuit du pôle Nord et, avec le réchauffement climatique, je songeais à prolonger mon igloo par une serre où je ferais pousser des orangers.

———— 795

Alors qu'elle vient de faire l'amour avec un homme, une jeune femme aperçoit, planté sur le balcon, les yeux écarquillés, un garçon qu'elle connaît bien.

Se levant d'un bond, elle court vers la fenêtre, l'ouvre et se met à hurler :

— Guillaume, je te préviens que, si je te prends encore une seule fois à m'espionner, je romps nos fiançailles !

———— 796

Une femme montre une fleur sauvage qui jaillit sur le trottoir, entre deux pavés :

— Ce qui m'a décidée à louer ce deux-pièces situé au rez-de-chaussée, explique-t-elle, c'est le jardin privatif, juste devant.

———— 797

Un locataire appelle EDF et explique :

— J'ai des ennuis en ce qui concerne l'électricité que vous me fournissez.

— Je regrette, répond son interlocutrice, mais nous ne pourrons prendre votre réclamation en compte que dans une quinzaine de jours. De quoi s'agit-il, exactement ?

— Mon compteur s'est bloqué et il n'enregistre plus ma consommation.

— Bon. En ce cas, un de nos techniciens sera chez vous, dans l'heure qui vient.

———— 798

Une femme demande à l'amie à laquelle elle rend visite :

— Que signifie cette croix au crayon sur le mur de ta salle de séjour ?

— Elle marque l'emplacement où mon mari compte enfoncer un clou pour y pendre un tableau. Évidemment, elle s'est un peu effacée depuis qu'il l'a tracée... en 2003.

───── *799*

— J'avais l'habitude, raconte un homme à un ami, de reluquer ma belle voisine quand elle s'allongeait nue dans son jardin pour se faire bronzer. Mais les thuyas que son mari, un homme très jaloux, a plantés ont grandi et je ne peux plus l'observer à loisir.

— Quel dommage !

— Ne t'inquiète pas, j'ai trouvé la solution. Je me suis rendu dans un grand magasin de bricolage et j'ai acheté...

— Une tronçonneuse ?

— Non, un trampoline.

Cherchez et vous trouverez

───── *800*

— Vous avez pris huit kilos en six mois, dit le médecin à l'un de ses patients.
— Cela n'a rien d'étonnant. Dans mon laboratoire, je travaille sur un nouveau modèle d'extincteur.
— Quel est le rapport ?
— Lors de chacun de mes essais, je le remplis de crème Chantilly. Et, une fois l'expérience terminée, je me charge du nettoyage en léchant les murs.

───── *801*

Dans un laboratoire, un chercheur appelle le directeur d'une fabrique de vêtements.
— Ça y est, lui dit-il, vos clients et, surtout, vos clientes, vont avoir besoin de renouveler beaucoup plus souvent leur garde-robe. Nous avons enfin réussi à créer une mite capable de dévorer les vêtements en polyester.

───── *802*

— Sur quoi vos travaux portent-ils actuellement ? demande-t-on à un chercheur.
— D'une part, il est établi que lorsqu'on laisse tomber une tartine beurrée, elle atterit toujours sur le côté beurré.
— En effet.
— D'autre part, d'où qu'il ait sauté, un chat retombe toujours sur ses pattes. Je cherche à savoir ce qui se passe quand un chat dont on a beurré le dos saute par la fenêtre.

───── *803*

Un astronome se désespère :
— Tous mes travaux concordent à prouver que nous vivons dans un univers en expansion. Mais, alors, pourquoi, lorsque j'emmène ma femme faire ses courses en ville, ai-je de plus en plus de mal à garer ma voiture ?

———— **804**

— Lors d'une promenade dans la campagne, raconte un paléontologue, ma femme marcha dans un terrain boueux et y laissa l'empreinte de son pied. À cause de la sécheresse, le sol durcit et l'empreinte se conserva. Récemment, un de mes collègues est tombé dessus.
— Et alors ?
— Il n'a pas hésité un instant et a identifié cette trace comme étant celle d'un dinosaure pesant au moins 2 tonnes et vivant il y a 20 millions d'années.

———— **805**

Un chercheur, qui consacre ses travaux à l'ADN, dit à l'un de ses collègues :
— Hourra ! J'ai enfin découvert le gène de la Timidité, mais cela n'a pas été sans peine.
— Pourquoi cela ?
— Il était caché derrière le gène du Culot infernal.

———— **806**

On demande à un petit inventeur :
— Quelle est votre dernière trouvaille ?
— Un sablier à débit ultra-lent.
— Et quelle est son utilité ?
— Il est destiné aux gourmets qui trouvent que leurs œufs à la coque ne sont pas suffisamment cuits en trois minutes.

———— **807**

— J'ai trouvé ! s'écrie un chercheur.
— Qu'avez-vous trouvé ?
— L'équation qui résume le sens de l'univers.
— Pourtant, vous n'avez pas l'air complètement satisfait.
— Non, en effet. J'essaie de réduire cette équation pour qu'elle puisse être imprimée sur un tee-shirt. Pour l'instant, elle fait 92 pages.

——— *808*

Au musée des Inventions, un visiteur tombe en arrêt devant le buste d'un Autrichien nommé Wilfried Muller.

— Qu'a-t-il inventé ? demande le curieux à un gardien.

— L'engrenage.

— C'est tout ?

— Non. Il a également inventé la tyrolienne – le jour où il s'est coincé un doigt dans son engrenage.

——— *809*

Un homme jaloux s'étonne auprès de sa femme :

— Jusqu'alors, tu portais des petites culottes très simples en coton blanc et, depuis quelque temps, j'ai constaté que, pour aller au laboratoire où tu travailles, tu portes d'affriolantes culottes ornées de dentelle. Je suis sûr tu as un amant.

— Ne sois pas stupide, mon grand chéri. Tu sais bien que mon patron mène une recherche sur un scanner permettant de voir au travers des vêtements. Je saurai qu'il y sera parvenu le jour où de la fumée sortira de ses oreilles quand il me regarde.

——— *810*

— Je viens d'inventer la roue, annonce triomphalement un homme des cavernes à sa compagne.

Celle-ci se précipite vers leur jeune fils pour lui conseiller :

— Surtout, dès que quelqu'un aura inventé les autobus, fais bien attention en traversant les rues.

——— *811*

— Ça y est ! dit un astronome, j'ai réussi à identifier ce qui s'est passé juste avant le Big Bang qui a donné naissance à notre univers.

— Et que s'est-il passé ?

— Je n'ai pas les images mais j'ai nettement entendu une voix disant : « Quel maladroit je fais ! »

––––––– *812*

Dans un laboratoire pharmaceutique, un chercheur vient de mettre au point une nouvelle molécule.

Son assistant débouche une bouteille de champagne dont il verse une bonne rasade dans deux éprouvettes.

— Allez, dit-il, en en tendant une à l'heureux chercheur, entre prix Nobel, ou assimilés, on trinque.

––––––– *813*

Un petit inventeur dit au directeur de l'office des brevets :

— Si vous ne pouvez pas, aujourd'hui, expérimenter ma machine à explorer le temps, ça ne fait rien : je reviendrai la semaine dernière.

––––––– *814*

Un individu au cerveau fertile montre à ses amis les plans d'une machine extraordinaire. De la taille d'un gros tracteur, elle fonctionne avec un bruit infernal en consommant 200 litres d'essence à l'heure et en dégageant un épais nuage de fumée noire.

— À quoi sert-elle ? interroge un curieux.

— C'est très simple, explique l'inventeur, on y glisse un lingot d'or et, au bout de 97 minutes de traitement, le lingot ressort transformé en une barre de nougat.

— Mais, s'exclament ses amis, tu es complètement fou !

— Fou… C'est ce qu'on a dit de Denis Papin, de Cugnot, de Pasteur, de Frédéric Laglume…

— Qui était Frédéric Laglume ?

— Oh ! lui, il était réellement fou.

––––––– *815*

À l'époque des cavernes, une femme demande à son fils :

— Le feu n'a pas encore été inventé, n'est-ce pas ?

— Non.

— Alors, qu'est-ce que ton père voulait dire quand il est sorti en me lançant : « Je vais au plus proche tabac acheter des allumettes » ?

——— *816*

Un chercheur explique :
— Selon moi, une bonne théorie scientifique doit pouvoir être exposée de façon compréhensible à une barmaid – après avoir bu au moins trois whisky.

——— *817*

Le téléphone sonne au Club des petits inventeurs.
Une secrétaire répond :
— Allô... oui... parlez plus fort... avec lequel de ces cinglés voulez-vous parler ?

——— *818*

Un chercheur explique :
— Je me vois tout à fait dans la même situation que Christophe Colomb s'apprêtant à découvrir l'Amérique.
— Et que cherchez-vous, en ce moment ?
— Quelqu'un qui serait dans la même situation que la reine d'Espagne lorsqu'elle finançait l'expédition de Colomb.

——— *819*

On interroge un chercheur d'un grand laboratoire pharmaceutique :
— Quelle est la découverte qui vous a apporté le plus de satisfaction ?
— Sans aucun doute, celle qui a permis au directeur de mon établissement d'obtenir de Bruxelles une importante subvention.

——— *820*

— Sur quoi travaillez-vous ? demande-t-on à un chercheur de l'industrie phonographique.
— J'imagine une chaîne hi-fi dont l'intensité en décibels ne pourrait pas dépasser le Q.I. de son utilisateur.

——— *821*

Dans un laboratoire de produits pharmaceutiques, un chercheur qui vient de déguster le contenu de son éprouvette, dit à l'un de ses collègues :
— Comme vaccin contre le rhume des foins, c'est totalement inefficace, mais comme apéritif, c'est délicieux !

—————— *822*

On demande à un homme des cavernes :
— Comment en êtes-vous venu à parler ?
— Les peaux de bête dont j'étais revêtu me faisaient trop ressembler aux animaux que chassaient mes congénères. Il a bien fallu que je trouve un truc pour crier très fort, en cas de danger : « Doucement, les gars, je ne suis pas un ours ! »

—————— *823*

Une maîtresse de maison qui organise une grande réception dit à son mari :
— Je crois que les recherches de notre ami Mitouflet sur l'art de se rendre invisible sont en bonne voie.
— Qu'est-ce qui te fait penser cela ?
— L'interphone, placé à l'entrée, a annoncé son arrivée – mais personne ne l'a vu.

Le terrible divan

— Je n'ai jamais vu, dit un psy en parlant d'un de ses patients, un individu aussi enclin à discuter à tout propos pour obtenir une réduction.

— Vraiment ?

— La première fois qu'il est venu me consulter, je lui ai annoncé que le montant de mes honoraires était, pour chaque séance, de 100 euros. Il m'a demandé :

« Pourriez-vous baisser le tarif à 80 euros ? » Et, quand je lui ai dit : « Je fixe notre prochain rendez-vous lundi à 11 heures », il m'a imploré : « Je préférerais venir à 10 heures 30. »

— Quand j'étais adolescent, raconte un homme, je m'étais créé un ami imaginaire avec lequel je m'entendais parfaitement. Puis, je me suis créé un ennemi imaginaire que je détestais, et je craignais le pire à l'idée qu'ils puissent un jour se rencontrer.

— Et que s'est-il passé ?

— Ils se sont tellement plu qu'ils se sont pacsés et qu'ils sont partis pour faire leur vie ensemble en me laissant tomber comme une vieille chaussette.

— Je souffre de claustrophobie, explique un patient.

— Vous me l'avez déjà dit, répond le psy.

— Oui, mais les choses ne font que s'aggraver. J'ai l'impression d'être emprisonné dans un étroit donjon simplement lorsque mes lacets sont un peu trop serrés.

─────── *827*

Au cours d'une soirée, une jeune femme s'écrie en apprenant que son voisin de table est psychanalyste :
— Oh ! Docteur ! Il faudrait que j'aille vous consulter.
— De quoi souffrez-vous ?
— Je suis nymphomane. Dès que je vois un homme, il faut que je couche avec lui.
— Ah ! répond le psy. En ce cas, venez donc à mon cabinet un mercredi. Mon assistante est terriblement jalouse et elle est en congé ce jour-là.

─────── *828*

— J'ai des ennuis avec la police locale, explique un homme, parce que je partage tout avec mon chien.
— Vous partagez vraiment tout avec lui ? demande le psy.
— Tout : la nourriture, la niche, les puces, les arbres.

─────── *829*

Un patient doté d'une barbe fleurie comme Charlemagne, coiffé d'un petit chapeau à la Napoléon et revêtu du pourpoint à fraise d'Henri IV, confie au psychanalyste qu'il vient consulter :
— Docteur, j'ai bien peur de faire un peu de confusion mentale.

─────── *830*

— Je ne suis qu'un simple petit employé, dit un homme, mais je passe ma vie à rêver que je mène une carrière internationale de champion de tennis.
— Allongez-vous sur ce divan, dit le psy. Je m'installe sur ma chaise d'arbitre et je vous écoute.

─────── *831*

Un psy dit au patient qui se présente à lui, le nez ensanglanté :
— Même si vous êtes persuadé d'être un pivert, quand vous arrivez devant la porte de mon cabinet, sonnez : ne frappez pas !

———— *832*

— Exposez-moi, dit le psy, ce qui vous fait penser que tout le monde vous persécute. Et, comme j'ai un rendez-vous avec une jolie blonde, à 18 h 15, je vous conseille de vous grouiller un peu ou je vous fais raconter ça à grands coups de botte dans le derrière !

———— *833*

Une femme qui rentre de chez son psy raconte à son mari :
— J'étais intriguée par le diplôme de fin d'études que mon psy a encadré et accroché sur le mur à 2 m du sol, dans son cabinet.
— Et alors ?
— J'ai profité du moment où il s'est absenté pour grimper sur une chaise et examiner ce document. En fait, il s'agit tout bonnement de la garantie d'un grille-pain !

———— *834*

— Docteur, dit un homme, je me prends pour un kangourou.
— Et cela vous dérange ?
— Moi, non. Mais mon voisin du dessous, oui !

———— *835*

Un psy résume ce qu'il vient d'entendre :
— Vous avez le sentiment que personne ne comprend ce que vous dites. Je ne saisis pas clairement ce que vous entendez par là. Pourriez-vous exprimer de nouveau votre pensée, mais de façon bien claire, cette fois ?

———— *836*

Sur le coup de trois heures du matin, un homme d'affaires téléphone au psychanalyste qui le soigne depuis plusieurs mois :
— Allô, dit-il, d'une voix angoissée. Je suis au lit et je ressens brusquement le désir de faire l'amour à une femme qui ne porterait qu'une chemise de nuit de nylon rose et une paire de chaussures à très hauts talons. Que pouvez-vous faire pour moi ?
— Attendez deux minutes. Je consulte mon carnet, répond le médecin, et je vais vous donner quatre numéros de portable.

———— *837*

L'auteur d'un dictionnaire vient consulter un psychiatre.

— Quand, lui demande celui-ci, avez-vous commencé à vous tracasser à votre sujet ?

— Du jour où une question lancinante m'a littéralement obsédé : y a-t-il des traits d'union à *bon à rien* ?

———— *838*

Une femme, affolée, appelle un psy :

— Docteur, c'est terrible, mon mari se prend pour une automobile.

— Amenez-le moi en consultation.

— Hélas ! C'est impossible.

— Pourquoi ?

— Je n'ai pas le permis de conduire.

———— *839*

Juché sur le dos du psy qui se tient à quatre pattes, un homme explique :

— Je suis Buffalo Bill, le célèbre chasseur de bisons, qui passait tout son temps à cheval. Allez, hue !

———— *840*

— Mon mari m'inquiète, confie une femme à un psy. Depuis dix ans, il n'avait qu'une obsession : dresser son arbre généalogique.

— Et alors ? Qu'y a-t-il d'inquiétant, là-dedans ?

— C'est que, depuis quelque temps, il a une nouvelle idée fixe…

— Laquelle ?

— Établir son pedigree.

———— *841*

— J'étais très fatiguée, irritable sans raison, après la naissance de mon troisième enfant, raconte une femme à une voisine. Sur l'insistance de mon mari, je suis allée consulter notre médecin de famille.

— Qu'a-t-il dit ?

— Après m'avoir longuement examinée, il m'a trouvée parfaitement normale.

— Et alors ?

— Il m'a conseillé de voir un psychiatre.

—— *842*

— Un de mes patients, raconte un psy, me prend pour sa mère.
— Cela doit être gênant pour vous ?
— Surtout quand, chaque année, à la fin du mois de mai, il veut absolument me souhaiter ma fête en m'offrant un collier qu'il a confectionné avec des coquillettes.

—— *843*

Le psychanalyste sursaute en entendant un grand coup de sifflet.
Son patient, un arbitre de football, allongé sur le divan, lui explique :
— Pendant que je vous exposais mes problèmes, je vous ai nettement entendu ronfler. Avouez qu'un tel manque de conscience professionnelle, ça vaut bien un carton jaune.

—— *844*

— Pour faire connaissance, dit le psychanalyste à son patient, nous allons examiner ensemble quelques dessins et vous me direz à quoi ils vous font penser.
Le spécialiste commence par montrer à son patient une feuille blanche où deux lignes droites se coupent.
— Ça, s'écrie le malade, c'est une femme toute nue qui est étalée à plat ventre sur un lit, les jambes croisées.
— Ah ! Et ceci ?
Il lui désigne un cercle avec un point au milieu.
— Ah ! là ! là ! glousse le malade, eh bien, dites donc ! Elle est chouette !
— Qui ça ?
— La femme nue vue de dos, là, que vous me faites voir.
— Une troisième expérience…
Le psy sort de ses dossiers une feuille portant la lettre A.
— Et là ? questionne-t-il.
— Cette fois, elles sont trois.
— Qui donc ?
— Les femmes nues. Même qu'elles se font la courte échelle.
— Eh bien, on peut dire que vous avez l'esprit drôlement tourné vers la gaudriole.
— Comment ! s'indigne le patient, mais, c'est vous qui n'arrêtez pas de me faire voir des photos cochonnes !

—————— *845*

— C'est terrible, avoue un homme : je me parle à moi-même à longueur de journée.
— Ah ! Ah ! fait le psy.
— Vous m'inquiétez. N'est-ce pas là un signe de folie ?
— Certainement pas : sauf si vous écoutez ce que vous dites.

—————— *846*

— Docteur, je me prends pour un haricot vert.
— Rentrez chez vous tranquillement et si les symptômes persistent, passez-moi un coup de fil.

—————— *847*

Un homme confie au psy qu'il est venu consulter :
— Je suis un monstre.
— Quel genre de monstre ?
— Le monstre du Loch Ness.
— Et quel est votre problème ?
— J'ai parfois l'impression de ne pas exister.

—————— *848*

Un psychanalyste a pris place devant le comptoir d'un bar et il boit whisky sur whisky.
Le barman l'interroge :
— Qu'est-ce qui ne va pas, docteur ?
— Depuis vingt ans, je gagnais une fortune en recevant trois fois par semaine, un homme très riche qui se désolait parce que, malgré son âge, il avait l'impression de toujours être en maternelle.
— Et alors ?
— C'en est bien fini de cette rente ! La nuit dernière, il a rêvé qu'il était reçu au bac et il a abandonné son traitement.

———— *849*

Un homme qui a retrouvé tous ses esprits est autorisé à quitter l'établissement psychiatrique où il a été soigné pendant six mois.

Au moment de franchir la porte, il dit au directeur :

— Appelez-moi un taxi.

— Je veux bien, répond le directeur, vous appeler « un taxi » mais, vu votre corpulence, j'aurais plutôt tendance à vous appeler « un camion de 6 tonnes ».

———— *850*

— Perchez-vous sur le dos de ce fauteuil, dit le psy à l'un de ses patients, et, tandis que vous picorerez cet os de seiche, racontez-moi depuis combien de temps vous vous prenez pour un serin.

———— *851*

— Après des mois d'analyse, raconte un homme, mon psy a conclu que j'étais un minus et un bon à rien.

— Cela a dû beaucoup vous contrarier.

— C'est surtout que pour arriver à ce diagnostic, il m'a soutiré une petite fortune, alors que le jour où j'avais dit à ma future belle-mère que je voulais épouser sa fille, elle m'avait donné cet avis pour rien.

———— *852*

— J'avais un terrible complexe, raconte un homme à un ami. En CM1, j'avais trempé une des nattes d'une de mes camarades de classe dans un encrier et, depuis, je me sentais coupable à chaque fois que j'ouvrais une bouteille d'encre pour remplir mon stylo.

— Et cela t'a passé ?

— J'ai d'abord été en analyse pendant dix ans, trois fois par semaine, sans aucun résultat. Puis j'ai abandonné le stylo pour un traitement de texte sur ordinateur.

———— *853*

Un homme raconte à son psy :

— J'ai épousé successivement trois femmes, prénommées Catherine.

— Pourquoi, selon vous ? demande le psy.

— Je n'en ai pas la moindre idée. Et ma mère, Catherine, non plus.

———— *854*

Le psy avoue son désarroi au patient qui vient le consulter :
— C'est la première fois que quelqu'un me dit qu'il se prend pour une taupe. Avant de vous traiter, j'aurais besoin de consulter quelques ouvrages de référence.
— Vous allez étudier le sujet ?
— Mieux que cela : je vais le creuser.

———— *855*

Le directeur d'un établissement psychiatrique explique à un journaliste :
— Ici, les malades sont logés selon le degré de leur état mental.
— C'est-à-dire ?
— Eh bien, au rez-de-chaussée, ils sont tout à fait inoffensifs. Ceux du premier étage doivent être suivis avec attention. Ceux du deuxième étage sont des fous dangereux.
— Et au troisième ?
— J'y ai installé mon bureau.

———— *856*

— Je suis perpétuellement angoissé, confie un homme à un psychanalyste.
— Quelle est votre profession ?
— Barman dans un camp de nudistes.
— Et c'est le spectacle de toutes ces femmes nues, venant boire à votre bar, qui vous met dans un état pareil ?
— C'est surtout qu'à chaque fois je me pose la question : « Où vont-elles bien pouvoir aller chercher l'argent pour me régler les consommations ? »

———— *857*

— Docteur, dit un homme à un psy, je souffre en me persuadant que quoi que je fasse, tout le monde m'adresse des reproches.
— Et cela fait longtemps ?
— Dix ans, environ.
— Et en dix ans, espèce de crétin, vous n'avez pas trouvé le moyen de consulter un spécialiste !

──── *858*

L'assistante d'un psychanalyste vient le prévenir :
— Ils sont là, tous les deux, dans la salle d'attente.
— Qui ça ?
— L'homme qui se prend pour Tarzan et sa guenon. Je les ai entendus bavarder et, à mon avis, celle qui vous en dira le plus, sur leur cas, c'est la guenon.

──── *859*

— Pour m'amuser, raconte un homme à son psy, j'ai fait le test que proposait un magazine de psychologie : « Êtes-vous normal ou complètement cinglé ? »
— Et alors ?
— Le verdict a été formel : « complètement cinglé ».
— À notre époque, dit, paisiblement le psy, c'est cela qui est normal.

──── *860*

Un homme vient voir un psychanalyste.
— C'est épouvantable ! dit-il. Chaque nuit, je fais le même rêve. Lorsque je dors, la porte de ma chambre s'ouvre et une superbe femme fait son entrée. Elle est entièrement nue. Elle se penche sur moi et m'embrasse sur le front puis s'allonge à côté de moi... et d'un seul coup, elle s'en va.
— Vous appelez ça un cauchemar ? s'étonne le psy.
— Ah ! ça, oui ! Parce que, quand elle sort de ma chambre, elle claque la porte et je me réveille en sursaut.

──── *861*

— Je suis à la fois masochiste et je me prends pour un jeu de cartes, dit un homme à son psy.
— Et qu'attendez-vous des autres ?
— Qu'ils me battent.

──── *862*

Assise à côté du divan sur lequel son fils de 40 ans a pris place, une femme dit au psy :
— N'allez surtout pas croire tout ce qu'il vous raconte. Jamais de ma vie, je n'ai été la mère dominatrice et omniprésente qu'il décrit.

—————— *863*

— J'ai tellement eu de hauts et de bas dans ma vie, dit un patient, que je vois le monde comme un trampoline.
— Et alors ? On peut beaucoup s'amuser sur le trampoline !
— Peut-être, mais le mien est en béton armé.

—————— *864*

— Il m'arrive souvent de rêver, dit un homme, que je suis un marteau et que je tape sur tout ce qui passe à ma portée.
— J'espère, dit le psy, qu'en ce cas-là, vous épargnez votre femme.
— Des clous !

—————— *865*

— Avez-vous jeté un coup d'œil aux patients qui sont assis dans la salle d'attente ? demande un psy à son assistante.
— C'est la routine habituelle. Trois Napoléon, la main dans le gilet, un nommé Œdipe avec sa maman et un homme souffrant d'un tel complexe d'infériorité qu'il s'est glissé sous le tapis.

—————— *866*

— J'ai appris, raconte un psy, que Freud avait réécrit, à sa manière, le fameux conte d'Andersen, *Le vilain petit canard*.
— De quelle façon ?
— Dans la version freudienne, jamais ce volatile ne découvrira qu'il est, en réalité, un magnifique cygne. Toute sa vie, il garde son complexe... et aucun des nombreux psychiatres qu'il consulte et qui s'engraissent sur son dos ne sera assez bête pour lui révéler la vérité.

—————— *867*

Un homme téléphone à son psy :
— Excusez-moi, docteur, mais je ne pourrai pas venir au rendez-vous que vous m'aviez fixé à 15 heures.
— Pourquoi cela ?
— J'ai une extinction de voix.
— En ce cas, pourquoi ne me dites-vous pas ça en chuchotant ?
— Ah ! non ! s'écrie le patient, vous n'allez pas me dire que je devrais aussi avoir honte d'une chose aussi naturelle !

─────── *868*

Une femme psychiatre qui vient de changer son bébé contemple la couche souillée dont elle vient de le débarrasser :

— Je suis sûre, se dit-elle, que Rorschach verrait là-dedans l'image même de la situation dans laquelle se trouve l'économie mondiale.

─────── *869*

— Mon drame, dit un homme, c'est que je me prends pour un œuf extra-frais.

— Et alors ?

— J'ai beau chercher, jusqu'à présent, je n'ai jamais trouvé une femme qui se prenne pour un coquetier.

─────── *870*

Une prostituée va, pour la première fois, consulter un psychanalyste.

— Allongez-vous sur ce divan, lui dit-il.

— Si ça ne vous ennuie pas, répond-elle, pour changer un peu, je préférerais rester debout. J'ai eu tellement de travail, aujourd'hui, que je n'ai pas trouvé le temps de me lever cinq minutes.

─────── *871*

— Qu'est-ce qui vous fait penser, demande le psy que vous êtes affecté d'une double personnalité ?

— Lorsque j'ai lu *Le Rouge et le Noir* de Stendhal, ma première personnalité a adoré le rouge et détesté le noir, alors que ma seconde personnalité a pensé l'inverse.

─────── *872*

Le psychanalyste ferme les yeux, victime d'un éblouissement quand un de ses patients ouvre la boîte, contenant une centaine de vers luisants, qu'il a apportée avec lui.

— Cela fait longtemps, demande le médecin, que vous souffrez de cette peur de vous retrouver dans l'obscurité ?

La barbe et les cheveux

———— 873

En prenant place dans un fauteuil, un homme dit à son coiffeur habituel :

— Au fil des années, je vous ai demandé de me faire une coupe en rapport avec le chien que je possédais à l'époque.

— Ah ! oui ! Les cheveux pendant sur vos épaules au temps du lévrier afghan.

— Et en brosse hérissée quand j'ai eu un fox à poil dur.

— Bon, alors, aujourd'hui, qu'est-ce que je vous fais ?

— Cela risque de vous poser un problème : je viens d'acheter un dalmatien.

———— 874

— Je t'ai souvent fait remarquer, dit une femme à son mari, qu'avec tes moustaches tombantes, tu as tout à fait l'allure d'un morse.

— C'est stupide !

— Alors, explique-moi pourquoi, quand nous sommes allés au zoo, un des gardiens, chargés de nourrir les animaux, t'a lancé un hareng ?

———— 875

Un adolescent prend son portable pour appeler sa grand-mère :

— Allô, Mamie ?

La femme questionne :

— Qui est à l'appareil ?

— Ton petit-fils Jean-Luc.

— Excuse-moi, dit la grand-mère, je ne t'avais pas reconnu.

— Cela n'a rien d'étonnant : la dernière fois que tu m'as vu, j'avais les cheveux qui me tombaient sur les yeux et, hier, je les ai fait couper très court.

——— *876*

— Mon propriétaire ne chauffe pas du tout l'appartement qu'il me loue, raconte un homme à un ami.

— Ça doit être vraiment désagréable.

— Effectivement, il fait si froid dans ma salle de bains, que, lorsque je veux me raser, le matin, je dois utiliser un starter pour faire démarrer mon rasoir électrique.

——— *877*

— Tes cheveux n'ont plus le même aspect qu'avant, dit une employée de bureau à une collègue. Tu ne te mets plus de bigoudis avant d'aller te coucher ?

— Non, j'ai complètement cessé depuis que mon mari, après m'avoir bien regardée, m'a demandé, en ricanant : « Avec ce genre de radar, je suis sûr que tu arrives à capter les émissions radio des extraterrestres ! »

——— *878*

Deux châtelains ont pris place, pour le petit déjeuner, chacun à un bout d'une table de 10 m de long.

En voyant son épouse se saisir d'une paire de jumelles, l'homme s'écrie joyeusement :

— Hildegarde, comptez-vous scruter le ciel tout en dégustant vos croissants ?

— Non, Gontrand, mais ces jumelles me seront bien utiles pour vérifier que vous vous êtes bien rasé de près.

——— *879*

— Très jeune, raconte un homme à un médecin, je m'étais créé une conscience imaginaire qui me donnait de précieux conseils, à chaque fois que j'allais faire une bêtise.

— Comment vous la représentiez-vous ?

— Comme une sorte de petit bonhomme chevelu, très chevelu.

— Et alors ?

— Le jour où j'ai demandé à celle qui est aujourd'hui ma femme de m'épouser, je pense que mon excellent petit conseiller était allé chez le coiffeur.

——— *880*

Sous le Second Empire, une belle dame en crinoline dit au charmant jeune homme qui vient de lui être présenté :
— La vue de votre moustache me fait passer des frissons dans tout le corps. Est-ce que je ne vous aurais pas déjà dissimulé sous mes jupes, un jour où mon mari était rentré à l'improviste ?

——— *881*

Dans une clinique spécialisée dans l'implant capillaire, l'assistante du spécialiste ouvre la porte de la salle d'attente et dit à un homme, chauve comme un œuf :
— Ça va être à vous..., Boucles d'or.

——— *882*

L'animateur d'une émission de jeux à la télévision demande à une concurrente :
— Comment vous définiriez-vous en deux mots ?
— Brune de naissance, blonde de coiffeur.

——— *883*

Un homme au visage entièrement envahi par la barbe a demandé à sa femme de le photographier.
— Surveille-moi bien, lui dit-il. Quand tu me verras remuer les oreilles, ce sera le signe que je souris.

——— *884*

— C'est quoi, la puberté ? demande Casimir (10 ans) à sa mère.
La mère explique :
— Dans quelques années, tu ressentiras en toi un profond bouleversement, tandis que tu deviendras un homme. L'un de ces changements sera la transformation du duvet qui couvre tes joues en une barbe, légère au début, puis de plus en plus fournie.
— J'ai vu ça en regardant, à la télé, le film *Docteur Jekyll et Mister Hyde* quand Spencer Tracy devient hirsute, tout d'un coup. J'espère que quand ça m'arrivera, je ne serai pas à l'école, je n'ai pas envie que mes copains se tordent de rire.

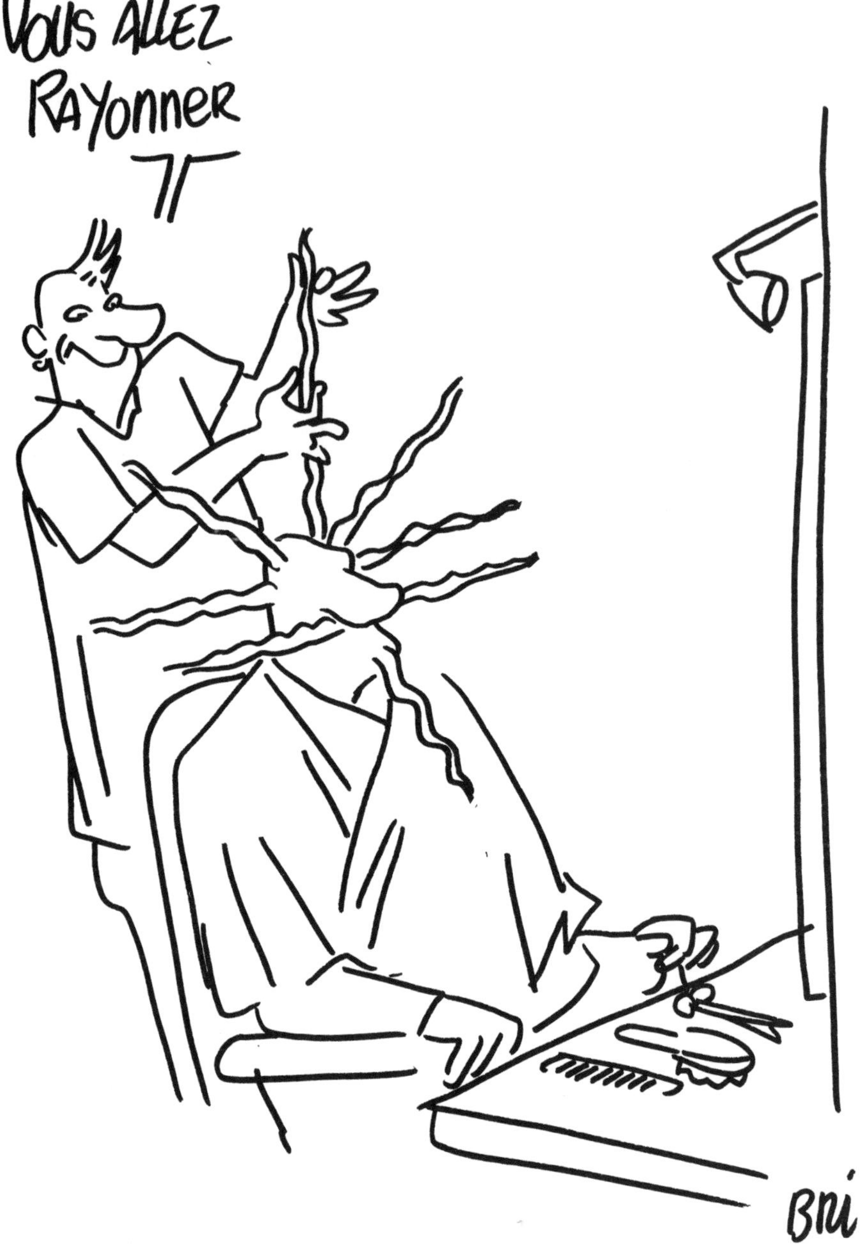
VOUS ALLEZ RAYONNER
Bri

———— *885*

Sous le pont qui leur sert d'abri, un SDF dit à son camarade :
— Je ne te reconnaissais pas. Tu as rasé la barbe que tu gardais depuis au moins cinq ans ?
— Eh oui !
— Mais pourquoi ?
— J'avais trouvé, dans une poubelle, un flacon plein de lotion after-shave. J'ai voulu voir l'effet que cela fait après le rasage.
— Et alors ?
— Pouah ! Ça a vraiment un goût atroce.

———— *886*

Une jeune femme annonce à son mari :
— Je vais au coiffeur.
D'un air supérieur, il lui explique :
— On emploie cette expression quand on va se faire monter. Par exemple, un paysan dira : « J'emmène ma vache au taureau ». Une femme qui part se faire faire une permanente dit : « Je vais chez le coiffeur ».
— C'est bien possible, mon chéri, mais moi, je vais *au* coiffeur.

———— *887*

Une femme raconte à une amie :
— Dans un grand magasin, je m'étais amusée à essayer des perruques. Je me trouvais tout à fait ridicule en blonde, mais au moment où j'essayais la perruque, un homme très séduisant est passé à ma hauteur et m'a sifflée avec admiration.
— Oh ! quelle vulgarité !
— C'est aussi ce que j'ai pensé.
— Et alors, qu'as-tu fait ?
— J'ai acheté la perruque.

———— *888*

Un photographe presque chauve dit au coiffeur qui s'est occupé de lui :
— C'est pour le haut du crâne que j'hésite un peu. À votre avis, qu'est-ce qui plairait le plus à ma femme : mat ou brillant ?

———— *889*

— Je déteste les barbus, déclare un chef d'orchestre.
— Pourquoi cette aversion ?
— L'un de mes musiciens avait une barbe qui lui tombait jusqu'au nombril. Cela le dissimulait si bien que j'aurais été bien incapable de dire s'il jouait du trombone ou de l'harmonica.

———— *890*

Désespérant d'obtenir de son mari un petit crédit pour s'acheter une nouvelle robe, une jeune femme décide de frapper un grand coup.
Seulement vêtue d'une paire de bottes et de ses boucles d'oreilles, elle annonce :
— Chéri, je sors faire quelques courses. Hélas ! comme je te l'ai dit cent fois, je n'ai plus rien à me mettre.
— Tu ne vas pas sortir comme ça, s'étonne l'époux, en ayant du mal à détacher ses yeux du bas-ventre de sa femme.
— Si.
— Alors, donne-toi au moins un coup de peigne.

———— *891*

— Tu en as une tête ! s'écrie une femme en voyant son mari. Qui a bien pu te couper les cheveux aussi court ?
— C'est une jeune coiffeuse. Son prénom m'a fait penser à une célèbre chanteuse… Ah ! oui, Dalila.

———— *892*

En rentrant chez lui, un homme, en veine de compliments, dit à sa femme :
— Félicitations ! Tu t'es fait teindre en blonde et cela te va très bien.
Puis, il ajoute :
— Cette fois, tu ne pourras pas m'accuser de ne pas te prêter attention. J'ai remarqué tout de suite ce changement de coiffure.
— Cela aurait été plus concluant, répond sa femme, si tu l'avais remarqué quand il s'est produit il y a deux mois.

───── *893*

— Je voudrais, dit un homme au coiffeur, que vous me fassiez la raie exactement au milieu.
— Ce n'est pas possible, répond le coiffeur.
— Pourquoi ?
— Les rares cheveux qui vous restent sont en nombre impair.

───── *894*

— Notre bébé a dit son premier mot, annonce une femme à son mari qui a pris l'habitude de rester plusieurs jours de suite sans se raser.
— Comment cela ?
— Il marchait en tendant ses petites mains en avant. À un moment, il a heurté le cactus. Tout de suite, il s'est écrié : « Papa ! »

───── *895*

Un homme s'assied à la terrasse d'un café et dit au garçon :
— Servez-moi une bière le temps que j'attende la femme que j'aime.
Le garçon questionne :
— Blonde ou brune ?
— Je ne sais pas. Justement, elle doit arriver de chez le coiffeur.

───── *896*

— Ce soir, dit une femme à son coiffeur, mon mari m'entraîne dans une soirée échangiste. Alors, pour que je sois sexy, je voudrais que vous me fassiez *deux* décolorations.

───── *897*

— Ma femme, raconte un homme, ne supporte plus ma barbe dure.
— Elle te l'a dit ? questionne un ami.
— Non, pas franchement. Mais elle a pris l'habitude d'enflammer ses allumettes en les frottant sur mes joues.

——— *898*

Au Paradis, Adam est déçu de voir la grande brune que l'Éternel a tirée d'une de ses côtes pour lui donner une épouse.

— Moi, lui dit-il, je n'aime que les blondes. Alors, de deux choses l'une : trouve-toi un bon coiffeur, spécialisé dans les décolorations, ou présente-moi à l'une de tes copines.

——— *899*

— Bon, dit le régisseur à une danseuse récemment engagée pour figurer dans la nouvelle revue, déshabillez-vous et mettez votre costume de scène. Tenez, le voici.

Il lui tend une minuscule feuille de vigne en plastique doré.

— Mais, dit la danseuse, étonnée, comment voulez-vous que je fasse tenir cela ?

Le régisseur hausse les épaules et dit :

— Avec une épingle à cheveux, pardi !

——— *900*

Deux hommes des cavernes arborant de longues barbes voient venir vers eux un de leurs congénères, rasé de près. Ils l'interrogent :

— Qu'est-ce qui t'arrive Smurf-Glop ?

— Je vous en prie, répond-il, désormais, appelez-moi Gillette.

——— *901*

Un metteur en scène relate la carrière d'une célèbre actrice italienne :

— Son talent lui a permis d'incarner, avec autant de réussite, une Espagnole, une Polonaise et même une Japonaise. Elle a connu son seul échec quand elle a joué le rôle d'une blonde.

Le stade de l'humour

—— **902**

Un joueur de tennis rentre chez lui avec un œil au beurre noir et deux dents en moins.

— Que t'est-il arrivé ? lui demande sa femme.

— J'avais littéralement pulvérisé mon ami Bruno : les deux roues de bicyclette comme on dit. Quand, après le match, je l'ai vu sauter le filet et se diriger en courant vers moi, j'ai pensé que c'était un bon perdant.

— Et alors ?

— Il n'est pas si bon que cela.

—— **903**

— Avez-vous déjà eu un accident de ski ? demande-t-on à un adepte des sports d'hiver.

— Moi, non, mais ma femme en a eu un qui lui a laissé des séquelles.

— De quel genre ?

— Après avoir heurté un sapin, en dévalant une pente, elle était restée évanouie dans la neige. Quand un sauveteur l'a repérée, elle était en état d'hypothermie. Il a improvisé, avec les moyens dont il disposait, pour la réchauffer.

— Et ensuite ?

— Eh bien, c'est ainsi qu'elle a eu des jumeaux.

—— **904**

Un 14 juillet, au bal des pompiers, un danseur dit à un ami qui vient d'arriver :

— Un bon conseil : si tu danses avec la blonde sexy là-bas, ne la serre pas de trop près.

— Et pourquoi donc ?

— Son mari a un titre.

— Et alors, ce n'est quand même pas le jour où l'on fête la prise de la Bastille que je vais me laisser impressionner par un prétendu aristo.

— Je me suis mal fait comprendre. Il a bien un titre, mais ce n'est pas celui de comte ni de baron, c'est un titre de champion de France de boxe, catégorie poids lourds.

──────── **905**

Une femme se met à hurler après un joueur de golf :
— Espèce de maladroit ! Vous avez cassé un carreau de ma cuisine.
Avec une parfaite mauvaise foi, le golfeur répond :
— Quand j'ai vu que ma balle partait à toute vitesse et ne prenait pas la bonne direction, j'ai crié : « Attention ! » Rien n'empêchait votre fenêtre de se garer.

──────── **906**

Au cours de la finale de la Coupe du monde de football, l'avant-centre de l'équipe de France est stoppé, en pleine action, par la sonnerie de son téléphone portable.
Il s'arrête et répond :
— Allô ! maman... Je sais bien que tu regardes le match à la télé et que tu ne demandes qu'à m'aider, mais je t'assure que j'ai beaucoup plus de chances de marquer un but en descendant par la gauche plutôt que de m'aventurer par la droite, comme tu me le conseilles.

──────── **907**

Un joueur de rugby dit à l'un des membres d'une équipe adverse :
— Grâce à toi, j'ai pu être soigné à temps d'une maladie infectieuse que je couvais et je t'en remercie. Mais comment as-tu pu deviner que j'étais malade à ce point ?
— Quand nous étions face à face pour attraper le ballon, mon nez a touché le tien : il était brûlant.

──────── **908**

— Je déteste les pavés du Nord, dit un champion cycliste. La première fois que j'ai participé à un Paris-Roubaix, nous avions été pris dans une nappe de brouillard où l'on ne voyait pas à deux pas. Quand on en est, enfin, sorti, j'avais été tellement secoué, sur leurs sacrés pavés, que je me suis retrouvé assis, à l'envers sur mon guidon.

—————— 909

— Ta lune de miel s'est-elle bien passée ? demande le rédacteur d'un grand quotidien sportif à l'un de ses confrères.

— Oui et non.

— Qu'entends-tu par là ?

— Tu sais que j'avais combiné mon voyage de noces avec une série de reportages qui m'ont obligé plusieurs fois de suite à laisser ma femme seule. Or, elle a une qualité qui est parfois un défaut : elle ne pense qu'à l'amour. Le premier jour, je suivais une rencontre de natation. Quand j'ai terminé mon article, j'ai trouvé ma femme en train de faire l'amour avec un maître nageur de la piscine. Le lendemain, je l'emmène à une partie de golf. En revenant, je la vois faisant l'amour avec un des champions engagés dans la compétition.

— Je te plains, mon pauvre ami !

— Mais, attends ! Le pire, ça a été le jour d'un grand match de rugby. Elle a couché successivement avec les trente joueurs des deux équipes, leurs entraîneurs et même l'arbitre.

— Après cela, je suppose que tu as demandé le divorce.

— Non.

— Pourquoi non ?

— Parce qu'une femme qui aime le sport à ce point, c'est rare !

—————— 910

Assis sur le canapé du salon, un champion d'escrime dit à sa femme :

— Je n'arrive pas à trouver la télécommande. Passe-moi mon épée : en la tenant à bout de bras je pourrai changer de chaîne sans me lever.

—————— 911

— Pourquoi, demande-t-on au naturaliste Charles Darwin, aimez-vous tant les patineurs sur glace ?

Il répond :

— J'admire leurs évolutions.

—————— 912

Un recruteur de talents a observé de jeunes footballeurs.

— Tes mouvements sont très gracieux, dit-il à l'un d'eux. Si tu te destines à l'Opéra, je te verrais très bien dans *Le Lac des cygnes*. Par contre, si tu avais la fâcheuse idée de persister dans ton idée de tenir les buts d'une équipe de football, je t'imagine plutôt à Pôle Emploi.

——— *913*

Le radiologue dit à l'un de ses patients :
— Ça y est, je vois dans votre estomac la balle que vous avez avalée. À l'avenir, si vous tenez absolument à continuer de jouer au tennis de table, prenez au moins la bonne habitude de garder en permanence la bouche soigneusement fermée.

——— *914*

Sur un terrain de golf, un homme qui surveille tout ce que fait un autre joueur ne cesse de grommeler :
— Quel maladroit ! Mais quel maladroit !
L'ami qui l'accompagne s'étonne :
— Qu'est-ce que cela peut te faire que ce bonhomme rate tout ce qu'il entreprend ?
— En fait, je me fous totalement qu'il joue au golf comme un pied. En revanche, ce qui me tracasse, c'est qu'il s'agit du chirurgien qui doit m'opérer dans deux jours d'une hernie.

——— *915*

Affalé dans son fauteuil, un homme répond à sa femme qui l'incite à sortir pour prendre un peu d'exercice :
— Montre-moi d'abord une photo ou, même, une peinture à l'huile, d'authentiques génies comme Socrate, Léonard de Vinci, Mozart ou Marcel Proust en train de faire leur jogging et je te jure que je les imite aussitôt.

——— *916*

— Mon mari, raconte l'épouse d'un footballeur, est très amoureux de moi. Quand nous faisons l'amour, il m'embrasse avec presque autant d'ardeur qu'il embrasse l'avant-centre de son équipe, lorsque celui-ci vient de marquer un but.

——— *917*

L'arbitre dit à un footballeur :
— La caméra de contrôle est en panne. Pour savoir si je dois ou non accorder un coup franc à vos adversaires, je vais vous demander de rejouer votre grande scène du croche-pied à l'hypocrite – mais au ralenti, cette fois.

———— *918*

L'instructeur dit à des élèves parachutistes :
— Dès que vous avez sauté de l'avion, avant d'ouvrir votre parachute, vous comptez jusqu'à 10.
Un des élèves questionne :
— Ju... jusqu'à... qu'à... com... bien... je... je... dois... com... compter ?
— **UN**.

———— *919*

— Mon grand fils m'inquiète, confie une femme à une voisine. Un de ses copains lui avait permis d'entrer avec lui dans un camp de naturistes pour assister à une rencontre de tennis que disputaient deux jeunes femmes entièrement nues.
— Et alors ?
— La seule chose qui l'ait frappé, c'est le score de la gagnante.

———— *920*

Deux amateurs de football voient entrer sur le terrain l'arbitre de la rencontre avec une grosse caisse fixée sur le ventre.
L'un d'eux explique à l'autre :
— C'est un individu très susceptible et il n'a pas supporté qu'au cours d'un match précédent, un joueur lui dise qu'il ne l'avait pas entendu siffler un hors-jeu.

———— *921*

Une jeune femme férue de sport déclare :
— Pour me rendre pleinement heureuse, donnez-moi des clubs de golf, du grand air et un beau garçon comme partenaire. Et si le garçon est vraiment beau, vous pouvez même garder vos clubs et le grand air.

———— *922*

Un médecin conseille à un nouveau patient qui veut maigrir :
— Prenez, devant toute votre famille, la ferme résolution de pratiquer le jogging cinq fois par semaine.
— Et si, en me voyant paresser au lit, ma femme me rappelle cette promesse ?
— Vous pourrez lui répondre qu'elle peut toujours courir.

——— *923*

— Je veux bien admettre, dit une femme à son mari, que, lorsque tu regardes un match de foot à la télévision, tu éprouves le besoin de manifester ton enthousiasme à chaque fois qu'un des joueurs de ton équipe favorite vient de marquer un but. Mais, en ce cas, pourquoi ne m'embrasses-tu pas à pleine bouche plutôt que de te précipiter sur notre jeune fille au pair ?

——— *924*

Le nouvel entraîneur d'une équipe de rugby a réuni ses joueurs au bas d'une côte très raide.
— Il faut vous entraîner à pousser en mêlée, leur dit-il. Pour un bon début, prenez place derrière ma voiture dont la batterie donne des signes de fatigue, et en la poussant un bon coup sur 200 m, aidez-moi à démarrer.

——— *925*

Le soir de leur mariage, l'épouse d'un champion d'athlétisme cherche son mari qui a discrètement quitté la table du banquet. Elle va dans le jardin et le trouve en train de faire l'amour avec une demoiselle d'honneur.
— David, s'écrie-t-elle, tu me trompes !
— Pas du tout, répond son sportif de mari. Tu devrais savoir qu'avant une grande compétition, il est toujours bon de s'échauffer un peu.

——— *926*

Lu cette petite annonce dans un journal :
SAMEDI À 20 h 30, RÉUNION DES MEMBRES DE LA
SOCIÉTÉ DES ADEPTES DE LA PLONGÉE SOUS-MARINE.
RENDEZ-VOUS À LA PISCINE MUNICIPALE,
AU FOND DU GRAND BAIN.

——— *927*

Un journaliste commente à la radio un match de boxe :
— Kid Himieux, après un direct dans l'entrecôte, lance à son adversaire deux crochets du droit dans la hampe puis un uppercut dans le faux-filet...
Un de ses confrères l'interroge :
— Qu'est-ce que tu nous racontes, là ?
— Je me mets à la place de ce boxeur : comme Sylvester Stallone, dans le film *Rocky,* il s'est entraîné dans la chambre froide d'un abattoir à frapper des carcasses de bœuf.

──── *928*

Un homme qui pratique le ski depuis peu raconte :

— Comme j'avais peur de heurter un autre skieur en dévalant les pentes, j'avais pris l'habitude de m'annoncer en criant : « Gare à vous ! J'arrive ! »

— Et alors ?

— J'ai ainsi évité beaucoup de collisions sauf avec un stupide sapin qui manifestement n'avait rien compris.

──── *929*

Dans un état semi-comateux, un boxeur que l'arbitre vient de déclarer K.O., murmure :

— Si je me réincarne... j'aimerais... que ce soit... en panda...

Son entraîneur l'interroge :

— Pourquoi en panda ?

— Parce que cet animal – contrairement à moi – appartient à une espèce protégée.

──── *930*

Un athlète qui soulève d'énormes poids de fonte a pour ami intime un autre sportif pratiquant la même activité.

Qu'est le second pour le premier ?

— Son haltère-ego.

──── *931*

Une femme annonce à son mari qui rentre du bureau :

— J'ai écouté à la radio le match de foot auquel participait ton équipe favorite, comme tu me l'avais demandé. Je ne t'en donne pas le résultat mais, en prévision de ta réaction, je t'ai préparé un bon calmant.

──── *932*

— Alors, demande-t-on à une belle joueuse de tennis, quel a été le résultat du match que vous disputiez devant les caméras de l'Eurovision ?

— En rentrant chez moi, j'ai trouvé une trentaine d'e-mails. Trois correspondants me reprochaient de m'être exhibée avec une culotte transparente, douze m'en félicitaient et les autres, dont deux dames, me proposaient, soit le mariage, soit le pacs.

——— *933*

Alors que le Samu l'emporte, en piteux état, vers le service des urgences du plus proche hôpital, un homme raconte aux infirmiers :
— Je ne me suis pas méfié quand j'ai demandé à ma femme : « Tu as appris des trucs nouveaux, à ton cours de karaté ? » et qu'elle m'a répondu : « Je vais t'expliquer cela mieux que par des mots. »

——— *934*

Un enfant a été chargé d'arbitrer une rencontre de football disputée par ses camarades de classe.
Il se fâche après un des joueurs, un grand échalas qui l'a insulté :
— Je te donne, lui dit-il, trois minutes pour retirer ce que tu viens de dire.
— Et, ricane l'autre, que se passera-t-il si je refuse d'obéir dans les trois minutes ?
— Alors, on jouera la prolongation.

——— *935*

Dans un camp de naturistes, un joyeux animateur annonce :
— Comme chaque année, les messieurs sont invités à participer à une course de relais.
Un nouveau venu questionne, en déclenchant une tempête de rires parmi les nudistes :
— Je ne vois pas le témoin qu'on se passe de main en main dans une telle course. Comment pratiquez-vous, alors ?

——— *936*

— Que dit le moniteur d'une station de sports d'hiver à la belle vacancière dont il veut faire la conquête ?
— Voulez-vous m'accompagner dans mon studio pour boire un oui-ski ?

——— *937*

— Avec cette épidémie de grippe qui s'annonce, dit une infirmière à une collègue, j'ai passé ma journée à vacciner les gens par dizaines. Mais, ce soir, je vais me détendre.
— En allant au cinéma ?
— Non, en participant à un concours de lancer de fléchettes.

───── **938**

— Ça y est ! dit joyeusement un golfeur, en sortant d'un buisson : j'ai retrouvé ma balle.

Puis, s'assombrissant d'un coup, il enchaîne :

— Par contre, j'ai perdu mon club.

───── **939**

Le médecin conseille à l'homme qui est venu le consulter :

— Il n'y a rien de tel que l'exercice pour tuer les microbes.

— Peut-être, répond le patient, mais expliquez-moi comment je peux inciter ces satanés microbes à prendre de l'exercice.

───── **940**

Une équipe de rugby en déplacement a été logée dans un petit hôtel où les patrons se font seconder par une bonne très délurée.

Le plus jeune des rugbymen, au moment d'aller se coucher, l'attire dans un coin sombre et l'interroge :

— Si je t'embarquais dans ma chambre pour te faire l'amour, est-ce que tu crierais : « Au secours » ?

— Non, chuchote-elle. Après que tes quatorze copains m'ont fait crier de plaisir, à tour de rôle, je suis complètement aphone.

───── **941**

Un citadin en vacances à l'Alpe d'Huez s'est aventuré pour la première fois de sa vie sur des skis.

Avant de prendre de la vitesse, il dit à sa femme :

— C'est fou comme ces engins glissent ! Pour éviter un accident, on va mettre les chaînes.

───── **942**

Ravi de l'excellent conseil que lui a donné un banquier, un multimilliardaire du Moyen-Orient lui demande :

— Comment pourrais-je vous remercier ?

— Je serais pleinement satisfait si vous m'achetiez deux clubs de golf.

Quelques jours plus tard, il reçoit cet e-mail du nabab :

« Vous ai acheté les deux clubs désirés. L'un est à Cannes, l'autre à Deauville. Les deux comportent une piscine, juste à côté du club-house. »

―――― *943*

En entrant dans la pièce où son mari est en train de regarder la télévision, une femme questionne :
— Quel est ce sport ?
— De la lutte gréco-romaine.
Après avoir jeté un coup d'œil à l'écran, la femme s'écrie :
— Je suppose que le gros moustachu est le Greco mais, franchement, la Romaine ressemble à un travelo.

―――― *944*

— J'ai entendu raconter, dit un journaliste à l'entraîneur de l'équipe de football Notre-Dame-du-Saint-Sacré-Cœur, que vous priez Dieu de venir à votre aide quand vous disputez un match.
— En effet.
— J'aimerais parler au curé qui accompagne vos joueurs à chaque fois qu'ils sont sur le terrain.
— Auquel de nos curés voulez-vous parler : à celui chargé de l'attaque ou à celui de la défense ?

―――― *945*

Un vacancier, qui se promène sur une jetée, aperçoit, dans le port, un bras qui sort de l'eau en brandissant une pancarte sur laquelle est écrit :
ON RECHERCHE D'URGENCE
BON MAÎTRE NAGEUR !

―――― *946*

Un manager de boxe raconte à un journaliste :
— Jamais je n'ai vu mon poulain aussi en colère.
— Le jour où il a disputé son premier championnat de France ?
— Non, le jour où je lui ai annoncé que j'en avais marre de sa femme et que, désormais, il devrait lui faire l'amour lui-même.

——— *947*

Un arbitre rentre au domicile conjugal très content de lui.

— Je crois, dit-il, que j'ai été particulièrement impartial, pour arbitrer le match de foot cet après-midi.

— Qu'est-ce qui te fait penser cela ?

— À la fin de la partie, les joueurs des deux équipes se sont unis pour me poursuivre jusqu'au vestiaire en me traitant de tous les noms et en me bombardant avec des canettes de bière vides.

——— *948*

Une femme qui s'est mise à jouer au golf rentre, accablée, d'un parcours particulièrement catastrophique.

Une de ses amies l'interroge :

— Alors, ce score ?

— Certains aveux sont pénibles à faire, dit la golfeuse. Pour vous donner une idée de celui concernant mon score, je préfère encore vous révéler mon âge.

——— *949*

Deux hommes, qui veulent entretenir leur forme, font du jogging dans les allées d'une forêt quand une superbe brune, dissimulée derrière un chêne, les appelle :

— Psst ! fait-elle en entrouvrant son manteau sous lequel elle est nue, ça vous dirait de laisser tomber vos petites âneries cinq minutes pour faire un peu de vrai sport ?

——— *950*

Dans un petit club de football de province, un nouveau joueur est surpris de voir que le terrain est envahi par une herbe haute de 50 centimètres.

— Qu'est-ce que c'est que ça ? dit-il.

— Malheureusement, se justifie l'entraîneur, comme les caisses du club étaient vides, nous avons dû, pour t'acheter à ton club précédent, vendre la tondeuse.

———— *951*

Un boxeur demande avec étonnement à un autre pugiliste :
— Qu'est-ce qu'on me raconte ? Tu as pris une femme comme entraîneur ?
— Oui. Et je m'en félicite. Parce que si elle aussi m'interdit les féculents, l'alcool et le tabac, en ce qui concerne les galipettes, elle en redemande.

———— *952*

— Quand je reçois quelqu'un qui cherche du travail, raconte un agent de recrutement, je lui tends la main pour le juger. Si sa poignée de main est molle, je l'élimine d'emblée. En revanche, j'ai engagé tout de suite un grand gaillard qui m'avait déboîté l'épaule droite.
— Vous auriez pu lui en vouloir.
— Certes, mais c'était exactement l'homme que recherchait un de mes clients, organisateur de spectacles sportifs : un bon catcheur.

———— *953*

En se relevant, le nez en compote, l'homme qui vient d'expérimenter la dernière invention du baron de Drais lui dit :
— Monsieur le baron, votre draisienne va révolutionner le domaine des transports – mais elle ne satisfera complètement ses utilisateurs que lorsque vous l'aurez équipée d'un bon système de freinage.

———— *954*

Un guide de montagne a complètement ficelé sa jolie cliente à l'aide de la corde qui les reliait l'un à l'autre.
— Et, à présent, lui dit-il, en ôtant son anorak et son pantalon de survêtement, ne criez pas et ne bougez pas. Vous mettriez en jeu la vie de centaines d'innocents en provoquant une avalanche.

———— *955*

— Quand je vais disputer un match, dit un boxeur, j'engage toujours ma belle-mère à parier une bonne somme sur moi. Ça me console de voir sa mine déconfite, quand je rentre à la maison, après avoir été mis K.O.

Nos chers petits

À l'école maternelle, Inès (4 ans) raconte à son copain de classe Sébastien :
— Ce grand voyou, là-bas, m'a dit plein de mots méchants. Il faut que quelqu'un aille lui mettre une bonne correction. Veux-tu t'en charger et devenir, ainsi, mon Chevalier blanc ?
— Euh...
— Ça te déplaît donc tellement d'être mon Chevalier ?
— Non, mais pour être vraiment blanc, il faudrait que je prenne une douche, et je n'aime pas cela du tout.

Mathis (5 ans) est très déçu en trouvant sous son oreiller, où il avait posé la dent qu'il avait perdue la veille, une pièce de 2 euros.
— La télé nous rebat les oreilles avec les tarifs fantastiques que pratiquent les dentistes, s'écrie-t-il, la Petite souris qui s'occupe des dents des enfants pourrait en tenir compte quand elle distribue ses cadeaux.

Deux garçons, tenant chacun un revolver en plastique, jouent aux hors-la-loi.
À chaque fois qu'ils appuient sur la détente, ils lancent un grand cri :
— Bang !
— Bang !
— Bang !
— Bang !
À un moment, l'un d'eux fait :
— Hic !
L'autre s'étonne :
— Cela veut-il dire que tu n'as plus de balles ?
— Non, juste que j'ai le hoquet.

————— *959*

Dans la cour de l'école, un enfant dit à un autre :
— Qu'est-ce qui prend à Théo d'avancer en sautant comme un kangourou ?
— Il manifeste sa fureur parce que la maîtresse a confisqué son yo-yo.

————— *960*

Un octogénaire confie à son médecin :
— J'ai épousé l'an passé une jeune femme de 25 ans et, aujourd'hui, elle est enceinte. Comment est-ce possible ?
— Je vais vous raconter l'histoire de ce chasseur canadien qui, en quittant son domicile, avait, par distraction, emporté son parapluie à la place de son fusil. Tout à coup, il se trouve face à face avec un énorme grizzly. Il saisit son parapluie, épaule, appuie sur la poignée et le gros ours tombe raide mort.
— Voyons, fait l'octogénaire, c'est impossible – à moins qu'un autre chasseur, armé d'un vrai fusil, celui-là, n'ait tiré à sa place.
— Voilà ce que je voulais vous faire dire. Ne voyez-vous personne qui aurait pu jouer ce rôle ?
— Non. Ma femme a bien un jeune cousin de 18 ans qui nous rend souvent visite – mais il n'est absolument pas chasseur.

————— *961*

Trois enfants s'apprêtent à patauger dans une piscine gonflable de 3 m de diamètre.
— On va jouer aux *Dents de la mer,* propose l'un d'eux. Mon petit frère n'a pas encore de dents. Il sera parfait pour tenir le rôle du requin mangeur d'hommes sans qu'on risque de se faire mordre.

————— *962*

Un commissaire-priseur tente d'endormir son jeune fils en disant :
— Il était une fois, deux fois, trois fois…
— Ah ! non, proteste le gamin, tu ne vas pas, une fois de plus, me raconter comment le Prince charmant, après avoir éveillé d'un baiser la Belle au bois dormant, a vendu son lit aux enchères !

——— *963*

Frédéric (8 ans) proteste quand ses parents lui reprochent son indifférence pour son petit frère qui vient de naître.

— Et pourquoi je ferais des sourires à celui qui m'a fait abandonner tout espoir d'avoir un jour le petit chien dont je rêvais ?

——— *964*

— Je ne sais pas ce que j'ai, dit une jeune fille au médecin qu'elle est venue consulter. Je grossis sans raison, depuis quelque temps.

— Déshabillez-vous, ordonne-t-il.

La fille obéit et le docteur, en jetant un coup d'œil à son ventre rebondi, comprend bien vite.

— Vous êtes sportive, je suppose, mademoiselle ? lui dit-il.

— En effet.

— Et quel sport pratiquez-vous ?

— Le basket.

— Alors, je ne vois que deux solutions : ou vous avez avalé un ballon de basket – ou vous êtes enceinte d'au moins six mois !

——— *965*

Une femme croise le moniteur d'auto-école qui lui a appris à conduire et s'étonne de le voir avec une jambe dans le plâtre.

Elle l'interroge :

— Que vous est-il arrivé ?

— Un accident de voiture.

— Ça alors, comment cela est-il possible alors que vous passez vos journées à prôner à vos élèves la prudence au volant ?

— J'aurais mieux fait d'apprendre à mon jeune fils à ranger ses petites voitures téléguidées au lieu de les laisser traîner dans l'entrée.

——— *966*

Récemment divorcée, une femme téléphone à son ex :

— Samedi, nos enfants, Mélissa et Alexandre, veulent que tu les emmènes au cirque et déjeuner chez McDo.

— Ce sera l'un ou l'autre, répond le papa.

— Bon, lequel des deux choisis-tu ?

— Ce sera Mélissa.

—————— *967*

Un fervent de pêche à la ligne, doublé d'un incorrigible vantard, arrive au bureau et raconte :
— Ça y est ! Je suis papa d'un beau petit garçon.
— Bravo. Combien pèse-t-il ?
— Il est vraiment petit.
— Mais encore ?
— Il fait un peu plus de cinq livres. C'est à peine si j'ai récupéré l'appât que j'avais utilisé pour le faire venir.

—————— *968*

— Je suis inquiète, dit une femme à un pédiatre, mon fils a manifestement des problèmes d'audition.
— Comment l'avez-vous constaté ?
— J'ai beau lui crier très fort : « Viens ranger ta chambre ! », il ne m'entend pas.
À voix basse, le pédiatre demande au gamin :
— Si je t'offre une bonne glace, à quel parfum la préfères-tu ?
L'enfant lui répond tout de suite :
— Vanille, chocolat. Merci, Monsieur.

—————— *969*

Julien (10 ans) surprend une conversation entre ses parents.
— Maintenant que nous avons un second enfant, dit son père, il va falloir qu'on déménage.
— Ce n'est pas la peine, proteste Julien, je suis sûr que ce petit vaurien serait capable de nous retrouver.

—————— *970*

Une femme annonce à son mari qui rentre du bureau :
— Aujourd'hui, notre bébé a fait trois choses, dont deux vont te rendre très fier.
— Dis vite.
— Il a percé sa première dent et fait ses premiers pas.
— Et la troisième ?
— En tombant, il s'est mordu la lèvre avec sa dent. C'est alors que, sous le coup de la colère, il a dit son premier mot.

———— *971*

— On va jouer à l'épicière, propose Maria (6 ans) à un camarade de son âge. Alors, tu entrerais dans ma boutique et tu me dirais : « Bonjour, madame l'épicière. Je voudrais un paquet de macaronis, une demi-livre de beurre pasteurisé, un kilo de sucre en morceaux n° 2 et une boîte de deux babas au rhum... »
— Je n'arriverai jamais à me rappeler un truc pareil, dit le gamin, mais j'ai une autre idée.
— Laquelle ?
— Je te tendrais une feuille en te disant : « Ma mère a écrit là-dessus tout ce qu'il lui faut. Merci de me servir tout cela. »

———— *972*

— Docteur, dit une femme, c'est terrible : mon bébé, que je tiens dans mes bras, a profité d'un moment d'inattention de mon mari qui rechargeait son fusil pour avaler une cartouche.
— Déshabillez-le, ordonne le médecin. Je vais l'examiner. Présentez-le moi, mais, surtout, pas de dos.

———— *973*

— Je suis inquiète, confie une femme à une voisine. Quand nous sommes revenus d'une soirée au cinéma, mon mari a proposé à la baby-sitter de la raccompagner en voiture à son domicile et il n'est pas rentré.
— Qu'y a-t-il de si inquiétant ?
— J'ai oublié de vous dire que ça date d'il y a trois ans.

———— *974*

Au cours d'un procès en divorce, une femme dit au juge :
— Je réclame la garde de mon bébé, il est à moi. Après tout, je l'ai porté dans mon ventre pendant neuf mois.
— Monsieur le juge, dit le père, quand, sur un quai de gare, vous mettez une pièce dans un distributeur automatique et qu'il en sort une tablette de chocolat, à qui appartient cette tablette : au distributeur automatique ou à celui qui y a introduit la pièce ?
— C'est bon, dit le juge au mari, vous aurez la garde de l'enfant.

—————— 975

En voyant son jeune fils rivé à son jeu vidéo, une maman s'écrie :
— Mais, enfin, pourquoi ne vas-tu pas jouer avec tes amis ?
— Je n'ai qu'un ami, répond le gamin, et je le déteste.

—————— 976

— Tout de même, ma tante, dit une adolescente, toi qui me fais des reproches sur ma conduite, tu es mal placée pour me critiquer d'avoir fait l'amour avec un copain. J'ai appris, par une indiscrétion, qu'un an avant ton mariage avec mon oncle, tu avais donné le jour à un petit garçon...
— Oh ! s'écrie la tante, un gamin qui pesait à peine trois livres à la naissance, ça ne vaut vraiment pas la peine d'en parler.

—————— 977

Madame Houdini est entrée dans une maternité pour accoucher d'un garçon.
La sage-femme qui l'assiste se penche entre les cuisses de la jeune femme et s'étonne :
— Mais où est-il, ce bébé ? Il était là, il y a un instant, et il a disparu.

—————— 978

Un homme raconte à son psy :
— Pris d'une crise de désespoir, j'avais décidé d'en finir avec la vie en me disant : « Tout ce dont j'ai été capable, avec ma pauvre femme, c'est de lui faire cinq enfants. »
— Et pourquoi avez-vous changé d'avis ?
— Au moment d'appuyer sur la détente du revolver, je me suis dit : « Et si tu allais tuer un innocent ? »

—————— 979

Il y a 2 000 ans de cela, un Romain raconte :
— J'ai été élevé par des parents très stricts. Quand je sortais, un soir, pour participer à une orgie, je devais absolument être de retour à la maison avant XI heures.

———— *980*

Un jeune homme fait une cour pressante à une femme mariée.

— Cédez-moi, lui dit-il. D'abord ce sera très chouette et puis cela fera plaisir à votre mari.

— Vous croyez vraiment, dit-elle, en souriant, que si je fais l'amour avec vous, cela fera plaisir à mon mari ?

— Certainement. Hier encore, je l'entendais soupirer : « Comme j'aimerais avoir un bel enfant. » Et, franchement, il est tellement laid que, s'il veut vraiment avoir un beau bébé, je crois qu'il vaudrait mieux que je l'aide.

———— *981*

— Tu as été bien sage, tout l'après-midi, dit une mère à son jeune fils. À quoi t'es-tu amusé ?

— 43 728, répond le gamin.

— Je te demande à quoi tu t'es amusé et non de me lancer un chiffre au hasard.

— Ce n'est pas du tout un chiffre lancé au hasard : 43 728, c'est exactement le nombre de plumes qu'il y avait dans mon oreiller.

———— *982*

Un enfant, très inquiet, questionne sa mère :

— C'est vrai que l'homme descend du singe ?

— En tout cas, c'est ce qu'affirment les savants. Pourquoi cela te tracasse-t-il ?

— Moi qui adore les bananes, je me demande si je suis complètement descendu.

———— *983*

Un couple va se séparer mais il se pose le problème de se répartir les trois enfants.

L'avocat suggère à la femme qui vient le consulter :

— Pourquoi ne pas attendre encore un an, afin que votre époux vous fasse un quatrième enfant ? Le partage serait alors facile : vous en prendriez deux chacun.

— Hélas ! soupire la malheureuse, si j'avais compté uniquement sur mon mari, je n'aurais même pas eu les trois premiers.

Ça brûle les planches

———— 984

Un cabotin discute avec le directeur de la salle où il doit jouer *Macbeth* avec une prestigieuse partenaire.

— Naturellement, lui dit le directeur, c'est le nom de cette célèbre comédienne qui viendra en tête sur les affiches.

— Si vous y tenez, répond le cabotin, mais j'exige que vous introduisiez mon nom par les mots : ET Alfred Dupaton.

Sa partenaire suggère avec un bon sourire :

— Pourquoi pas, plutôt : MALGRÉ Alfred Dupaton ?

———— 985

Un auteur dramatique a écrit une pièce dont les héros sont un couple de lapins.

Le directeur du théâtre le félicite :

— Au moins, cette histoire avec deux personnages est économique à monter.

— Deux personnages au début, corrige l'auteur, mais 300 à la fin.

———— 986

Une comédienne s'écrie après avoir lu l'article qu'un critique lui a consacré :

— Les bras m'en tombent !

— Que dit-il, donc ?

— Il me surnomme « La Vénus de Mélo ».

———— 987

Dans un mélodrame, une femme abandonnée par son amant tient dans ses bras son bébé de six mois qui gazouille :

— Gouzi... gouzi...

En s'arrachant les cheveux, le souffleur tente désespérément de lui rappeler son vrai texte :

— Areu... Areu...

——— *988*

— Ta pièce avance-t-elle ? demande un homme à un auteur dramatique débutant.

— Non, répond l'autre d'un air sombre. Et tout cela à cause de l'idiotie de mon héroïne.

— Comment cela ?

— J'avais écrit un premier acte excellent où un homme était follement amoureux d'une jeune fille. À la fin de ce premier acte, il lui demandait : « Isabelle, voulez-vous coucher avec moi ? »

— Et alors ?

— Cette petite imbécile lui a répondu : « Oui ». Si elle lui avait dit « non », je pouvais tenir trois actes de plus.

——— *989*

Un intermittent du spectacle raconte :

— À 16 ans, je m'étais dit : « Si jamais j'échoue dans tous les domaines, je me ferai comédien. »

— Et alors ?

— À 32 ans, je suis monté sur les planches. Et c'est alors que je me suis rendu compte qu'il restait un domaine où je n'avais pas encore échoué.

——— *990*

Un acteur se désole au lendemain d'une générale désastreuse.

— Notre représentation s'est terminée sous les sifflets.

— Tout de même, lui dit sa femme, j'ai entendu quelques applaudissements.

— Hélas ! Ils félicitaient les siffleurs.

——— *991*

Un tout jeune comédien vient d'épouser une volumineuse cantatrice de vingt ans son aînée. Au soir de leur nuit de noces, alors que, langoureusement étendue toute nue sur le lit, elle déploie ses charmes abondants, le pauvre garçon avoue :

— J'ai le trac. Je n'ai jamais joué sur une scène aussi vaste !

—————— *992*

Un passant, qui traversait sur un passage protégé, s'est fait renverser par une voiture. Une jambe coincée sous une roue, il lance une bordée d'injures au conducteur maladroit.

Un jeune homme s'élance de la foule et dit aux policiers qui assurent le service d'ordre :

— Laissez-moi passer.

— Vous êtes médecin ?

— Pas du tout : je suis comédien. Or, dans la pièce pour laquelle je viens d'être engagé, je dois incarner un contribuable qui exprime son mécontentement à son inspecteur des impôts – et apparemment, ce malheureux a trouvé exactement le ton juste.

—————— *993*

Un critique écrit à propos d'une pièce qui ne lui a pas plu du tout :

« Au théâtre Poquelin, le rideau se lève à 20 h 30 et les spectateurs, pour fuir vers la sortie, se lèvent à 20 h 45. »

—————— *994*

— Qui vient en aide à un acteur, affecté de pertes de mémoire, quand il joue au théâtre le rôle d'un marchand de quatre-saisons nommé Crainquebille ?

— **Le chou-fleur**.

—————— *995*

Un comédien famélique vient d'être engagé pour tenir le rôle d'un milliardaire.

Timidement, il demande au directeur du théâtre :

— Pourriez-vous m'avancer 10 euros que je me sente bien dans la peau de mon personnage ?

—————— *996*

— Je ne flirterai plus jamais avec un comédien, s'écrie une jeune femme, furieuse. J'en ai connu un, récemment qui, à peine après m'avoir été présenté, a entrepris de me mettre la main aux fesses.

— Il fallait te rebiffer.

— Je l'ai fait, mais tu ne connais pas ces cabots : les gifles, ils prennent ça pour des applaudissements.

——— *997*

Un ancien mime explique :
— Lorsque j'ai cessé de trouver des engagements au théâtre, je me suis reconverti.
— Comment cela ?
— Je me suis fait engager par un spécialiste du traitement de la surdité pour indiquer par gestes, aux patients qui attendent leur tour, qu'ils peuvent entrer dans le cabinet du médecin.

——— *998*

Un célèbre animateur de la télévision a décidé de monter sur les planches d'un théâtre pour présenter un one-man-show.
À sa grande fureur, il lit ce compte-rendu d'un critique :
« Le seul reproche que l'on puisse faire à ce spectacle, c'est qu'il y a vraiment trop de monde en scène. »

——— *999*

Une comédienne est formelle :
— Dans notre métier, il faut 10 % de talent, 20 % de séduction et 70 % de chance.
— Et les coucheries avec le metteur en scène ?
— Je les range dans les 10 % de talent. Et c'est vrai qu'en ce domaine, il en faut !

——— *1000*

Pendant une représentation de *La Bohème,* le ténor dit avec inquiétude à l'un de ses camarades de scène :
— Quelle est cette rumeur qui s'élève de l'orchestre ? Les spectateurs ont-ils monté une cabale contre moi ?
— Pas du tout ! Simplement, l'un d'eux a vu, sur son iPad, que le PSG avait gagné devant Marseille par 3 à 0 et il fait circuler, de bouche à oreille, la bonne nouvelle.

─── *1001*

— Je ne comprends pas, dit le directeur d'une salle de théâtre au metteur en scène, pourquoi, pour monter une œuvre contemporaine qui se déroule dans le milieu des traders de la finance, vous avez besoin d'un hallebardier.

— Dans toutes les œuvres dont j'assure la mise en scène, je glisse un hallebardier. Ce genre de personnage est bien pratique pour cogner de la pointe de sa hallebarde contre une loge où un spectateur endormi gêne ses voisins par ses ronflements.

─── *1002*

Un acteur a décidé de se marier sur le tard.

Au lendemain de sa nuit de noces, sa jeune femme lui confie :

— Chéri, je dois te faire une confidence. J'ai de l'asthme.

— Tu me rassures, dit-il, soulagé. Quand nous faisions l'amour, j'ai cru que tu me sifflais.

─── *1003*

Un metteur en scène raconte :

— J'avais prévu de monter *La Tempête* de Shakespeare mais, après avoir consulté Météo-France qui annonce un anticyclone, j'ai abandonné ce projet pour une pièce de Samuel Beckett : *Oh ! les beaux jours !*

─── *1004*

Un dramaturge soupire :

— C'est insupportable : une fois de plus, notre bébé se met à hurler en pleine nuit !

— Cela devrait te plaire, répond sa femme. Ses cris sont très clairs. Il réclame, inlassablement : « L'auteur, l'auteur ».

─── *1005*

Un dénicheur de talents est harcelé par un comédien qui sollicite un engagement.

— Laissez-moi vos coordonnées, lui dit-il, excédé. Je vous rappellerai pour jouer un vieillard.

— Mais, proteste le comédien, je suis tout jeune encore.

— Rassurez-vous. D'ici à ce que je vous rappelle, vous aurez largement l'âge du rôle.

—————— *1006*

Une jeune actrice vient d'épouser un admirateur, séduit par sa grâce virginale.

Au moment où elle s'introduit dans le lit conjugal, au soir de leur mariage, elle minaude, d'un air naïf :

— Chéri, j'ai le trac !

Son mari s'attendrit, mais il se renfrogne quand elle enchaîne :

— En amour, c'est exactement comme au théâtre. Même à la 500ᵉ, on a autant le trac qu'à la première.

—————— *1007*

Un très mauvais comédien qui s'est embrouillé dans ses répliques a suscité, dans le public, de nombreux sifflets. Il jette un coup d'œil désespéré vers le trou du souffleur et voit que ce dernier a disparu, en laissant en évidence une pancarte portant ce simple mot :
DÉGAGE !

—————— *1008*

— Je regrette, dit l'auteur d'une nouvelle pièce à un incorrigible cabotin, mais j'ai prévu que vous mourriez au deuxième acte. Vous mourrez donc au deuxième acte. Tout ce que je peux faire pour vous c'est modifier la manière dont vous allez mourir.

— C'est-à-dire ?

— Au lieu de vous tirer brutalement une balle dans la tête, vous subirez les effets d'un plat de champignons vénéneux que vous aurez absorbé la veille. Cela vous permettra, pendant tout le deuxième acte, de pousser quelques gémissements plaintifs pendant que vos camarades festoieront en mangeant un bon gigot aux flageolets.

—————— *1009*

Une mère accueille sa fille à la maison. Celle-ci tire de son sac un poignard de carton avec lequel elle fait semblant de se poignarder, tout en éclatant en sanglots.

— Ce n'est pas la peine de faire tout ce cinéma, dit la mère. Dis-moi simplement que tu as échoué à l'examen de fin d'année de ton cours d'art dramatique.

Les extraterrestres débarquent

———— 1010

Deux astronautes foncent dans l'espace à bord de leur fusée. Soudain, l'un d'eux dit à son compagnon :
— Qu'est-ce qui évolue juste devant nous ?
— Une sorte d'énorme tasse à café dans laquelle plonge une espèce de cuillère géante.
— Je vois exactement la même chose. À ton avis, tu crois qu'on doit prévenir les techniciens de Cap Canaveral ?
— Sûrement pas ! Ils se sont déjà assez moqués de nous quand on leur a dit qu'on avait vu des soucoupes.

———— 1011

Deux habitants de la Lune, bien dissimulés, observent un astronaute américain qui ramasse quelques cailloux pour les rapporter sur Terre, lors de son voyage de retour.
— Ça alors, s'étrangle l'un d'eux, quel culot ! Il cueille les plus belles fleurs de notre jardin !

———— 1012

Le directeur de la Nasa dit à un journaliste :
— En se dirigeant ensemble vers ce que nous pensions être les confins du système solaire, trois de nos sondes ont découvert une galaxie inconnue.
— C'est assez étonnant, en effet. Et comment ces trois sondes s'appellent-elles ?
— La *Niña*, la *Pinta* et la *Santa Maria*.

——— *1013*

Un cosmonaute russe, qui devait être ramené sur Terre après avoir passé un an dans un vaisseau spatial, est avisé que, faute de crédits, il devra attendre six mois supplémentaires la fusée prévue pour assurer son voyage de retour.

« Je suis habitué à attendre interminablement un moyen de transport, répond-il. Pendant douze ans, à Moscou, chaque matin, pour me rendre au travail, j'ai attendu le bus 41. »

——— *1014*

Deux extraterrestres en forme de ballons de football regagnent leur planète natale, à bord de leur soucoupe volante.

Très déçus, ils racontent :

— Nous pensions que les Terriens allaient se montrer amicaux avec nous. En fait, ils nous ont accueillis à coups de pied.

——— *1015*

Un homme entend un de ses amis qui répète, avec conviction :

— Krakmouchtwir zim floc grumph... krakmouchtwir zim floc grumph...

Il questionne :

— Quelle langue parles-tu ?

— Je ne sais pas mais, en tout cas, c'est ce que je répondrai au premier extraterrestre qui me demandera son chemin – pour bien lui montrer qu'il ne m'impressionne pas avec son charabia.

——— *1016*

Deux extraterrestres ont posé leur véhicule spatial sur un minuscule îlot du Pacifique.

— Si notre GPS ne nous trompe pas, dit l'un d'eux, nous devons être sur le Champ de Mars, à Paris. Alors, première mission : repérer la tour Eiffel.

——— *1017*

Un journaliste, désespéré, dit au barman :

— Depuis ce matin, je parcours le quartier en cherchant vainement l'extraterrestre dont plusieurs habitants ont signalé la présence. J'abandonne. Servez-moi un double whisky et dépêchez-vous, s'il vous plaît.

— Une minute, répond le barman. Ne soyez pas si pressé. Je fais ce que je peux mais, tout de même, je n'ai que cinq bras.

Faits d'hiver et d'été

—————— *1018*

Une femme du meilleur monde pensait avoir trouvé un excellent moyen de dissuader un éventuel cambrioleur en inscrivant, sur le coffret dans lequel elle rangeait ses émeraudes et ses rubis :

« Ces bijoux sont faux. Les vrais sont enfermés dans un coffre, à la banque. »

Un matin, elle trouve le coffret vide avec ce petit mot ironique :

« Le voleur qui a dérobé ces bijoux est lui-même un faux. Le vrai est en vacances sur la Côte d'Azur. »

—————— *1019*

Un faux-monnayeur est dans son atelier en train de fabriquer des billets de 100 euros.

— Papa, lui dit son jeune fils, il faudrait que tu signes mon carnet de correspondance.

— C'est quand même extraordinaire, s'écrie le faussaire, qu'à ton âge tu ne sois pas encore capable d'imiter ma signature !

—————— *1020*

Un chef de la Mafia dit à l'un de ses hommes de main :

— J'en ai assez de ce mime qui tente de nous ridiculiser dans ses spectacles. Descends-le d'un coup de pistolet bien ajusté.

— Entendu patron. Mais, je pense que, dans son cas, je dois équiper mon arme d'un silencieux.

——— *1021*

Une femme qui est venue faire une déposition au commissariat de son quartier tombe en arrêt devant une affiche reproduisant le visage d'un jeune et beau malfaiteur, avec ce commentaire :

On recherche Antonio G...

Une prime est offerte pour sa capture

20 000 euros

La femme dit au commissaire :

— J'offre 25 000 euros !

——— *1022*

Un homme donne un conseil à son ami qui est un grand voyageur :

— Si tu t'aventures dans certains quartiers de New York comme le Bronx, mets ton argent en sûreté.

— Dans une pochette autour de la taille, bien cachée sous ma chemise ?

— Je pensais plutôt à une banque en Suisse.

——— *1023*

Un pickpocket qui traversait sur un passage piéton est renversé par un motocycliste.

Les deux hommes roulent à terre puis le motocycliste saute sur sa machine et s'enfuit.

Un agent s'approche de la victime, gisant à terre :

— Avez-vous eu le temps de relever le numéro d'immatriculation de sa moto ?

— Mieux que cela, répond le pickpocket. Voici son portefeuille.

——— *1024*

— En arrivant dans ce quartier chaud, raconte un homme, je suis tombé sur deux bandes de voyous qui en étaient venus aux mains. J'ai voulu m'éloigner rapidement, mais l'un de ces individus avait déjà tiré et une balle m'a dépassé en me frôlant une oreille.

— Et alors, qu'avez-vous fait ?

— Je me suis mis à courir et j'ai dépassé la balle.

——— *1025*

— Chef, dit un policier, j'ai enfin arrêté Bob l'Incendiaire.
— N'accusez pas sans preuve, dit le commissaire. Êtes-vous bien sûr que c'est lui ?
— Certain. J'en ai la preuve : il m'a demandé de lui prêter mon briquet, théoriquement pour allumer une cigarette. Et il en a profité pour mettre le feu à mon pantalon.

——— *1026*

Une descente de police a été effectuée dans une boîte de nuit.
L'un des policiers dit à une policière qui fait partie de son équipe :
— On va procéder à une fouille à corps de tout ce joli monde. Moi, je prends les hommes, toi, tu t'occuperas des femmes. Pour l'Écossais en kilt, on va tirer à pile ou face.

——— *1027*

On peut lire cet avis sur la porte d'un détective privé :
« Si je ne suis pas là, laissez simplement vos
empreintes digitales sur le bouton de sonnette.
Dès mon retour, après vous avoir identifié,
je vous rappellerai. »

——— *1028*

Un homme qui promenait son teckel dans une rue obscure a été attaqué par un rôdeur qui lui dérobe son portefeuille.
— On peut dire, s'écrie le promeneur, que vous avez de la chance !
— En quoi ai-je de la chance ? demande le malfaiteur.
— Dès demain, j'emmène mon chien à un cours de dressage pour en faire une bête féroce.

——— *1029*

Un policier qui regarde les images prises par les caméras de surveillance, installées dans le quartier, dit à un collègue :
— C'est la 25e fois, depuis ce matin, que je vois la même femme, souriant aux diverses caméras. On le saura qu'elle s'est fait blanchir les dents !

———— *1030*

Le président interroge la ravissante blonde venue témoigner en faveur d'un malfaiteur.

— Avec qui étiez-vous la nuit du crime ?

— Avec un homme.

— Et la veille ?

— Avec un homme.

— Et le lendemain ?

— Avec un homme.

— Et avec qui serez-vous la nuit prochaine ?

— Excusez-moi, coupe l'avocat général mais, tout à l'heure, pendant une suspension d'audience, j'ai déjà posé cette question à cette belle personne... et sa réponse m'a donné toute satisfaction.

———— *1031*

Ayant abandonné l'idée d'équiper son appartement d'un système d'alarme efficace, un homme dissuade, désormais, d'éventuels cambrioleurs en apposant cet avis sur sa porte lorsqu'il sort :

« Chérie, ne t'approche pas de notre boa qui parcourt nerveusement tout notre logement. Je vais lui acheter son repas car il semble prêt à dévorer n'importe quoi. »

———— *1032*

À la grande époque de la conquête de l'Ouest, un bandit se désole :

— J'ai été en mon temps l'ennemi public n° 1. Je ne suis plus aujourd'hui que le n° 2 347.

— Qu'est-ce qui te fait penser cela ?

— Les affiches placardées par le shérif. Autrefois, ma tête était mise à prix à 5 000 dollars, à présent, on en est à 50 cents.

———— *1033*

Dans un port d'une région en pleine anarchie, un homme dit à sa femme :

— Je suis tombé nez à nez avec le chef de la bande de pirates qui a vidé notre maison de la totalité de son mobilier.

— Comment l'as-tu reconnu ?

— Facilement : il s'est fait confectionner une jambe de bois avec un pied d'un de nos superbes fauteuils Louis XVI.

—————— *1034*

— Quand j'ai émigré d'Europe aux États-Unis, raconte un multimillion-
naire en dollars, je ne parlais pratiquement pas l'anglais. Je me suis imposé
avec les trois seuls mots que je connaissais.

— « Je vous aime » ?

— Non : « Haut les mains ! »

—————— *1035*

— Je m'étais aventuré dans un quartier de Paris particulièrement mal
fréquenté, raconte un automobiliste. Je gare ma voiture. Je fais quelques
pas et je tombe sur une sorte de marché aux puces. Et là, devine ce qu'un
marchand ambulant me propose d'acheter à un prix défiant toute concurrence ?

— Je ne sais pas.

— Mes enjoliveurs.

—————— *1036*

Le téléphone sonne à Police Secours.

— Allô, dit un homme d'une voix haletante, venez vite au 48 rue de la
Gare. Un cambrioleur s'est introduit au domicile d'un champion de sumo.

— Vous êtes sans doute ce champion.

— Non, je suis le cambrioleur. Et cette grosse brute, après m'avoir jeté
à terre, s'est assise sur mon dos.

—————— *1037*

Le policier chargé d'enregistrer les plaintes au commissariat, dit à
l'homme qui vient signaler un vol de véhicule :

— Vous me racontez qu'il s'agit d'une longue voiture rouge, surmontée
d'une grande échelle et dont l'avertisseur fait « pimpon, pimpon ». Soyez
un peu plus précis si vous voulez qu'on ait une chance de retrouver un jour
votre véhicule. Voyons, la voiture est-elle d'un rouge carmin ou d'un rouge
vermillon ?

Allô, je coûte

───── *1038*

Yanis s'amuse en voyant sa copine Marie-Lou saisir son téléphone en plastique et appeler :
— Fido, viens ici.
— Comment veux-tu, lui dit-il, que ton chien t'obéisse alors que ton téléphone est un simple jouet ?
— Tu as raison, mais je vois arriver quelqu'un qui, manifestement, a entendu mon appel.
— Qui cela ?
— Mon ours en peluche.

───── *1039*

Dans une rame de métro bondée, un homme exaspère les voyageurs en pleurnichant, au cours d'une interminable conversation téléphonique avec sa petite amie.
À un moment, il lui dit :
— Loin de toi, je me sens misérable...
Sans s'être concertés, tous les voyageurs enchaînent dans un grand éclat de rire :
— ... De lapin !

───── *1040*

Un homme a été alléché par cette annonce :
« Appelez ce numéro et vous pourrez faire l'amour par téléphone. »
Il compose le numéro en question. Une voix de femme lui répond :
— J'aimerais, lui dit-il, que tu m'amènes au plaisir uniquement par nos échanges verbaux.
— Pas ce soir, chéri, lui dit sa correspondante, j'ai une otite.

——— *1041*

— Non, dit un homme à l'adolescent qui appelle sa fille au téléphone, je ne suis pas votre petite abeille adorée. Elle n'est pas encore rentrée à la ruche. À propos de rentrées tardives, je vais vous passer la reine mère qui a deux mots à vous dire à ce sujet, et cela ne devrait pas manquer de piquant.

——— *1042*

— J'ai fait installer un téléphone dans ma voiture, raconte un automobiliste à un autre.
— Ça doit être pratique.
— Ouais. Sauf quand on est tranquillement assis à table et que, pour répondre à un appel, il faut courir jusqu'au garage.

——— *1043*

Une femme confie à un psy :
— Après que je l'ai écouté avec la plus grande attention, je reste persuadée qu'il me dissimule des choses.
— Vous parlez de votre mari ?
— Non, de mon répondeur téléphonique.

——— *1044*

— On va faire passer un test à l'individu qui me harcèle au téléphone, dit une femme à son mari.
— Si tu veux.
— La prochaine fois qu'il appellera, réponds-lui, en t'excusant de te présenter tout nu à l'appareil parce que tu étais en train de prendre ton bain. S'il fait : « beurk » et qu'il raccroche, visiblement horrifié à cette idée, c'est qu'il s'agit de quelqu'un qui nous connaît bien, tous les deux.

——— *1045*

— Comment, lorsque vous faites l'amour, demande un conseiller conjugal, vous rendez-vous compte, que votre femme va avoir un orgasme ?
— Elle branche son portable et dit à sa meilleure amie : « Raconte-moi les derniers ragots. Je suis toute... **ouïe**.

———— *1046*

— Un de mes patients, raconte un psychiatre, était persuadé d'avoir avalé un téléphone mobile hors d'état de marche. À chaque fois qu'on lui adressait la parole, il répondait en imitant la sonnerie « pas libre ».
— Vous l'avez traité ?
— Pendant cinq ans, à raison de trois séances par semaine.
— Et vous l'avez guéri ?
— Totalement. À présent, quand on lui parle, il répond, à haute et intelligible voix : « Il n'y a pas d'abonné au numéro que vous avez demandé. »

———— *1047*

Trois hommes voient passer une superbe créature.
Le premier s'écrie :
— *Qu'elle* est belle !
Le deuxième :
— *Quelle* jolie blonde !
Et le troisième :
— *Quel* est votre numéro de téléphone ?

———— *1048*

Une femme répond au téléphone :
— Je regrette, madame, mais vous avez fait un faux numéro.
Et elle crie à son mari, installé sur le canapé, à regarder la télévision :
— Apporte-moi une chaise que j'explique à cette grande distraite qu'elle s'est trompée, mais que je ne lui en veux pas un instant et qu'on peut quand même échanger quelques potins.

———— *1049*

— Ma standardiste, raconte le patron d'une petite entreprise, a l'habitude d'écouter toutes mes conversations téléphoniques.
— Cela semble beaucoup vous amuser.
— Oui, parce que, de mon côté, et sans qu'elle s'en doute, j'écoute tout ce qu'elle raconte à ses copines à propos de ses amours tumultueuses – et je vous jure que c'est beaucoup plus amusant que les échanges que j'ai avec mes clients et mes fournisseurs.

──── *1050*

Un homme qui a décroché le téléphone dit à sa femme :
— C'est ta sœur. Tu veux que je l'amuse cinq minutes, pendant que tu révises ce que tu vas lui raconter sur notre train de vie pour la faire crever d'envie ?

──── *1051*

Un leader de l'opposition confie par téléphone à un journaliste :
— Je suis persuadé que le ministre de l'Intérieur fait écouter ma ligne.
Dix minutes plus tard, il reçoit ce SMS :
« Ce n'est pas vrai. »

──── *1052*

Un homme rentre chez lui et branche son répondeur.
— Allô, dit un de ses correspondants, dans ton message d'accueil, tu dis qu'on doit se mettre à parler après avoir entendu le *bip* sonore. Or, ce que j'ai entendu est plutôt un *grommph* qu'un bip. Dans le doute, je préfère m'abstenir. Rappelle-moi pour me certifier que c'est bien un *bip* et, je te laisserai alors un message.

──── *1053*

Alors qu'il interprète une sonate de Schubert, un pianiste entend la sonnerie du portable d'un de ses auditeurs.
Sans se démonter, tout en continuant de jouer, il fait rire la salle en criant :
— Si c'est pour moi, dites-lui que je suis occupé.

──── *1054*

— Je te rappelle, dit une femme à sa mère. En ce moment, j'ai une discussion avec mon mari à propos d'une éventuelle augmentation de son argent de poche et, en tenant mon portable, je n'arrive pas à lui serrer le cou d'une seule main.

——— *1055*

Le directeur d'une petite entreprise tend le téléphone à l'un de ses employés en lui disant :
— C'est ma femme qui va encore me casser les pieds avec ses projets pour les prochaines vacances. Faites-vous passer pour moi.
— Je veux bien, Monsieur le directeur, mais que dois-je lui dire ?
— Rien d'autre que, toutes les dix secondes : « Oui, ma chérie. »

——— *1056*

Un homme appelle sa banque en fin d'après-midi. Une femme décroche et dit :
— Allô ?
— Je voudrais savoir, dit l'homme, quel serait le montant des intérêts pour un prêt de 27 350 euros au taux de 4,85 % que vous proposez actuellement ?
— Excusez-moi, répond la femme, mais en vous disant : « Allô », je vous ai dit tout ce que je sais en ce qui concerne l'activité de cet établissement.
— Vous n'en êtes donc pas la directrice ?
— Non. Juste la femme de ménage.

——— *1057*

Un homme aux blessures multiples ouvre les yeux au service des urgences d'un hôpital.
Une infirmière l'interroge :
— Comment vous êtes-vous mis dans un tel état ?
— C'est une folle imprudence de ma part. J'étais en train de téléphoner quand le drame s'est produit.
— Et vous étiez au volant de votre voiture ?
— Non. Je marchais sur un trottoir. Mais je n'avais pas vu que des ouvriers avaient ôté une plaque d'égout.

——— *1058*

— Non, madame Durandot, répond un homme au téléphone, ma femme n'est pas là pour l'instant, mais, si vous me laissez un message, avec ma tête, je ne manquerai pas d'oublier de lui dire que vous l'avez appelée.

───── *1059*

— Avec le succès, dit un homme, Georges, mon ancien camarade de lycée, devenu un grand industriel, est désormais inaccessible.

— C'est-à-dire ?

— Autrefois, quand je l'appelais au téléphone et qu'une standardiste me mettait en attente, en me passant un peu de musique pour me faire patienter, je m'en tirais avec la *Valse minute* de Chopin. J'ai renouvelé l'expérience hier, et avant qu'on me le passe, il m'a fallu subir l'interminable *Boléro* de Ravel.

C'est du beau !

───── *1060*

— En me regardant chaque matin dans mon miroir, raconte une femme, j'avais le sentiment que ma beauté était un gros capital que je voyais fondre beaucoup trop vite. Et puis, à 50 ans, j'ai gagné le gros lot à Euromillions.

— Comment cela ?

— J'ai confié mon visage à un excellent spécialiste de chirurgie esthétique.

───── *1061*

— On m'a rapporté, dit une femme à son mari, que ma meilleure amie chez laquelle nous allons passer la soirée m'a surnommée « Le Pivert ». Je me demande bien pourquoi ?

— Je n'en ai pas la moindre idée. Bon, nous voilà à destination : frappe violemment du nez contre sa porte pour lui signaler notre arrivée.

───── *1062*

— Notre fille, raconte une femme à son mari, s'est fait tatouer un papillon multicolore.

— Tatouer un papillon ! Où ça ?

— D'après ce qu'elle m'a dit, dans une petite boutique du 14e arrondissement.

───── *1063*

— On a le sens de l'économie chez nous, dit une Écossaise. Pour nettoyer son tuyau de pipe, mon mari a longtemps utilisé deux mille-pattes. Et, depuis deux mois, je les porte comme faux cils.

——— *1064*

— Mon mari, raconte une femme, est ce qu'on appelle un joyeux luron. Avec ses histoires drôles, il n'a pas son pareil pour dérider une assemblée. Au point qu'aucun de ses amis ne l'appelle plus par son prénom, Bertrand, mais par son surnom : Botox.

——— *1065*

Une jeune femme répond à l'homme qui lui a fait des avances dans un bar :
— Vous savez que vous pourriez parfaitement être mon genre – si j'étais une femelle chimpanzé.

——— *1066*

Assise devant sa coiffeuse, une femme demande à son mari :
— Tu me trouves belle ?
— Avant de répondre à cette question, j'aimerais boire un bon scotch. Dès que j'ai un verre dans le nez, c'est fou comme je deviens indulgent !

——— *1067*

Deux femmes parlent de chirurgie esthétique. L'une d'elles émet des doutes sur le bien-fondé des opérations de chirurgie plastique. L'autre avance un argument qu'elle juge irrésistible :
— Regarde plutôt mon nez : à 29 ans, je l'ai confié aux bons soins d'un de ces spécialistes.
L'autre s'étonne :
— Et il a réussi à te le rallonger ?

——— *1068*

— Quand tu te maquilles, le matin, demande une femme à une amie, c'est avec l'intention de plaire à ton mari ?
— Dans un deuxième temps, oui. Mais, mon premier désir est de plaire à mon miroir.

——— *1069*

Une dame que la Nature n'a pas gâtée vient à confesse :
— Avez-vous, lui demande le curé, une seule bonne action à votre actif ?
— Eh bien, en ne fermant pas mes rideaux quand je me déshabille le soir, j'ai puni plusieurs voyeurs de leur curiosité.

——— *1070*

Deux boutiques contiguës affichent respectivement :
Un café :
    « Fermé pour embellissements. »
Et un institut de beauté :
    « Ouvert pour embellissement. »

——— *1071*

— Je n'y comprends rien, dit la méchante belle-mère de Blanche-Neige, j'ai posé à mon miroir magique la question classique : « Suis-je toujours la plus belle femme de mon royaume ? »
— Et alors ?
— J'ai d'abord cru entendre une sorte de ricanement, puis j'ai vu défiler sur le miroir les adresses des meilleurs spécialistes de chirurgie esthétique.

——— *1072*

Un industriel, qui s'apprête à prendre le petit déjeuner, voit surgir sa femme en bigoudis, le visage encore enduit de la crème dont elle se tartine, avant d'aller se coucher.
— J'aimerais, lui dit-il, que mon service de sécurité manifeste autant d'efficacité pour protéger nos brevets, que toi, lorsque tu te mets en tête de dissimuler tes secrets de beauté.

——— *1073*

Un institut de beauté attire ses clientes avec cette annonce :
    « Nos esthéticiennes vous promettent qu'après 3 mois de soins,
        vous paraîtrez 10 ans de moins.
Les cas absolument désespérés bénéficieront d'un voyage à Lourdes. »

——— *1074*

Deux bonnes amies parlent d'une troisième :
— Eva, dit l'une, doit toute sa beauté à son père.
— Son père est si beau que ça ?
— Non, mais c'est un as de la chirurgie esthétique.

——— *1075*

— Quel est ton principal défaut ? demande une femme à une collègue de bureau.
— La vanité. À chaque fois que je passe devant un miroir, je me contemple dedans et je me trouve belle.
— Permets-moi une légère correction, dit sa collègue. Ton principal défaut moral est, certes, la vanité, mais ton principal défaut physique, incontestablement, c'est la myopie.

——— *1076*

— Tu as vu la nouvelle ? dit une collégienne à une autre. Elle louche.
— Ne lui fais pas remarquer cela, tu la ferais pleurer. Et elle louche tellement que les larmes de l'œil droit risquent de couler sur sa joue gauche et inversement.

——— *1077*

L'assistante d'un chirurgien esthétique l'avertit de l'arrivée d'un de ses patients aux oreilles en chou-fleur :
— George Clooney est là !
Et comme l'homme semble étonné, elle précise :
— Je veux dire qu'il sera là *après* l'opération, bien sûr.

LE PISSEUR DE RODIN

Justice est fête

──────── *1078*

Un magistrat dit à son greffier :
— Vous qui étiez tout près de l'inculpé, avez-vous entendu ce qu'il a marmonné alors qu'il me regardait ?
— Certainement Monsieur le juge, vous êtes un crétin.
— Pardon ?
— Je veux dire : ouvrez les guillemets : Monsieur le juge, vous êtes un crétin. Fermez les guillemets.

──────── *1079*

La femme d'un détenu lui rend visite en prison.
— J'avais eu l'idée, lui dit-elle, pour t'aider à t'évader, de dissimuler une lime à métaux dans la partie la plus intime de mon individu. Mais cela m'a fait de telles sensations que je suis devenue la maîtresse d'un serrurier.

──────── *1080*

Un journaliste s'étonne auprès du maire d'un minuscule village.
— Vous n'avez pas de prison ?
— Cela dépasserait nos moyens.
— Mais, comment faites-vous quand quelqu'un commet une infraction ?
— Je le confie à l'institutrice pour qu'elle le mette au coin.

──────── *1081*

Un pickpocket raconte :
— Quand je suis passé en correctionnelle, j'étais sur le point d'être acquitté, tant mon avocat s'était montré convaincant. C'est alors que le président du tribunal s'est aperçu qu'on lui avait volé son portefeuille.

—————— *1082*

La nouvelle bonne d'un grand avocat, allongée toute nue sur le lit, s'étonne :

— Maître, pourquoi, avant de me rejoindre pour faire l'amour, revêtez-vous votre robe ?

— Afin d'être plus à l'aise, répond-il, pour plaider ma cause au cas où ma femme rentrerait à l'improviste.

—————— *1083*

Un juge qui faisait du vélo est tombé.

Un journaliste qui passait par là interroge le policier qui a appelé une ambulance pour évacuer ce malheureux vers l'hôpital voisin.

— Souffre-t-il de graves blessures ?

— Oui.

— Où cela ?

— À un endroit que la décence m'interdit d'évoquer.

— Pourriez-vous être plus précis ?

— Je me contenterai de vous préciser qu'avant cet accident, qui risque de le laisser handicapé, c'était un magistrat *du Siège*.

—————— *1084*

Dans une maison d'arrêt, un détenu demande au gorille qui partage sa cellule :

— Qu'est-ce qui t'a amené là ?

— J'ai voulu aller trop vite, dans l'évolution, explique le gorille et je me suis mis à me conduire comme un homme.

—————— *1085*

Un juge d'instruction raconte :

— Je me suis trouvé, voilà quelques années, aux prises avec une femme mise en examen qui refusait obstinément d'ouvrir la bouche. J'ai vite compris qu'il n'y avait qu'un moyen de la faire parler.

— Lequel ?

— Je l'ai épousée. Et, depuis, c'est un moulin à paroles !

——— *1086*

— J'ai brisé un miroir, raconte un homme, et je me suis affolé en me disant que j'en avais pour sept ans de malheur.
— Alors, qu'avez-vous fait ?
— J'ai appelé mon avocat et j'ai bien fait. Il pense que, grâce à lui, je devrais m'en tirer avec cinq ans seulement.

——— *1087*

Au parloir d'un établissement pénitentiaire, une femme qui rend visite à son mari, détenu, lui demande :
— Quelle langue étrangère comptes-tu étudier pendant les sept ans où tu vas rester prison : l'espagnol ou le portugais ?
— Et pourquoi est-ce que j'apprendrais une de ces deux langues ?
— Pour faire bonne figure auprès de nos amis et connaissances quand tu reviendras à la maison. Je leur ai dit que tu avais été envoyé en Amérique du Sud par ton employeur mais, selon ce que tu décideras, je pourrai leur préciser si c'est en Argentine ou au Brésil.

——— *1088*

— Enfin, vous voilà ! dit le juge au président du jury. Expliquez-moi pourquoi il vous a fallu trente-six heures pour rendre votre verdict.
— En ce qui concerne l'accusé, l'accord s'est fait en une demi-heure pour le condamner à la perpétuité. Mais les discussions sont devenues houleuses quand il a fallu déterminer qui jouerait mon rôle dans l'adaptation au cinéma de ce procès : je tenais pour Leonardo DiCaprio alors qu'une majorité des jurés préférait Jim Carey, qu'ils trouvent beaucoup plus drôle.

——— *1089*

La femme d'un petit bandit, détenu depuis plus d'un an, lui rend visite au pénitencier. Montrant son ventre rebondi, elle commente :
— Je ne dirai qu'une chose de ton avocat : c'est qu'il est meilleur en attaque qu'en défense.

CONDAMNÉ À UNE
PEINE D'INTÉRÊT COLLECTIF,
VOUS ÊTES ASSIGNÉ À
REPEINDRE LE TRIBUNAL.

————— *1090*

— J'ai débuté dans la vie comme avocat, raconte un homme. Pour ma première plaidoirie, j'avais écrit un texte qui, dans mon esprit, devait faire fondre en larmes le jury et entraîner l'acquittement de mon client.
— Et le jury n'a pas pleuré ?
— Si, mais de rire. C'est alors qu'en découvrant mes qualités de comique, j'ai abandonné le barreau pour monter sur scène avec un hilarant one-man-show.

————— *1091*

Un cambrioleur demande à sa femme qui vient lui rendre visite en prison.
— Est-ce que tu penses à moi ?
— Tous les soirs, répond-elle. Quand je me barricade, avec trois verrous et une chaîne de sécurité pour ne pas risquer d'avoir affaire à un individu de ton espèce.

————— *1092*

Le président du tribunal dit au témoin qu'il vient d'interroger :
— Manifestement, vous êtes très intelligent.
À quoi l'homme répond :
— Si je n'avais pas fait le serment de ne dire que la vérité, je vous retournerais volontiers le compliment.

————— *1093*

Un homme est condamné en correctionnelle à une lourde amende. On lui demande :
— Supposez que vous vous trouviez sur une île déserte avec l'Abominable Homme des neiges, le monstre du Loch Ness et un brillant avocat. Pour vous défendre, vous ne disposez que d'un pistolet et de deux balles. Que faites-vous ?
— De ma première balle, je tue l'avocat.
— Et de la seconde ?
— Je l'achève.

—— 1094

Un éminent membre du barreau reçoit une jeune avocate qui souhaite se faire engager.

— Je ne suis pas du tout contre cette idée, lui répond-il. Encore faut-il que je vérifie par moi-même vos connaissances en matière pénale. Si vous le voulez bien, on va faire une expérience.

— D'accord.

— Bien. Je vais vous forcer à faire l'amour sur la moquette et, ensuite, vous me montrerez comment vous plaideriez ma cause pour que j'obtienne les circonstances atténuantes.

—— 1095

Un avocat rend visite à l'un de ses clients, incarcéré.

— Je vous avais promis, lui dit-il, quand je vous ai présenté une note d'honoraires de 2 000 euros, que j'emploierais tous mes efforts à vous faire sortir d'ici. Voilà qui est fait.

— Alors, je vais être remis en liberté ?

— Non, mais on va vous changer de cellule.

—— 1096

La fée Clochette, un avocat honnête et un SDF voient par terre un billet de 50 euros.

Qui ramassera le billet ?

— Le SDF. Les deux autres sont des personnages imaginaires.

—— 1097

Le président du tribunal dit à un témoin :

— Jurez de dire la vérité, toute la vérité, rien que la vérité. Levez la main droite et dites : « Je le jure ».

— C'est très exactement ce que je fais à longueur d'année, monsieur le président. Sauf en ce qui concerne l'âge et le poids de ma femme : j'enlève toujours une marge de 20 % par courtoisie.

—— 1098

Une belle rousse qui va passer en justice demande à son avocat :

— Dois-je tout dévoiler aux juges ?

— Non, mais prévoyez tout de même une jupe très courte qui découvre largement vos cuisses.

──────── *1099*

Un jeune homme qui a fait son droit veut s'établir comme avocat. Il va trouver son père auquel il dit :

— Pour que je puisse ouvrir mon cabinet, il faudrait que tu me prêtes 50 000 euros. En faisant cela, tu me donneras l'occasion de plaider ma première cause – quand tu m'intenteras un procès pour que je consente à te rendre cet argent.

──────── *1100*

Un magistrat que sa femme a envoyé exceptionnellement faire les courses, dit au boucher :

— N'oubliez pas que vous êtes sous serment. Pouvez-vous m'affirmer que le bifteck haché que vous me vendez est à base de bœuf et uniquement de bœuf ?

──────── *1101*

Une belle jeune femme qui a accepté de dîner avec un avocat lui dit :

— J'ai entendu raconter tellement d'horreurs sur votre compte ! C'est peut-être le moment, pour vous, de passer aux plaidoiries.

Repos à loisir

────── *1102*

À la kermesse paroissiale, une jeune femme dit à un visiteur :
— Achetez-moi un billet pour notre grande loterie.
— Et qu'est-ce que je peux gagner ?
— Une dinde vivante.
L'homme proteste :
— Que voulez-vous que je fasse d'une dinde ? Jamais je n'aurai le courage de la tuer pour la mettre au four.
— Entre nous, lui dit la vendeuse, nous avons émis 5 000 billets. Vous n'avez donc pratiquement aucune chance de gagner le gros lot.
— Ah ! Alors, là, vous me rassurez. En ce cas, donnez-moi cinq billets.

────── *1103*

La maîtresse de maison qui a organisé un bal costumé remarque deux de ses invités. L'un est habillé en poule, l'autre a toute l'apparence d'un œuf.
— Je me demande, dit-elle à son mari, lequel des deux est arrivé le premier.

────── *1104*

À Las Vegas, un homme sort du casino en ayant perdu jusqu'à son dernier cent dans les machines à sous. Il aborde un passant auquel il demande :
— Pourriez-vous m'avancer le prix d'un ticket de bus pour que je regagne mon domicile ?
— Ce serait inutile. Le bus sur lequel vous comptez ne passera jamais. Son chauffeur l'a laissé en gage au casino pour qu'on lui prête de quoi jouer à la roulette.

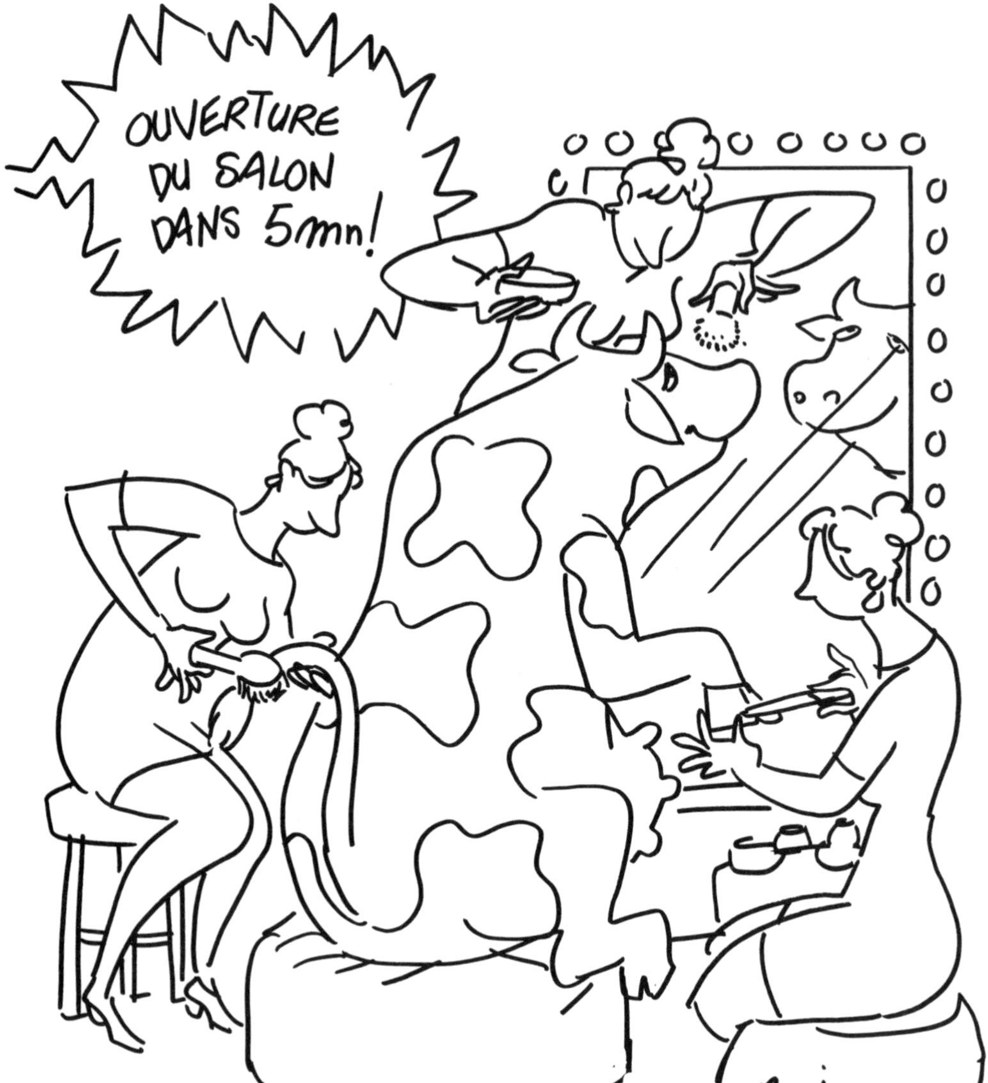
OUVERTURE DU SALON DANS 5mn!
Bridenne

──────── *1105*

— Ce matin, raconte une femme à son mari, notre petit Thomas m'a réclamé un livre.

— C'est merveilleux ! Et que lui as-tu donné ?

— Le premier tome d'*Harry Potter.*

— Bravo ! Et il a commencé de le lire ?

— Non, mais ça lui a bien servi à caler sa console de jeux qui était branlante.

──────── *1106*

Sur un champ de courses, un homme qui suit les chevaux avec des jumelles demande à l'ami qui l'accompagne :

— Tu avais bien parié 50 euros sur GPS ?

— Quel GPS ? Le cheval sur lequel j'ai misé s'appelle Épinard IV.

— Oui, mais je l'ai baptisé GPS – après avoir vu son jockey s'arrêter devant la tribune pour demander son chemin.

──────── *1107*

— Mon mari, raconte une femme à une amie, a la passion du jeu. Chaque semaine, il risque ses cent euros à Euro Millions. Il faut le voir deux fois par semaine au moment du tirage, rayonnant, les yeux brillants d'espoir, à l'idée qu'il pourrait emporter la cagnotte. Mais, un jour, il a entendu à la radio qu'il avait plus de chances d'être élu président de la République que d'empocher le gros lot.

— Et alors ?

— Depuis, il a peur.

──────── *1108*

Un policier de la route examine les papiers d'un automobiliste qu'il a fait se ranger sur le bas-côté.

— Ah ! s'écrie-t-il, vous êtes « verbicruciste ». Si je ne me trompe pas, votre activité consiste à fabriquer des grilles de mots croisés.

— En effet.

— Vous m'en avez donné du mal, vous et vos semblables, avec vos mots verticaux et horizontaux. Aujourd'hui, je prends ma revanche. Je vous *dresse* contravention, autrement dit, je vous *allonge* une bonne prune. Et n'allez pas, en protestant, aggraver votre *case.*

——————— *1109*

Au bureau, on lit le journal du matin. Soudain, un des employés pousse un cri de joie :
— J'ai gagné un bon paquet au Loto sportif !
Un de ses collègues le supplie :
— Pourrais-tu me prêter ton billet gagnant, rien que cinq minutes ?
— Que veux-tu en faire ?
— Oh ! juste l'agiter sous le nez d'une petite mijaurée de secrétaire à qui j'ai proposé hier de faire l'amour et qui m'a repoussé en ricanant.

——————— *1110*

Une étudiante déchire en plusieurs morceaux la page blanche sur laquelle elle vient de faire une tache.
— Garde bien ces bouts de papier, lui conseille sa colocataire, cela pourra nous faire un bon puzzle à reconstituer.

——————— *1111*

— Quelles paroles l'inventeur de l'hameçon a-t-il prononcées ?
— « Avec cela je me pique d'attraper beaucoup de poissons. »

——————— *1112*

Très contrarié, un homme raconte :
— Un ordinateur m'a battu à l'issue d'une partie d'échecs acharnée, mais je l'attends pour la revanche.
— Vous vous entraînez aux échecs ?
— Non, au karaté.

——————— *1113*

Une femme demande à son mari qui rentre d'une partie de pêche :
— Tu es content de ta journée ?
— Très. Je suis arrivé à 19 h 55 à l'épicerie, juste avant la fermeture, et j'ai pu y acheter, pour dîner, une boîte de sardines et une de thon à l'huile.

——— *1114*

En rentrant tard d'une partie de poker avec des amis, un homme qui ne veut pas réveiller sa femme se déshabille complètement dans l'entrée.

Son épouse, qui ne dormait que d'un œil, l'aperçoit quand il entre tout nu, dans la chambre.

— Raymond, s'écrie-t-elle, sauras-tu un jour t'arrêter quand tu n'as plus suffisamment d'argent pour miser ?

——— *1115*

Au cours d'une soirée dansante, une jeune femme se tient assise dans un coin.

Un séduisant jeune homme s'approche et lui demande :

— Voulez-vous danser ?

— Oh oui ! répond-elle, en se levant d'un bond.

— Alors, allez-y et laissez-moi votre chaise. J'ai besoin de me reposer un peu.

——— *1116*

Une jeune mariée dit à son mari en dirigeant son séchoir à cheveux branché au-dessus de la table où est installé son époux :

— Abandonne un peu ton passe-temps pour venir faire l'amour. Laisse tout en plan : je vais t'aider à la classer, ta collection de timbres !

——— *1117*

Un chasseur raconte :

— Quand j'ai épaulé mon fusil et qu'il s'est enrayé, un énorme éclat de rire a retenti dans la clairière.

— Ce genre d'incident ridicule vous a-t-il amusé à ce point-là ?

— Pas moi : les dix lapins qui assistaient à la scène.

——— *1118*

— L'autre jour, dit un représentant de commerce, j'ai déjeuné au wagon-restaurant du train qui m'emmenait à Bordeaux, à la même table qu'un joueur d'échecs.

— Comment savez-vous qu'il s'agissait d'un joueur d'échecs ?

— Je lui ai demandé de me passer le sel et il a réfléchi pendant vingt minutes avant de déplacer la salière.

———— *1119*

Les producteurs d'une émission de télévision se déroulant dans une arène n'ont pas trouvé de taureau. Aussi font-ils disputer au candidat un semblant de corrida avec une vachette.

Et, à chaque passe, le public, enthousiasmé, encourage l'apprenti torero en criant :

— O-lait !

———— *1120*

Un pêcheur raconte qu'il a pris un brochet de 8 livres.

Sceptique, un de ses auditeurs lui demande :

— Vous avez des témoins de cet exploit ?

— Hélas ! oui ! Sinon, ce magnifique poisson, aujourd'hui, ferait bien 12 livres.

———— *1121*

Une annonce est faite par le maître nageur de la piscine municipale :

— L'homme d'une quarantaine d'années, un peu chauve, qui croit porter un maillot de bain bleu clair à rayures noires verticales se trompe – il a oublié d'enfiler le maillot de bain en question avant de quitter sa cabine.

———— *1122*

— Pourquoi, demande-t-on à un responsable de la Française des Jeux, les femmes sont-elles moins nombreuses que les hommes à jouer aux jeux de hasard ?

— Parce que le Loto, le Millionnaire et autres Euro Millions leur donnent moins de frissons que le plus risqué des jeux de hasard.

— Lequel ?

— Le mariage.

———— *1123*

Un chasseur voit son chien descendre d'un bus avec un faisan dans la gueule.

— Peu m'importe la façon dont il s'y prend, dit-il à l'ami qui l'accompagne : je lui demande de rapporter, il rapporte. Un point, c'est tout !

————— *1124*

Le directeur d'un parc de loisirs est furieux :

— J'avais chargé un spécialiste de m'installer un labyrinthe de verdure où les visiteurs se perdraient à coup sûr.

— Et il ne l'a pas fait ?

— Si, mais en repérant soigneusement le chemin à suivre pour en trouver la sortie. Ce qui lui a permis de venir jusqu'à mon bureau pour exiger le paiement de ses travaux.

————— *1125*

— Moi, dit un homme, quand je participe à n'importe quel jeu de hasard, je glisse toujours le chiffre de mon Q.I.

— Et alors ?

— Cela m'a valu de belles réussites, y compris à la roulette où l'on peut miser jusqu'à 36.

————— *1126*

En rentrant d'un prétendu week-end de pêche avec des amis, alors qu'il a folâtré pendant deux jours avec sa ravissante secrétaire, un homme dit à sa femme :

— Pourquoi n'as-tu pas mis mon pyjama dans ma valise ?

— Je l'avais caché – pour rire un peu – dans la boîte où tu mets tes hameçons.

————— *1127*

Un puzzle est vendu avec cette mention :
« Comptez trois heures pour le reconstituer.
Deux jours si vous êtes enrhumé et qu'à chaque éternuement vous en éparpillez les morceaux. »

————— *1128*

Un paisible pêcheur à la ligne fait se coucher à côté de lui un rottweiler aux dents pointues.

— Depuis que j'ai eu cette idée géniale, explique-t-il, je ne suis plus harcelé à longueur de journée par des imbéciles qui me demandent : « Alors, ça mord ? »

──── *1129*

Le garde-chasse dit à un chasseur :
— Votre permis est périmé depuis un an.
— Ce n'est pas grave. Je cherche simplement à régler un compte avec un lièvre qui m'a échappé la saison dernière.

──── *1130*

— Mon mari est terriblement joueur, raconte une jeune femme à sa mère.
— Tu le savais déjà avant de dire oui devant monsieur le maire.
— C'est vrai... Mais il a franchement dépassé les bornes, le soir de nos noces, quand après m'avoir fait entièrement déshabiller, il m'a dit : « Avant de te coucher sur le dos ou sur le ventre, attends que j'aie tiré à pile ou face. »

──── *1131*

Dans un marais, deux chasseurs voient fondre sur eux un vautour.
— J'ai l'impression, dit l'un d'eux, que tu t'es fait avoir quand tu as commandé sur Internet un appeau pour faire venir les canards.

──── *1132*

Le téléphone sonne. Une femme répond et dit à son mari :
— Je crois que, pour une fois, le cheval sur lequel tu avais misé hier au PMU a remporté sa course.
— Qu'est-ce qui te fait penser cela ?
— J'ai dit « allô » et, tout ce que j'ai eu, comme réponse, c'est un hennissement joyeux.

──── *1133*

Un papa poisson emmène un de ses fils dans un lieu de pêche fréquenté par de nombreux pêcheurs. Il lui montre les vers qui frétillent au bout des lignes et lui dit :
— Les hommes ont compris une règle d'or de la vie conjugale et je veux que tu la retiennes : le meilleur moyen de ne pas avoir d'ennuis est de garder constamment la bouche fermée.

—————— *1134*

À Las Vegas, un homme aborde un passant en lui disant :
— Après avoir joué pendant trois jours de suite aux machines à sous, je suis entièrement ruiné. J'ai dû vendre ma voiture, mes vêtements de rechange et même ma valise. Il ne me reste plus que cet objet. Je vous en prie, achetez-moi cet objet pour 2 dollars.
— De quoi s'agit-il ?
— De mon fer à cheval porte-bonheur.

—————— *1135*

Un représentant d'une association de chasseurs exprime ce souhait :
— Nous aimerions que la grand-place de la ville comporte la statue d'un grand homme évoquant les plaisirs de la chasse.
— Et à qui pensez-vous ?
— Nous avons fait un petit sondage parmi nos adhérents.
— Et alors ?
— Eh bien, Nemrod arrive en tête, suivi de Cartouche et du dieu Pan.

La bande des cinés

─── 1136

John Wayne est le héros d'un film-catastrophe : il joue le rôle du maire de San Francisco qui entend à la radio qu'un terrible tremblement de terre va ravager toute la région.
— Vite, ordonne-t-il, mettez les maisons en cercle !

─── 1137

Pendant le tournage d'un film classé X, le réalisateur dit à sa jeune vedette :
— Cela ne va pas du tout ! Je vous demande, alors que vous êtes étendue nue sur le lit, de pousser un grand cri. Pour vous motiver, je vous apporte un café bouillant.
— Vous croyez, demande la jeune femme, que cela va me donner du tonus ?
— Sûrement, pour peu que je vous le verse sur les fesses.

─── 1138

Deux collègues de bureau bavardent :
— Tu as regardé *Les Dents de la mer,* hier, à la télé ?
— Oui.
— Et ça t'a fait peur ?
— Pas du tout ! Je suis beaucoup plus effrayé par mon poisson rouge, quand il se met en colère parce que je ne lui ai pas servi son repas à l'heure.

─── 1139

Un patient demande avec inquiétude au médecin qui vient de l'examiner :
— À votre avis, quelle est mon espérance de vie ?
— À peu près celle d'un gardien de nuit dans un film d'horreur.

—— 1140

Un romancier garde la tête froide en apprenant qu'un producteur américain a acquis les droits pour adapter son dernier livre au cinéma.
— J'ai de la chance, dit-il. Si mon roman avait été plus mauvais, il ne me l'aurait jamais acheté.
— Et s'il avait été meilleur ?
— Je ne le lui aurais jamais vendu.

—— 1141

Une jeune actrice s'inquiète, avant de signer son contrat pour un film pornographique.
Elle demande au producteur :
— Si, après la scène d'amour torride que vous voulez me faire jouer avec ce garçon particulièrement bien bâti, je tombais enceinte, est-ce que je pourrai accoucher sous X ?

—— 1142

Le tournage d'un western, dans un décor naturel du Colorado, est interrompu par la pluie qui ne cesse de tomber.
— Les acteurs qui jouent les cow-boys, explique le réalisateur, se refusent à mettre le nez dehors par un temps pareil.
— C'est bon, dit le producteur, je demande au scénariste de transposer l'action en Australie. Vos cow-boys frileux n'auront plus affaire à des chevaux mais à des kangourous et s'installeront dans leur poche ventrale. Cela leur permettra de se déplacer tout en restant à l'intérieur.

—— 1143

Un scénariste explique à un metteur en scène :
— Je voudrais raconter l'histoire de la Pucelle mais en me limitant à ses débuts héroïques quand elle accumulait les victoires sur les Anglais.
— Et comment intituleriez-vous ce film ?
— *Jeanne d'Arc de Triomphe.*

———— *1144*

Dans la salle où se déroule la cérémonie d'attribution des César, le présentateur de la soirée déclare :

— Et, maintenant, Mesdames et Messieurs, ouvrez grands vos parapluies. Nous allons révéler le lauréat du prix des Meilleurs effets spéciaux. Et, pour vous mettre dans l'ambiance, le plus grand spécialiste d'effets spéciaux va faire tomber une averse de grêle qui, bien qu'elle soit fictive, risque de mouiller vos robes du soir et vos smokings.

———— *1145*

Le président de la commission de censure demande à l'un de ses adjoints :

— Comment pouvons-nous classer ce film érotique qui raconte les aventures amoureuses d'une femme, professeur de maths dans un collège ?

— Pourquoi ne pas créer, à son intention, la catégorie $X = YZ$?

———— *1146*

Une actrice d'Hollywood téléphone à l'un de ses ex :

— À la demande d'un éditeur, je suis en train d'écrire mes mémoires, mais j'ai un doute.

— Lequel ?

— Est-ce que tu as été mon quatrième mari ou est-ce moi qui étais ta quatrième épouse ?

———— *1147*

— Au début, raconte un cinéaste, je faisais des films très longs qui ennuyaient le public. Un jour, je me suis jeté, fou de désir, sur ma femme qui portait une jupe ultracourte. Et, dès lors, j'ai décidé de me consacrer aux courts-métrages.

———— *1148*

Un producteur, accablé, vient de lire un synopsis sur une nouvelle version de la catastrophe du *Titanic*.

— Si nous devions tourner cela, dit-il au scénariste, je vous incite à conseiller au commandant de pousser bien plus à fond les machines de son navire.

— À quoi cela nous avancera-t-il ?

— À en finir plus vite avec votre histoire idiote.

──────── *1149*

Un grand metteur en scène, qui a su magnifiquement dépeindre les plus brûlantes passions, confie son secret à l'un de ses jeunes disciples :
— J'exige toujours de mes interprètes qu'ils soient à jeun pour tourner les scènes d'amour. Le regard qu'un homme affamé jette à un bifteck-frites est le même que celui d'un homme qui veut coucher avec la femme qui l'a délicieusement émoustillé.

──────── *1150*

Un producteur britannique annonce :
— Nous allons faire un remake du célèbre film de William Wyler dans lequel Charlton Heston participe à une spectaculaire course de chars. Mais, cette fois, le film aura pour cadre Londres au lieu de Rome.
— Et comment l'appellerez-vous ?
— *Big Ben Hur.*

──────── *1151*

Deux réalisateurs de films pornos échangent quelques confidences :
— Mon X, dit l'un, m'a rapporté 50 000 euros en deux ans.
— Mon ex, enchaîne l'autre, dans le même temps, m'en a coûté le double.

──────── *1152*

Un producteur d'Hollywood présente sa nouvelle partenaire, une femelle grizzly à l'allure particulièrement inquiétante, à un acteur.
— Dans votre prochain film, lui dit-il, vous aurez plusieurs scènes à tourner avec elle, mais je vous préviens tout de suite : elle a un fichu caractère. Alors, soyez gentil avec elle pour l'amadouer. Elle attend de vous de l'affection et de la tendresse. Vous avez compris ?
— Parfaitement, dit le comédien. Il me vient même une idée.
— Laquelle ?
— Et si, pour mieux l'attendrir, je lui proposais de l'épouser ?

──────── *1153*

— Je connais un comédien, dit un chroniqueur, qui a une véritable hantise des paparazzi. C'en est au point qu'il se dissimule derrière son chapeau quand il passe à proximité d'une cabine de Photomaton.

——— *1154*

Un cinéphile raconte à un ami :
— Je suis allé voir le dernier film de Gaston Ringard, en 3 D.
L'autre proteste :
— Moi aussi, j'ai vu ce film, qui est tout à fait classique. Qu'est-ce qui te fait dire qu'il est en 3 D ?
— L'impression qu'il m'a faite : Désappointement, Désillusion, Désolation.

——— *1155*

Après avoir longuement peloté les seins de l'ouvreuse qui est assise sur ses genoux, le pompier de service dans un cinéma dit :
— Ta mezzanine est tout à fait sexy, ma belle. À présent, je vais passer à l'orchestre.

——— *1156*

Un de ses admirateurs supplie une célèbre actrice de l'épouser.
— C'est impossible, lui répond-elle, mes fans ne le supporteraient pas.
— Mais nous ne dirions rien à personne.
— Et si nous avions un enfant ?
— À lui, bien sûr, nous dirions tout.

——— *1157*

Le réalisateur d'un grand film d'amour dit à ses deux interprètes, Guillaume et Marion, qui viennent de prendre place, tout nus, dans un lit.
— Le scénariste avait prévu que vous auriez une longue discussion à propos de la date de vos fiançailles, mais, j'ai une idée pour soutenir l'action : pourquoi ne pas passer tout de suite à la nuit de noces ?

——— *1158*

Un adolescent demande à l'une de ses copines :
— Veux-tu venir au cinéma avec moi ce soir ?
— Je ne suis pas libre. Une prochaine fois, prends-toi un peu plus à l'avance pour me faire une telle proposition.
En riant, le garçon questionne :
— Voudrais-tu venir au cinéma avec moi dans un an jour pour jour ?
— Je regrette, mais je ne serai pas libre, non plus, ce jour-là. Vois-tu : je t'ai donné un bon conseil, mais je ne t'ai jamais garanti qu'il serait suivi d'effet.

──────── *1159*

Une actrice d'Hollywood pas très futée poursuit en justice son producteur.

— Par contrat, fait-elle plaider, par son avocat, il m'avait obligée à conserver mon teint de jeune fille, en prenant chaque matin un bain de lait. Or, j'ai été grièvement blessée quand la vache m'est tombée dessus, après avoir glissé sur la savonnette.

──────── *1160*

Un acteur raconte :

— Pour une scène de mon dernier film, le réalisateur m'avait demandé de prendre un air terriblement inquiet. J'ai d'abord pensé que les centrales nucléaires du monde entier sautaient simultanément, mais ce n'était pas l'expression que le metteur en scène attendait.

— Qu'avez-vous fait, alors ?

— D'un seul coup, je me suis rappelé que j'avais laissé, bien en évidence, mon portefeuille avec toutes mes cartes de crédit sur ma table de nuit alors que ma femme avait parlé de faire les soldes. Et c'est ainsi que j'ai obtenu un Oscar.

──────── *1161*

Un spécialiste des effets spéciaux raconte :

— Au cours d'une traversée du Sahara en 4 x 4, je m'étais perdu dans les sables. Quatre jours durant, j'ai marché, sous le soleil brûlant, en faisant cette prière : « Seigneur, donnez-moi de l'eau, par pitié. »

— Et alors ?

— Sans doute par une intervention divine, un miracle s'est produit. Le ciel s'est obscurci et il en est tombé...

— Une bonne averse ?

— Non, une bouteille d'eau minérale qui m'a à moitié assommé.

Des transports de joie

1162

En correctionnelle, le juge dit à l'homme qui comparaît devant lui :
— Vous étiez dans la salle d'attente de la gare de Villeneuve-les-Bouleaux, quand, sans raison apparente, vous êtes passé derrière un autre voyageur et vous lui avez mis un grand coup de pied au derrière.
— C'était une impulsion.
— Admettons. Là-dessus, sans prendre garde aux imprécations de votre victime, vous sortez de la salle, vous faites un petit tour sur le quai, puis vous rentrez et, de nouveau, vous bottez les fesses de ce malheureux.
— Oui, mais là, j'avais une bonne excuse : mon train était en retard et je n'ai pas trouvé d'autre moyen d'exprimer mon mécontentement à la SNCF.

1163

Sous une pluie battante, un homme qui voit enfin arriver un taxi, fait un grand geste de la main en criant :
— Taxi !
Le chauffeur, qui rentre chez lui, sa journée terminée et n'a pas la moindre intention de s'arrêter, baisse sa vitre et répond joyeusement :
— Piéton !

1164

Un homme se promène avec un attaché-case portant en grosses lettres la mention : « Déchets nucléaires ».
Il explique au policier qui l'a arrêté :
— En réalité, mon attaché-case contient mon casse-croûte pour le déjeuner. Mais je vous assure que lorsque je monte dans un bus bondé et que les voyageurs remarquent cette inscription, ils s'écartent de moi : je peux ainsi bénéficier d'une place assise.

LES POSEURS DE RAILS DU PARIS-ROUEN DE 8H47
CROISENT LES POSEURS DE RAILS DU ROUEN-PARIS DE 9H33

Brudenne

—————— 1165

— J'ai des doutes en ce qui concerne ma femme de ménage, raconte une femme à une amie. En entendant à la radio qu'on annonçait pour demain une grève générale des transports, je lui ai téléphoné pour lui demander si elle comptait quand même venir de sa lointaine banlieue pour travailler chez moi. Et tu sais ce qu'elle m'a répondu ?
— Non. Que t'a-t-elle dit ?
— « Ne vous tracassez pas pour cela : j'ai mon balai. »

—————— 1166

— Je me tenais debout dans le RER, raconte un homme à un ami, derrière un individu qui lisait un roman policier. Je me suis mis à lire ce bouquin par-dessus son épaule.
— Il ne t'a rien dit ?
— Rien du tout. Simplement, il me tendait ses doigts pour que je les lèche afin qu'ils soient bien humides quand il voulait tourner une page.

—————— 1167

Un contrôleur de la SNCF vient trouver son chef de service :
— Les derniers examens que j'ai passés indiquent que j'ai le cœur fragile : je voudrais que vous me changiez d'affectation.
— Et que souhaiteriez-vous ?
— Je ne sais pas, moi : le wagon-restaurant, par exemple.
— Je veux bien, mais pourquoi votre cœur supporterait mieux le contrôle du wagon-restaurant que celui des wagons-lits que vous faites actuellement ?
— Au wagon-restaurant, les voyageuses n'ont jamais les fesses à l'air.

—————— 1168

— Les dernières pluies diluviennes ont provoqué des inondations qui rendent la circulation très difficile, dit le responsable des transports d'une petite ville. Alors, désormais, pour s'arrêter, les chauffeurs de bus ne freineront plus : ils jetteront l'ancre.

——— 1169

Après qu'une rame du RER A arrive à Auber, un voyageur dit à un autre :
— C'est étonnant de voir ce perroquet juché sur votre épaule.
— En effet. C'est d'autant plus étonnant qu'il m'avait fait part de son intention de changer à Châtelet.

——— 1170

Dans un terrible embouteillage, un chauffeur de taxi se tourne et dit à son client :
— Le lecteur de DVD que j'ai installé, à l'arrière, est en panne depuis quelques jours. Alors, pour passer le temps, en attendant que ça se dégage, je vous suggère de me faire quelques confidences croustillantes sur vos premières expériences amoureuses.

——— 1171

— Quand j'ai monté mon entreprise, dit un homme, je me voyais comme le pilote d'un Airbus, évoluant avec sérénité au-dessus des nuages.
— Et un an plus tard ?
— Je me vois plutôt comme un usager de la ligne B du RER où, quand les trains ne sont pas en panne, les employés sont en grève.

——— 1172

Un marchand de fruits et légumes met cette annonce, dans sa boutique :
« Pour vous qui aimez voyager à l'aise, le matin,
dans un RER bondé, une seule solution :
MANGEZ DE L'AIL. »

——— 1173

Le jeune fils d'un fermier qui vient d'entrer chez les scouts annonce à ses parents avec fierté :
— J'ai déjà fait ma bonne action du jour.
— Quoi ! À 8 h 00 du matin ! Mais qu'as-tu fait au juste ?
— J'ai vu que notre voisin, ce pauvre M. Lambert, était parti en retard de chez lui et qu'il avait coupé par notre champ pour tenter d'attraper le train de 7 h 49.
— Eh bien ?
— J'ai lâché le taureau et M. Lambert a couru si vite qu'il a réussi à avoir son train !

—— *1174*

Dans un métro bondé, un voyageur glisse sa main sous les jupes de la jeune femme serrée contre lui et, tout en commençant à lui caresser les fesses, il lui murmure à l'oreille :
— Rassurez-vous, Madame, je ne suis pas un pickpocket.

—— *1175*

Un matin, le fils d'un cheminot dit à son père :
— Je ne peux pas aller à l'école, ce matin.
— Pourquoi cela ?
— Toute la nuit, j'ai rêvé que je conduisais un TGV, bien au-delà de la durée autorisée par les conventions collectives de la SNCF. Tu ne peux qu'approuver ma décision de me mettre en grève.

—— *1176*

En voyant un étranger à la ville qui attend à un arrêt de car, un commerçant sort de sa boutique pour l'avertir :
— Inutile d'attendre ici : le chauffeur du car ne s'arrête plus à cet arrêt.
— Depuis que la compagnie a modifié ses horaires ?
— Non, depuis que j'ai eu l'imprudence de prêter 200 euros à ce malhonnête.

—— *1177*

Un professeur de philosophie affirme :
— Le secret du bonheur n'est pas de l'attraper, mais de le poursuivre.
Un de ses élèves suggère, en ricanant :
— Dites donc cela à quelqu'un qui essaie d'attraper le dernier bus de la soirée en courant sur un trottoir gelé.

—— *1178*

Un touriste qui visite les États-Unis s'étonne :
— Hameçon ? C'est curieux pour un nom de ville.
— Elle a été bâtie à l'époque où l'on développait le chemin de fer. Et il se trouve qu'elle était au bout de la ligne.

—— 1179

Un homme totalement ivre sort en chancelant du cabaret *Le Soleil*. Il monte dans un taxi et ordonne au chauffeur :

— Conduisez-moi au cabaret *Le Soleil*.

Sans se démonter, le chauffeur ouvre la portière opposée de sa voiture et dit au pochard :

— Ça fera 30 euros. On est arrivé.

— Bravo, dit l'ivrogne, mais méfiez-vous : vous risquez de vous faire gauler par un radar, à rouler à une allure pareille.

—— 1180

Dans le TGV bourré de militaires, qui les emmène en voyage de noces à Milan, un jeune marié dit à sa tendre épouse :

— Si j'avais su que ce tunnel était si long, je t'aurais fait l'amour.

— Comment, s'étonne-t-elle. Ce n'était pas toi ?

—— 1181

— Tout le monde, dit un professeur de mathématiques, admet d'emblée que le plus court chemin d'un point à un autre est la ligne droite.

— Sans aucune exception ?

— Ah ! Si, il y a une exception : les chauffeurs de taxi.

Voisins et amis

——— 1182

Une femme se présente à la propriétaire d'un pavillon :
— Je viens d'emménager dans votre quartier, lui dit-elle. Dans mon ancien logement, mes voisines me prêtaient volontiers quelques morceaux de sucre, deux œufs ou un bol de farine en échange de trois potins bien croustillants. Est-ce que c'est le même tarif, ici ?

——— 1183

En recevant des amis pour dîner, une femme les avertit discrètement :
— Surtout, quand vous vous adresserez à mon mari, ne manquez pas de lui dire « Votre Majesté ». Il y tient beaucoup.
— Et depuis quand a-t-il cette lubie ?
— Depuis qu'en consultant les sites de généalogie, sur Internet, il a appris qu'il arrivait en 237 928ᵉ position sur la liste des prétendants au trône d'Angleterre.

——— 1184

Vu cette affiche dans la boulangerie d'un village :
VOISINS DÉLICIEUX À FRÉQUENTER
EN PRIME BELLE FERMETTE SIX PIÈCES. TOUT CONFORT.
PRIX À DÉBATTRE.

——— 1185

Un couple est en train de tirer les Rois avec quelques amis et, le vin coulant à flot, cela ne va pas sans un certain tapage.
À un moment, on sonne à la porte. Le maître de maison, qui a trouvé la fève, accueille le visiteur.
Celui-ci lui demande d'un air furieux :
— C'est vous, le roi ?
— En effet, mais vous, qui êtes-vous ?
— Votre voisin du dessous, M. Regimbard, mais vous pouvez m'appeler Robespierre.

―――― *1186*

— Depuis que je passe mes journées sur *Facebook*, raconte une femme, je me suis fait 350 prétendus amis.

— Vous n'avez pas l'air heureuse.

— C'est qu'en même temps, je me suis fâchée avec ma meilleure amie qui ne m'a pas pardonnée de la négliger pour des amis virtuels.

―――― *1187*

— La soirée chez les Bavolet s'est-elle bien passée ? demande-t-on à un homme.

— Terrible ! L'erreur a été de mettre la conversation sur la politique dès que la glace a été rompue. Ensuite, ça a été le tour des assiettes, puis des verres…

―――― *1188*

Une femme dit à son mari :

— Maintenant que j'ai donné à notre hôtesse mon avis sur l'atroce repas qu'elle nous a servi, il n'y a pas d'illusion à se faire : elle ne nous réinvitera jamais à dîner. Alors, tu peux te déchaîner : raconte-leur tes meilleures histoires drôles.

―――― *1189*

En attendant l'arrivée des amis qu'il a invités, un homme s'affaire auprès du barbecue.

Au bout d'une demi-heure, il rentre et dit à sa femme :

— Ça y est, j'ai enfin obtenu ce que je cherchais comme cuisson : doré à l'extérieur et rosé à l'intérieur.

— Ce sont les steaks qui sont bien cuits ?

— Non, mon pouce.

──────── 1190

Un homme dit au locataire de l'appartement de l'étage en dessous du sien :

— J'ai pris conscience que je vous empoisonnais la vie en écoutant la musique à haut volume sur ma chaîne hi-fi. J'ai décidé désormais de baisser le volume sonore.

— Je vous en remercie, répond le locataire.

— En fait, je me suis rendu compte que je pouvais obtenir le même résultat en équipant toute ma famille, pour piétiner dans l'appartement, de sabots à semelles de bois.

──────── 1191

— Où vas-tu ? demande le propriétaire d'un pavillon à sa femme.

— Dans le jardin, bavarder par-dessus la haie avec la voisine.

— Mais elle est en vacances avec son mari en Thaïlande.

— Certes, mais, avant de partir, elle a eu la bonne idée d'équiper leur épouvantail à moineaux d'une de ses robes et d'un de ses chapeaux, en me disant que je pouvais lui raconter, chaque jour, les derniers potins en étant sûre de sa discrétion.

──────── 1192

Une femme dit à l'amie qui lui rend visite :

— Ne vous méprenez surtout pas. Si mon mari vous apporte votre manteau, ce n'est pas du tout pour vous inciter à partir, mais seulement parce qu'il craint que vous ne preniez froid car la température de notre logement est de 19 °C. Néanmoins, si vous vouliez bien abréger l'interminable récit de vos démêlés avec votre belle-mère, mon mari, et moi, vous en serions très reconnaissants. Sinon, mon ragoût de mouton, qui est sur le feu, risque d'attacher.

──────── 1193

Un gardien d'immeuble dit, tout émoustillé, à sa femme :

— On peut dire que les Dubois-Martin donnent une sacrée soirée !

— Tu as vu les invités ?

— Mieux que cela. Sous prétexte de monter une lettre urgente, j'ai jeté un coup d'œil au vestiaire : il y avait déjà cinq slips d'hommes, six soutiens-gorge et quatre petites culottes de nylon.

——— *1194*

Après avoir ouvert la porte à une voisine, un homme crie à sa femme :
— Chérie, ce matin, as-tu consulté le site ragots-scandales-et-calomnies.com ?
— Non. Je ne connais même pas ce site.
— Tu vas le connaître : il vient te rendre visite.

——— *1195*

Au cours d'un bal costumé, une femme dit à une autre :
— Le déguisement de votre mari en grand patron de la médecine est très réussi.
— Trop réussi ! C'est déjà la troisième invitée qui lui montre ses fesses en prétextant une petite rougeur qui l'inquiète.

——— *1196*

— Pour l'inauguration de leur nouvelle piscine, dit un homme à sa femme, nos voisins organisent un barbecue dans leur jardin. Ils ont convié à cette petite fête pratiquement tout le quartier.
— C'est une bonne nouvelle.
— Non, parce qu'ils nous ont rangés dans les *pratiquement* qu'ils n'invitent pas.

——— *1197*

Le propriétaire d'une résidence secondaire dit à l'un de ses invités :
— La panne de secteur se prolonge. Voici ce qu'on va faire : prenez cette bougie pour vous éclairer jusqu'à ce que vous ayez gagné votre chambre, au premier. Vous n'aurez qu'à me la rapporter dès que vous serez en haut.

——— *1198*

Un couple débarque à l'improviste chez des amis qu'ils n'ont pas vus depuis longtemps.
— Oh ! Nous avons été ravis d'avoir votre visite, s'écrie l'homme qui leur a ouvert la porte. Si vous voulez bien attendre cinq minutes sur le trottoir, je vous appelle un taxi pour que vous rentriez chez vous.

—— *1199*

Le patron d'une petite entreprise dit à l'un de ses employés, marié à une fort jolie femme :

— Il faudrait que vous veniez tous les deux passer un week-end dans ma maison de campagne. Je vous ferai goûter des grillades sensationnelles, cuites au barbecue.

— Je suis végétarien.

— Venez quand même, dit le directeur. J'ai un grand pré. Pendant que je ferai l'amour avec votre femme, vous brouterez.

Le temps des vacances

──────── *1200*

Le directeur d'un hôtel sur la Côte d'Azur pense avoir eu une idée de génie.

Pour confirmation, il interroge ses clients :

« Que pensez-vous de l'établissement d'un réseau de télévision intérieur permettant à partir de n'importe quelle chambre de voir ce qui se passe dans le hall ? »

95 % des clients firent la réponse suivante :

« Ce serait beaucoup plus drôle si ce même réseau de télévision permettait, quand on est dans le hall, de voir tout ce qui se passe dans les chambres. »

──────── *1201*

— Je voudrais faire corriger ma vue défaillante, dit un homme à un ophtalmologiste.

— Que vous arrive-t-il ?

— J'étais en vigie sur le *Titanic*, la nuit où il a heurté un iceberg. J'aurais dû normalement voir des ours blancs sur la banquise.

— Et qu'avez-vous cru voir ?

— Deux chameaux en train d'escalader une dune du Sahara.

──────── *1202*

— Vingt fois, raconte une femme, au cours de nos vacances, mon mari nous a fait perdre notre chemin sur la route parce qu'il était totalement incapable de lire les cartes de la région qu'il s'obstinait à tenir à l'envers. Alors, je lui ai acheté un GPS.

— Cela a dû beaucoup l'aider à trouver sa route.

— Pas tellement ! À chaque fois qu'on s'est perdu, il me disait : « Attends, je vais consulter mon SPG. »

———— **1203**

Dans une agence de voyages, un célibataire demande à la belle blonde qui l'a accueilli :

— Quelle est la différence entre le week-end à Venise à 1 200 euros et sa version économique, à 900 euros seulement ?

— Dans le premier cas, si vous le souhaitez, je vous y accompagne. Pour la version économique, ce sera ma collègue, la petite brune, là-bas, beaucoup moins dépensière que moi.

———— **1204**

Dans les sables brûlants du Sahara, un pingouin aperçoit un naufragé du désert qui avance en rampant.

— Ce n'est pas possible, s'écrie le pingouin. Ce doit être un mirage !

———— **1205**

— En traversant sur un passage protégé pour me rendre à l'aéroport, raconte un homme, je me suis fait renverser par une voiture sous laquelle je suis resté coincé pendant une heure.

— Il semble que cela ne vous ait pas laissé un trop mauvais souvenir.

— En effet. J'avais la chance d'avoir affaire à un véhicule fonctionnant à l'énergie solaire. Ce qui fait que, lorsqu'on m'a dégagé, au bout d'une heure, j'avais un bronzage magnifique.

———— **1206**

Dans un camping, un homme demande à son voisin de tente :

— Que vous est-il arrivé ? Vous avez un œil poché.

— Oh ! dit l'autre, c'est ma femme qui, dans un mouvement d'humeur, m'a lancé de la sauce tomate au visage.

— Mais... la sauce tomate, c'est mou.

— Oui. Sauf quand on laisse, comme elle, la boîte autour.

———— **1207**

Alors qu'un de ses amis lui vante les charmes du naturisme, un homme proteste :

— Si le Bon Dieu avait voulu que nous demeurions complètement nus, il n'aurait jamais inventé les chaises canées.

——— *1208*

Un touriste qui visite l'Amérique du Nord est formel :
— Quand vous ne savez pas si l'homme auquel vous parlez est un citoyen des États-Unis ou un Canadien, lancez une phrase de ce genre : « Au fond, Américains et Canadiens, c'est exactement la même chose. » En entendant cela, l'Américain répond « OK ». Le Canadien, lui, vous flanque une paire de claques.

——— *1209*

Un célibataire, qui vient chaque année passer les vacances dans le même petit hôtel, au bord de l'Atlantique, jette un coup d'œil au corsage ultra-plat de la servante.
— Eh bien, Caroline, lui dit-il, quand j'ai téléphoné au patron et qu'il m'a annoncé qu'il avait absolument tout rénové dans son établissement, je m'étais imaginé que, vous aussi, auriez participé à cette petite fête.

——— *1210*

Du haut de sa chaire, un curé sermonne ses paroissiens :
— Si vous continuez ainsi, vous vous retrouverez dans un endroit où, dans une chaleur suffocante, vous devrez vous supporter alors que vous serez pressés les uns contre les autres sans pouvoir faire un mouvement. Voilà ce que j'appelle l'Enfer.
Une femme de l'assistance dit à l'amie qui l'a accompagnée à l'office :
— Moi, j'appelle cela Juan-les-Pins au mois d'août.

——— *1211*

On interroge un homme :
— Où êtes-vous allé en vacances avec votre femme, cet été ?
— En fait, comme nous étions fauchés, nous avons pris des vacances séparées.
— Comment cela ?
— J'ai nettoyé le sous-sol de notre maison et ma femme a rangé le grenier.

——— *1212*

Sur une plage où de superbes jeunes femmes s'exposent nues, un homme, allongé à plat ventre, est plongé dans la lecture d'un journal.

Un vacancier s'étonne :

— Pourquoi n'admirez-vous pas ces superbes créatures comme tous les hommes de la plage ?

— Je me repose un peu les yeux.

— De quoi ?

— Toute l'année, je suis éclairagiste dans un cabaret de strip-tease.

——— *1213*

En randonnée dans les Alpes, un homme dit à sa femme :

— Tu vas rire mais je viens de m'apercevoir que la carte que je consulte depuis ce matin est celle de la Beauce. Et ce que je croyais être le massif des Écrins, au loin, c'est tout bonnement la cathédrale de Chartres.

——— *1214*

Un voyageur impatient qui s'apprête à quitter l'hôtel où il a séjourné demande au portier :

— Avez-vous sifflé pour appeler un taxi ?

— J'ai sifflé, en effet.

— Et où est mon taxi ?

— Il n'y en a pas pour l'instant. En revanche, si vous aimez les animaux, vous serez heureux de savoir que mon coup de sifflet a attiré six chiens errants.

——— *1215*

— Mon mari, raconte une femme, se laisse facilement influencer. Ainsi, l'année dernière, alors qu'il préparait nos vacances, il a entendu Roberto Alagna chanter *O sole mio* à la radio. Du coup, nous sommes partis pour une semaine à Naples.

— Et cette année ?

— Comme il avait vu le film *Chantons sous la pluie,* nous sommes allés grelotter pendant huit jours à Brest.

—————— *1216*

Au moment où toute une famille va partir en vacances, la femme dit à son mari qui est installé au volant de leur break :

— Tu vas rentrer dans la maison pour finir de boucler les valises, mettre du produit antimites dans les placards, changer le bébé qui vient de mouiller ses couches, donner un dernier coup d'œil à la cuisine, couper l'eau, le gaz et l'électricité, tirer les rideaux, vérifier que nous avons bien nos cartes d'identité et nos cartes de crédit ainsi que le certificat de vaccination du chien...

— Et toi, demande le mari, que feras-tu pendant ce temps-là ?

— Ce que tu fais depuis un quart d'heure : je trépignerai d'impatience en klaxonnant toutes les trente secondes pour t'inciter à aller plus vite.

—————— *1217*

— Quel est le comble de la désillusion ?

— Se regarder dans la glace, au retour des vacances et s'apercevoir qu'on a exactement la même tête que sur la photo de son passeport.

—————— *1218*

— Je te préviens, dit un vacancier à sa femme, si jamais tu te mets les seins à l'air, devant tout le monde, sur cette plage, moi, dans les dix secondes qui suivent, je baisse mon slip de bain !

— Tu me donnes une idée, répond la femme. On va faire cela, mais dans l'ordre inverse. D'abord, tu ôtes ton slip. Moi, je m'éloigne un peu. Et, tandis que les gens se tordront de rire en te regardant, moi, je pourrai bronzer tranquillement, les seins à l'air, à l'abri des voyeurs.

—————— *1219*

Sur le radeau de la Méduse, un naufragé s'écrie :

— Bonne nouvelle ! J'ai retrouvé dans une de mes poches, une petite balle en celluloïd.

Ses compagnons, affamés, n'ont qu'un cri :

— Ça se mange ?

— Non, mais on va pouvoir se détendre un peu en faisant un ping-pong.

——— *1220*

Le directeur d'une agence de voyages demande à un homme qui cherche du travail :
— Do you speak English ?
— Pardon ?
— Do you speak English ?
— Euh...
— C'est de l'anglais. Je vous demandais : « Parlez-vous anglais ? »
— Ah ! oui, couramment.

——— *1221*

Un groupe de touristes visite les appartements royaux d'un château.
Au moment où ils arrivent devant la chambre du roi, le guide saisit dans ses bras une ravissante blonde et pénètre dans la pièce, en disant :
— À partir de maintenant, je vous en supplie, *ne suivez plus le guide.*

——— *1222*

Une femme allongée sur la plage, les seins nus et en string, dit en riant à une amie :
— Ce que les hommes peuvent être changeants ! Je me rappelle mon père qui disait avec indignation à ma mère : « Tu ne vas tout de même pas t'exhiber avec un bikini aussi minuscule. » Et, ce matin, mon mari m'a dit, avec indignation : « Tu pourrais, au moins, porter un bikini, si minuscule soit-il ! »

——— *1223*

Au moment de choisir une destination pour les prochaines vacances, un homme effeuille une marguerite :
— Venise... New York... Grenade... Seychelles... Perros-Guirec... Venise... New York... Grenade... Seychelles... Perros-Guirec... Le sort en a décidé ainsi : cap sur Perros-Guirec.

——— *1224*

Sur la plage, un vacancier va trouver le maître nageur chargé de la surveillance :

— J'ai vu, lui dit-il, que les chiens ne sont pas autorisés, et que, en outre, il est interdit de fumer, de consommer de l'alcool, d'écouter la radio ou un baladeur, d'allumer un barbecue, ainsi que de planter une tente. Croyez-vous que j'aie le droit, allongé sur une serviette, de lire un livre – sans faire de bruit en tournant les pages, bien sûr ?

——— *1225*

Des nomades, juchés sur leurs dromadaires, secourent un couple de touristes qui errent depuis plusieurs jours sous le soleil brûlant du Sahara.

À demi-comateux, l'homme supplie :

— De l'eau... de l'eau...

Et la femme :

— De la crème hydratante... pour une peau desséchée...

——— *1226*

— Je suis allé en Corse en hiver, raconte un homme. Là-bas, il fait beau en toute saison, mais j'ai quand même eu froid en plusieurs endroits.

— Quels endroits ?

— Cela me gêne un peu de le préciser : disons qu'ils étaient tous dans mon pantalon.

——— *1227*

— Ma femme, raconte un homme, a toujours la désagréable manie, quand nous partons en vacances, d'entasser dans notre 4 x 4 tout ce que peut contenir la maison.

— Après dix ans de mariage, vous devez vous y être habitué.

— Certes, mais ce qui m'inquiète pour les prochaines vacances, c'est qu'elle a cessé de jouer de l'harmonica pour se mettre au piano.

——— *1228*

Deux sœurs siamoises combinent leurs prochaines vacances :

— Ce n'est pas juste, dit l'une, que ce soit toujours moi qui conduise la voiture. Allons passer quinze jours à Londres : tu pourras t'installer au volant à ton tour.

─────── *1229*

Une Américaine de retour dans son Texas natal raconte avec émerveillement :
— Le service dans l'hôtel où j'étais descendue pour mes vacances à Rome était extraordinaire. Figurez-vous qu'un jour où je sortais d'un taxi sous une pluie battante, le portier s'est précipité pour m'abriter sous un grand parapluie...
— Mais... tous les portiers du monde font cela.
— Oui, mais celui-là m'a accompagnée jusqu'à ma chambre et ne m'a pas quittée avant que j'aie eu fini de prendre ma douche.

─────── *1230*

Sur la plage, une belle fille demande au garçon qui lui fait la cour.
— Savez-vous pratiquer le crawl à l'australienne ?
— Hélas ! avoue-t-il, je ne sais même pas nager en français.

─────── *1231*

Réfugiés sur une île déserte, deux naufragés commencent à souffrir de la faim :
— Demande-moi mon âge, si tu veux, dit l'un, mais cesse d'employer la formule : « Quelle est ta date limite de consommation ? »

─────── *1232*

Le président de la République demande au président de l'association des *Joyeux nudistes* :
— Si je vous décorais de la Légion d'honneur, que diriez-vous ?
— « Aïe ! »

─────── *1233*

Un alpiniste demande à un paysan :
— Je cherche un éperon rocheux indiqué par mon guide comme étant un endroit pittoresque.
— Un éperon, dites-vous. Ah ! oui, vous le trouverez facilement : il dépasse d'un rocher en forme de botte renversée.

———— *1234*

Une dame, très inquiète, demande au psy qu'elle est venue consulter :
— Alors, docteur, maintenant que je vous ai exposé mes symptômes, à quoi cela vous fait-il penser ?
— À la belle croisière sur le Nil, que je vais pouvoir offrir à ma femme, grâce aux honoraires que vous allez me verser dans les dix prochaines années.

———— *1235*

— Alors, demande une étudiante à sa camarade de chambre, c'est beau la Normandie ?
— Oh oui ! Tu sais qu'un riche châtelain m'avait invitée à passer avec lui un week-end dans sa gentilhommière de la vallée d'Auge. Nous sommes restés deux jours au lit.
— Mais, alors, comment as-tu pu apprécier la beauté du paysage ?
— Eh bien, quand nous ne faisions pas l'amour, il me montrait des cartes postales de la région.

———— *1236*

— On arrive dans une zone de sables mouvants qui risquent à tout moment de nous engloutir, dit un vacancier à sa femme. Alors, passe-moi...
— Le GPS ?
— Non, tes boucles d'oreilles en or.

———— *1237*

Un banlieusard raconte à l'un de ses voisins :
— Après avoir longuement consulté sur Internet les offres des voyagistes, ma femme m'a permis de passer les plus belles vacances de ma vie.
— Où êtes-vous allés ?
— Moi, je suis resté tranquillement ici – pendant que ma femme et sa mère allaient passer quinze jours à Capri.

——— *1238*

Un client qui a pris en main un appareil photographique dit à un vendeur :
— Pourriez-vous m'expliquer ce qui différencie cet appareil des autres modèles exposés dans ce rayon ?
— Bien sûr monsieur.
— Je suis un peu pressé. Donnez-moi, s'il vous plaît, vos explications en un millième de seconde.

——— *1239*

— Mon mari a toujours été d'une rare pingrerie, dit une Écossaise. Mais son avarice a atteint des sommets le jour où, à Venise, il a gonflé son canot pneumatique pour m'emmener en promenade sur le Grand Canal pour éviter de verser 100 euros à un gondolier.

——— *1240*

— Le Mexique plaît beaucoup à mon mari, raconte une femme.
— Il vous y a emmenée en vacances ?
— Non, mais il s'est acheté un grand chapeau mexicain et il s'en couvre le visage quand il fait la sieste, comme les Mexicains, de 2 heures de l'après-midi à 8 heures du soir.

——— *1241*

— Notre chien a envie d'aller en vacances à la mer, dit une femme à son mari.
— Qu'est-ce qui te fait penser cela ?
— Il nous apporte, à la place de sa baballe habituelle, une de tes palmes et ton tuba.

——— *1242*

Tandis que le chirurgien lui extrait une flèche, fichée dans une fesse, un homme gémit :
— J'avais fait la connaissance, au bord de la mer, d'une charmante jeune femme qui m'avait proposé d'occuper agréablement notre temps, dans un petit bois voisin, pendant que son jaloux de mari disputait une compétition au stade voisin.
— Et alors ?
— La coquine ne m'avait pas dit que son époux était champion de tir à l'arc.

──── *1243*

Une jeune fille raconte :
— J'avais accepté de passer une semaine de vacances dans un camp de naturistes avec un garçon qui m'était sympathique, mais sans plus. Là, avant de pénétrer dans le camp, il a obéi au règlement en enlevant tout ce qu'il portait sur lui. Absolument tout. Et c'est alors que j'ai eu une envie folle de devenir sa femme. Je le trouvais terriblement sexy – sans ses lunettes.

──── *1244*

Une starlette qui a épousé un roi du pétrole lui dit :
— Ce serait bien qu'on ait un petit coin, rien qu'à nous, pour passer les vacances.
Le lendemain, le nabab lui achetait la Grèce.

──── *1245*

Interrompu alors qu'il faisait une belote avec trois autres membres d'équipage, le radio d'un cargo lance un message de détresse :
— Mayday... Mayday... Après avoir heurté un iceberg flottant, alors que j'avais une tierce à carreau, nous coulons à pique.

──── *1246*

— Je vais me baigner, dit une estivante à son compagnon. Plutôt que de rester bêtement allongé sur le sable à te faire du lard, va donc avertir de ma décision ce beau maître nageur qui ressemble à Leonardo DiCaprio. Et dis-lui bien qu'il n'hésite pas à me ranimer en me faisant du bouche-à-bouche si je me noie.

──── *1247*

— Que fait un Anglais à qui on propose un mois de vacances au soleil de la Côte d'Azur ?
— Il y court.
— Et une fois qu'il y est ?
— Il y fonce.

─────── *1248*

Un play-boy a été invité à passer quelques jours de vacances dans la maison de campagne d'un de ses amis, mari naïf d'une très jolie femme.

— Tu vois, lui dit le mari, ici, nous n'avons que deux distractions : le jardinage et l'amour.

Et, jetant un coup au corsage découvrant les seins provocants de son hôtesse, l'invité répond :

— Ça me va comme programme. Mais je vous avertis, chère Madame, que je n'ai aucun goût pour le jardinage.

─────── *1249*

Le commandant d'un navire de croisière fait cette annonce à ses passagers :

— Que les personnes qui sont en train de nager dans l'eau à 23 °C des différentes piscines y restent : elles auront moins froid que dans l'eau de la mer qui est à 10 °C. Quant aux autres, tous aux canots de sauvetage : le bateau coule.

─────── *1250*

Un photographe a été envoyé dans un camp de naturistes pour effectuer un reportage.

À la fin de sa première journée passée à photographier de superbes créatures, il appelle le responsable syndical de l'entreprise qui l'emploie pour lui dire :

— Je trouve scandaleux de devoir, à cause d'une loi stupide, travailler 35 heures par semaine.

— Et combien d'heures aimerais-tu travailler : 32 ?

— Non, 70.

─────── *1251*

En examinant sa note, un homme qui a passé la nuit dans un petit hôtel s'indigne :

— Qu'est-ce que ça veut dire « Supplément pour Wi-Fi : 10 euros » ? Il n'y a pas de liaison Wi-Fi dans la chambre que j'occupais.

— Justement, répond l'hôtelier avec une grande logique, c'est pour la faire installer.

──────── *1252*

— Que dit un automobiliste qui, après avoir erré des heures durant, quitte, sur le coup de minuit, la Saône-et-Loire pour pénétrer dans le département limitrophe ?
— Jura, mais un peu tard !

──────── *1253*

— Vous n'avez pas eu trop chaud, pendant vos vacances au Sénégal ? demande-t-on à un couple de touristes.
— Ça, oui, répond la femme. Si je vous disais qu'il nous est arrivé, certaines nuits, d'avoir des 35 °C à l'ombre !

──────── *1254*

Le chef d'une troupe de boy-scouts dit à l'un des gamins :
— Nous sommes complètement perdus. Où est la carte de la région que je t'ai confiée ?
— Je répondrai à votre question par une autre question : pourquoi, quand nous avons chargé nos sacs à dos, avez-vous prévu d'emporter si peu de papier hygiénique ?

──────── *1255*

Dans une vallée encaissée entre deux hautes montagnes, un homme plante une pancarte avec ce mot :
ÉCHO
Et, juste à côté, une autre pancarte précisant bien :
ÉCHO

──────── *1256*

Un matin, un campeur, furieux, dit à sa femme qui somnole sur son lit de camp :
— Finalement, je regrette de t'avoir obligée à éteindre la lumière quand tu te balades, le soir, toute nue, sous la tente. Non seulement cela n'a pas calmé les voyeurs qui t'observaient en ombre chinoise, mais, en plus, il y en a une demi-douzaine qui ont percé la toile de notre tente avec leurs cigarettes pour te reluquer à la lueur du clair de lune.

─────── *1257*

En vacances dans un pays d'Asie du Sud-Est, un couple de Français a été tenu éveillé toute la nuit par des cris épouvantables et des rafales d'armes automatiques.

Au matin, le directeur de l'hôtel leur explique :

— Il s'agissait d'une bataille rangée entre les forces de l'ordre et des rebelles. J'espère que vous n'avez pas eu trop peur, Madame.

— Si. J'ai pensé qu'après quinze jours de calme et de repos dans votre petit paradis, j'allais me retrouver aux prises avec nos trois turbulents gamins qui sont restés pendant nos vacances chez leur grand-mère.

─────── *1258*

Un professeur de physique a emmené ses élèves sur une plage, en plein été.

— Voyez, leur dit-il, tous ces gens avachis sur le sable pour bronzer. Eh bien, l'énergie solaire, c'est exactement le contraire.

─────── *1259*

Deux vacanciers qui se sont égarés errent depuis plusieurs jours dans le désert du Sahara. Soudain, l'un d'eux s'écrie :

— Regarde là-bas, étendue sur le sable : une femme nue.

— Ouais, fait l'autre, sans enthousiasme.

— Enfin, tu la vois, comme moi ?

— Bien sûr que je la vois, mais ça ne peut être qu'un mirage.

— Qu'est-ce qui te fait penser cela ?

— Elle tient à la main un flacon d'Ambre solaire avec un indice de protection 8. Mais le soleil est si chaud que sa peau aurait été brûlée si elle n'utilisait pas au moins une protection indice 30.

─────── *1260*

Un employé rentre de quinze jours de vacances au bout du monde.

— Tu as vu de belles choses ? lui demande un de ses collègues.

— Je ne sais pas. Je n'ai pas encore fait développer mes photos.

——— *1261*

Une habitante d'un petit village de la Côte d'Azur raconte, avec indignation :

— En revenant de me baigner, j'avais mis mon maillot à sécher, dans le jardin, fixé à une corde. Une touriste a vu là le moyen de se procurer un équipement de baignade à bon compte...

— En volant votre maillot ?

— Non, en volant ma corde.

——— *1262*

— Pour choisir l'endroit où nous allons passer les vacances, raconte un homme, nous jouons à pile ou face, ma femme et moi.

— Comment procédez-vous ?

— Ma femme lance en l'air une pièce de monnaie. Si la pièce tombe sur pile, c'est ma femme qui prend la décision. Et si la pièce tombe sur face, c'est sa mère.

——— *1263*

Une jeune fille dit à son pharmacien :

— Je vais passer une semaine à Torremolinos. Auriez-vous un produit deux en un qui éloigne les moustiques et attire les hommes fortunés ?

——— *1264*

Dans une région de montagne dotée d'un écho extraordinaire, un vacancier dit à un guide :

— J'ai buté et failli tomber à cause de cette grosse pierre, juste au bord du précipice. Vous devriez la signaler par une pancarte.

— Surtout pas ! s'esclaffe le guide. Ça amuse les gens de la vallée d'entendre, répercutés vingt fois, les jurons que lancent les maladroits trébuchant sur cette pierre.

——— *1265*

— Bien sûr, dit le responsable d'une agence de voyages au couple qui est venu le consulter, qu'avec la somme dont vous disposez, vous avez de quoi aller aux îles Canaries – en pédalo.

1266

Du haut de sa chaise, le maître nageur qui surveille la plage dit à l'homme qu'il entend appeler « Au secours » :

— Je regrette mais, si vous voulez vraiment que je vous aide à sortir de la chaise longue dans laquelle vous vous êtes bêtement coincé, il faut que vous alliez d'abord jusqu'à la mer. Notre règlement nous interdit d'intervenir tant que vous n'êtes pas dans l'eau.

1267

Au moment où le commandant d'un transatlantique prend sa retraite, un journaliste l'interroge :

— Quel est le meilleur souvenir de toute votre carrière ?

— Sans doute d'avoir toujours réussi à persuader mes belles passagères que dire « non » au commandant d'un bateau était considéré comme un acte de mutinerie.

1268

Un Français en vacances en Écosse se promène sur la berge d'un loch quand il voit un individu en kilt trébucher et tomber dans l'eau froide du lac.

Comme, manifestement, l'Écossais ne sait pas nager, le touriste plonge dans le loch et parvient à remonter sur la rive l'homme, inanimé.

Une fois qu'il a repris connaissance, l'Écossais remercie chaleureusement son sauveteur.

— Je suis, lui dit-il, le plus grand joaillier du pays et je tiens à vous prouver ma gratitude.

Et, avant que le Français ait le temps de répondre, l'Écossais poursuit :

— J'ai en vitrine, dans ma boutique de Glasgow, une superbe bague, affichée à 250 livres. Eh bien, je vous la laisse à 249.

1269

Cet avis est affiché sur une plage de Californie :
BAIGNADE AUTORISÉE
malgré les 27 disparitions mystérieuses signalées l'an passé.
Si vous voyez un requin, souriez-lui mais ne le nourrissez pas.

─────── *1270*

Au bord de la mer, une baigneuse dit à une nouvelle arrivante :
— Méfie-toi : un vicieux a percé plusieurs trous dans la cabine que tu vois là-bas.
— Mais, ricane l'autre, il en sera pour ses frais s'il s'attend à ce que j'entre dans cette cabine pour me déshabiller. C'est d'un autre âge, ce genre de chose !
— Oui. Mais il se rattrapera quand caché à l'intérieur, il te regardera faire l'amour sur le sable avec le maître nageur.

─────── *1271*

Un grand voyageur résume ainsi son expérience :
— Dans n'importe quel pays du monde, j'arrive à communiquer plus au moins avec les indigènes. En revanche, j'ai le plus grand mal à comprendre les interprètes.

─────── *1272*

L'hôtesse de l'air annonce aux passagers d'un Airbus :
— J'ai deux nouvelles pour vous, une bonne et une mauvaise. La mauvaise d'abord. L'appareil à bord duquel vous comptiez gagner la Sicile va s'écraser, dans la minute qui suit, dans la mer. La bonne nouvelle, à présent. Ne vous tracassez pas pour vos bagages : à la suite d'une erreur de programmation à Roissy, ils ont été chargés sur un avion en partance pour New York.

─────── *1273*

— Comment, demande-t-on à un homme, avez-vous eu l'idée de proposer des vacances à prix réduit par téléphone ?
— En constatant que, neuf fois sur dix, quand une standardiste vous met en attente, vous écoutez pendant dix minutes, *Les Quatre Saisons* de Vivaldi. Quand vous avez enfin en ligne la personne que vous vouliez contacter, la transition s'impose d'emblée : « Maintenant que j'ai longuement écouté *Les Quatre Saisons,* je vous signale que c'est le meilleur moment pour passer quatre jours et trois nuits à Rome à ou Milan. »

─────── *1274*

Un Polonais en vacances dans les Alpes s'amuse avec l'écho.
Il lui crie :
— Je suis polonais.
L'écho répète :
— Je suis polonais.
L'homme poursuit :
— Mon prénom est Ladislas.
L'écho répète :
— Mon prénom est Ladislas.
L'homme continue :
— Mon nom est Poniastovsk...
Et l'écho d'interroger :
— Poniatovsk... qui ?

─────── *1275*

Deux Indiens, cachés derrière un cactus, observent deux voyageuses qui ont profité de l'arrêt de leur diligence en réparation pour se baigner toutes nues dans une mare.
— Apparemment, Œil-de-Lynx, dit l'un des Indiens, il n'y a pas que leurs visages qui sont pâles. Leurs fesses aussi manquent de couleur.

─────── *1276*

Un Français, qui passe quelques jours en Israël, sympathise avec un habitant de la région auquel il dit :
— Vous devez être très vieux.
— Une chose est sûre, quand j'étais jeune, la mer Morte ne souffrait encore que d'une légère indisposition.

─────── *1277*

De retour d'un séjour à Tahiti, un homme raconte :
— Ce qui est bien, là-bas, c'est que les grands arbres sur lesquels poussent les noix de coco ne perdent pas leurs feuilles en hiver.
— Et pourquoi avez-vous la tête entourée de pansements ?
— Hélas, ce n'est pas le cas des fruits.

—————— *1278*

— Je ne veux pas, lors des prochaines vacances, dit une adolescente à sa mère, aller à la montagne pour admirer le paysage.
— Que proposes-tu, alors ?
— Je préfère aller à la mer, me mettre en string et *être* le paysage.

—————— *1279*

Sur la plage, un baigneur ne dissimule pas l'intérêt qu'il porte aux estivantes qui bronzent les seins nus.
— Je t'en prie, Jean-Pierre, lui dit sa femme, un peu de tenue ! Ce n'est pas une façon d'agir pour un homme marié.
— Mais, ma chérie, répond-il, quand nous allons au restaurant, ce n'est pas parce que je suis au régime que je ne regarde pas le menu.

L'art de se ménager

———— 1280

Un écolier dit à l'un de ses camarades :
— Mon père m'a souvent raconté comment il avait lutté victorieusement contre un gorille en Afrique, un crocodile en Amazonie, un énorme serpent en Asie, et un grizzly au Canada.
L'autre éclate de rire :
— Il est courageux à ce point-là ?
— Et comment qu'il est courageux ! Je voudrais que tu entendes sur quel ton il répond à ma mère quand elle lui ordonne : « Nicolas, sors la poubelle ! Pas maintenant ! Laisse-moi au moins le temps de finir de laver la vaisselle ! »

———— 1281

— Le réfrigérateur est réglé pour produire trop de froid, dit une femme à son mari.
— Qu'est-ce qui te fait croire cela ?
— J'y avais mis des œufs que j'avais achetés au marché.
— Et alors ?
— Ils ont éclos et il en est sorti des pingouins.

———— 1282

Une femme est très intéressée par un nouveau type de couteau à ouvrir les huîtres. Elle demande au vendeur :
— Ne vais-je pas me blesser en utilisant cet ustensile ?
— Absolument pas. À condition, bien sûr, que votre mari tienne les huîtres.

———— 1283

— Je suis entièrement convaincu par la force d'aspiration de ton nouvel aspirateur, dit un homme à sa femme. À présent que tu m'as fait cette éblouissante démonstration, pourrais-tu me rendre mon caleçon ?

———— *1284*

— J'aurais dû me méfier, dit un homme qui vient signaler au commissariat que sa femme a disparu.
— Vous méfier de quoi ?
— Quand elle m'a demandé de lui donner l'argent du ménage pour le mois – et qu'elle a exigé que je le lui remette en Traveller's chèques.

———— *1285*

Au cours d'un jeu télévisé, l'animateur demande à un homme, toujours célibataire à 40 ans :
— Quelle est l'expression que vous n'emploieriez en aucun cas ?
— C'est du propre !

———— *1286*

— Quand j'étais adolescent, raconte un homme, j'aurais été bien en peine de distinguer un moulin à café d'un violoncelle. Puis, j'ai étudié pendant quinze ans. Et, maintenant, je suis sans doute le seul homme au monde à jouer une fugue de Bach sur un moulin à café.

———— *1287*

— Nous voilà en octobre, dit une femme à une amie, et je déteste cela.
— Qu'y a-t-il donc de si terrible à affronter le mois d'octobre ?
— Chaque année, c'est la même chose : je dois enlever toutes les guirlandes de l'arbre de Noël pour commencer mon grand nettoyage de printemps.

———— *1288*

En Écosse, un fantôme en triste état dit à un autre :
— J'ai toujours détesté le vendredi, quand la maîtresse de maison fait la lessive. Mais je n'aurais jamais imaginé qu'elle s'équiperait d'une machine à laver, munie d'une puissante essoreuse.

———— *1289*

Le directeur du cirque crie à la femme de ménage qu'il voit évoluer sur le fil du funambule :
— Si vous vous obstinez à utiliser votre balai comme un balancier, vous ne réussirez jamais à chasser la poussière accumulée sur ce fil comme je vous l'ai demandé.

1290

— Regarde, dit une femme à son mari, s'il s'est formé une couche de glace au fond du congélateur.

— Oui, il y en a une.

— Alors, vide entièrement le congélateur.

— Pourquoi ?

— Je voudrais essayer mes nouvelles chaussures de ski pour voir si je ne risque pas de déraper dans les rues verglacées de Courchevel.

1291

Un homme raconte à un ami :

— Ma femme m'a lancé un ultimatum.

— Lequel ?

— Si je ne me décide pas à me lever de mon fauteuil pour aller chercher du travail, elle me délogera à coup de balai.

— Cela ne semble pas trop t'inquiéter.

— En réalité, j'ai encore cinq jours de tranquillité. Elle ne fait le ménage que le lundi.

1292

— Apprends, dit une femme à son mari, qu'une bonne ménagère n'en a jamais terminé avec tout ce qui concerne le nettoyage. Alors, quand tu auras fini de laver et d'essuyer la vaisselle, donne donc un bon coup d'eau javellisée sur le dallage de l'entrée.

1293

Un employé d'une entreprise de sondages est accueilli par une ménagère avec un rouleau à pâtisserie à la main.

— Avant de vous interroger longuement sur vos intentions de vote pour les prochaines élections législatives, dit le sondeur, permettez-moi de vous poser une question qui ne figure pas dans mes fiches : considérez-vous ce rouleau comme « un ustensile ménager indispensable pour confectionner de bonnes tartes » ou comme « une arme défensive contre ceux qui viennent troubler votre tranquillité » ?

——— *1294*

— L'autre jour, raconte une jeune femme à une amie, je suis rentrée à la maison plus tôt que prévu et j'ai trouvé mon mari au lit avec notre femme de ménage.
— Tu t'es fâchée ?
— Pas si bête. Cette fille est tellement susceptible qu'elle n'attendait qu'un prétexte pour partir en claquant la porte et en me laissant toute la vaisselle à faire !

——— *1295*

— Le dessin animé de Walt Disney, *Cendrillon,* raconte une femme, m'a beaucoup impressionnée et j'ai l'occasion d'y repenser chaque matin.
— Vous aimez à ce point les contes de fées ?
— C'est surtout que la vue de cette pauvre fille, contrainte par sa marâtre et ses détestables sœurs de tenir la maison propre avec un vieux balai, tout démantibulé, m'a incitée à m'acheter un aspirateur ultra-perfectionné.

——— *1296*

— Mon fiancé, raconte une jeune femme, a des attentions charmantes. Ainsi, le dimanche, il m'emmène en promenade dans son véhicule de fonction.
— Quel genre de véhicule ?
— Un rouleau compresseur. Ce qui me permet tandis qu'on se balade de poser mon linge par terre et de faire ainsi mon repassage.

——— *1297*

Le chef des ventes d'une fabrique de lave-linge a convoqué un de ses représentants.
— Au cours des trois derniers mois, lui dit-il, votre chiffre d'affaires a chuté de 40 %. Comment justifiez-vous cela ?
— Euh... À cause du réchauffement climatique, il est vraisemblable que de plus en plus de nos concitoyens préfèrent vivre tout nus.

───── *1298*

Une bonne à tout faire, aussi délurée que sexy, a été engagée dans une des plus riches familles de Bruxelles.

Un matin, en faisant le ménage, elle fait tomber une reproduction en porcelaine du Manneken-Pis.

Tant bien que mal, elle ramasse les morceaux et les recolle, en espérant que sa patronne ne s'apercevra de rien.

En fait, dès le premier regard, celle-ci s'écrie :

— Oh ! quelle indécence, Gisèle. Que s'est-il passé avec notre Manneken-Pis ?

La domestique regarde longuement le petit bonhomme, dont la partie la plus intime pointe fièrement vers le ciel.

— J'ai peut-être commis une erreur en le réparant, dit-elle, mais ce n'est pas ma faute. Moi, à chaque fois que j'ai vu un de ces engins-là, il était dressé comme ça !

───── *1299*

— Je me félicite, dit une femme, d'avoir fait dix ans de danse classique, dans ma jeunesse.

— Vous êtes devenue danseuse étoile à l'Opéra ?

— Non, mais quand j'arrive, dans la salle de séjour, en toute discrétion en faisant des pointes, cela me permet de surprendre ma femme de ménage qui fait une petite sieste.

Un commerce agréable

—— 1300

L'employée d'une société de vente par téléphone appelle un numéro sur sa liste.

Habituée à se faire rabrouer, elle est un peu surprise que sa correspondante la laisse vanter les mérites d'une poêle à frire pendant deux minutes.

Elle est encore plus étonnée en entendant ce commentaire :

— C'est un répondeur automatique qui vous a répondu, mais vous êtes tellement convaincante que je vous commande deux de vos poêles à frire-miracle.

—— 1301

Dans une épicerie, une cliente s'attendrit :

— Dire que je les ai connus tout petits et qu'ils atteignent aujourd'hui une taille pareille !

L'épicier questionne :

— Vous parlez de vos petits-enfants ?

— Non : des prix du beurre, de l'huile et des spaghettis.

—— 1302

Une femme dit à son mari :

— Quand tu as commandé sur Internet un instrument de musique, tu as bien tapé h.a.r.m.o.n.i.c.a ?

— Oui, je m'en souviens parfaitement. Pourquoi me poses-tu cette question ?

— Il y a dû avoir un bug quelque part : on vient de te livrer un piano à queue.

—— 1303

— Vous pouvez vous féliciter que je vous reçoive, dit un chef d'entreprise à un représentant. Figurez-vous que, dans la journée, j'ai éconduit, sans les écouter, quinze individus de votre espèce.

— Je le sais d'autant mieux que j'étais douze d'entre eux.

———— *1304*

— Entrons deux minutes dans ce supermarché, dit une femme à son mari, j'ai juste besoin d'une boîte de sardines.

Sans illusion, l'époux questionne :

— Si je prends deux chariots, tu crois que ce sera suffisant pour entasser tous tes achats ?

———— *1305*

Le charcutier du village prend sa retraite. Son fils qui lui succède affiche sur sa vitrine :

Votre nouveau charcutier
Albert Martinot
fait l'andouille encore mieux
que son père.

———— *1306*

— Je n'ai vraiment pas de chance, confie au téléphone une femme à une amie. J'étais sortie pour aller acheter à un petit marchand ambulant un porte-bonheur.

— Et il n'était pas là ?

— Et pour cause ! Il venait de se faire renverser par un autobus.

———— *1307*

Une femme rapporte au bureau des réclamations d'une petite boutique un ravissant éventail andalou, fabriqué en Chine.

— Je l'ai utilisé moins de dix minutes, dit-elle, et il s'est cassé en deux.

— Pouvez-vous m'expliquer, Madame, demande le vendeur, comment vous l'avez utilisé ?

— Comme n'importe quel éventail, bien sûr. En l'agitant devant mon visage.

— Quelle imprudence ! Avec un article aussi peu cher, c'est votre tête qu'il fallait agiter devant lui.

─────── *1308*

L'hôtesse de caisse d'un supermarché énumère les articles qu'elle vient de scanner :

— Une boîte de petits-beurre vide, un sachet de chips vide, une bouteille de juliénas vide, deux trognons de pommes et une peau de banane...

— Eh oui, lui explique le client : en mangeant mes provisions sur place, j'évite de me faire mal au bras en trimballant des sacs trop lourds.

─────── *1309*

Un petit commerçant rentrant chez lui à l'improviste, dit à l'homme qu'il a trouvé dans le lit conjugal en train de faire l'amour à sa femme :

— Dans la vie, il est des circonstances où il convient de devoir fermer les yeux. Aujourd'hui, j'estime que je n'ai rien vu d'anormal dans votre situation. Essayez de vous en souvenir, quand vous examinerez ma prochaine déclaration, monsieur l'inspecteur des impôts.

─────── *1310*

Le directeur d'un grand magasin a réuni les membres de son conseil d'administration.

— Pour lutter contre le gaspillage d'énergie, je propose que nous réduisions d'un quart l'intensité de l'éclairage de nos rayons. Que ceux qui sont d'accord avec cette mesure répondent « oui ».

— Et que doivent répondre ceux qui sont pour une poursuite de l'éclairage actuel ?

— Néon.

─────── *1311*

Une femme, qui va de maison en maison pour proposer une gamme de boîtes en plastique, a trouvé un truc qui lui permet d'attirer l'attention des ménagères les plus réticentes.

Elle les aborde en leur disant :

— En passant devant la demeure de votre plus proche voisine, j'ai machinalement jeté un coup d'œil par la fenêtre de sa chambre à coucher. Et savez-vous ce que j'ai vu ? Si vous me permettez d'entrer, je vais vous raconter cela en détail.

─────── *1312*

Une femme, furieuse, entre dans une boucherie chevaline.
— Pourriez-vous, demande-t-elle au commerçant, m'expliquer pourquoi j'ai trouvé ce morceau de caoutchouc dans votre bifteck haché ?
— Cela prouve, répond-il, sans se démonter, que la voiture automobile tend, de plus en plus, à remplacer le cheval.

─────── *1313*

Dans un grand magasin, un homme, engagé pour tenir le bureau des renseignements, résume ainsi sa première journée :
— Je m'attendais à devoir répondre aux questions les plus diverses mais tout ce que m'ont demandé la plupart des clients et un bon tiers de clientes – et il fallait entendre sur quel ton ! – c'est : « Où est passée la mignonne petite blonde qui était à votre place ? »

─────── *1314*

Un pêcheur malchanceux voit un de ses voisins sur la berge avec un miroir à la main. Il l'interroge :
— Que faites-vous avec cet ustensile ?
— Je capte les rayons du soleil que je renvoie vers la rivière, ce qui attire les poissons vers ma ligne.
— C'est formidable ! Je vous l'achète. Combien ?
— 50 euros.
— C'est cher, mais, manifestement ça vaut le coup.
Après avoir donné ses 50 euros, l'homme demande au vendeur du miroir :
— Vous en avez pris beaucoup depuis ce matin ?
— Vous êtes le sixième.

─────── *1315*

— Je voudrais une glace, dit une femme à un marchand ambulant.
D'une voix terriblement enrouée, l'homme questionne :
— Chocolat, vanille, fraise ?
La dame s'apitoie :
— Vous faites de la laryngite ?
— Non, chuchote le marchand, rien que chocolat, vanille ou fraise.

—————— *1316*

Le patron d'un petit bazar met cet avis, bien en évidence :
KLEPTOMANES
quel plaisir pouvez-vous espérer éprouver en volant
des articles proposés à des prix aussi bas ?
Aucun. Alors, abstenez-vous.

—————— *1317*

Une femme qui fait ses achats dans un hypermarché soupire :
— Celui qui a dit : « L'argent ne pousse pas sur les arbres » n'a jamais vu les prix que les agriculteurs nous font payer pour les pommes et les poires !

—————— *1318*

Un représentant en brosses assure à une banlieusarde qui lui a ouvert sa porte :
— Cette brosse a été conçue pour atteindre les endroits les plus inaccessibles.
— Faites-m'en la démonstration.
— Volontiers, si vous n'êtes pas trop chatouilleuse.

—————— *1319*

— Vous ne vendez plus d'espadon ? demande une cliente à son poissonnier.
— Non. C'était beaucoup trop dangereux.
— Trop dangereux pour le consommateur ?
— Non, pour moi. Un jour, un de mes commis a risqué de m'éborgner en utilisant un de ces poissons au nez pointu pour jouer aux fléchettes.

—————— *1320*

— Maintenant que vous m'avez traité d'une douzaine de noms horribles, dit un représentant à l'homme qui l'a laissé entrer dans son logement, si vous voulez bien prendre la peine de feuilleter l'encyclopédie qui sera à vous contre dix petits versements faciles, vous pourrez constater que ces gros mots y sont tous – sans exception.

──── *1321*

Une jeune étudiante entre dans une bijouterie et se fait montrer une chaîne et une médaille en or dont elle a terriblement envie.
— C'est combien ? questionne-t-elle.
— Je suppose, répond le bijoutier, que vous n'avez pas beaucoup d'argent. C'est pourquoi je vous propose ce plan-crédit. Un premier versement consistant en un week-end d'amour avec moi, par exemple, samedi et dimanche prochain. Et ensuite, une heure de rigolade dans mon arrière-boutique, deux fois par semaine, pendant six mois.

──── *1322*

Une cliente très exigeante s'est fait présenter, par son charcutier, une demi-douzaine d'andouilles.
— Non, fait-elle, d'un air dégoûté, ces andouilles ne me disent rien.
— Vous vous attendriez peut-être, dit le charcutier, à ce que l'une d'elles vous dise « Maman ».

──── *1323*

Un représentant dit à la ménagère qui l'accueille gentiment :
— Bonjour, beauté. Je vous propose un aspirateur sensationnel, à 300 euros.
— Vous commettez deux erreurs, lui dit la dame. D'abord, je ne suis pas une beauté. Ensuite, je n'ai pas la moindre intention de dépenser 300 euros pour un aspirateur.
— Si j'ai commis ces deux erreurs, dit le représentant, je vous prie de m'en excuser et je les corrige. D'abord, disons que vous n'êtes pas mal du tout. Ensuite, cet aspirateur extraordinaire, au lieu de 300 euros, je vous le laisse à 200.

──── *1324*

La standardiste répond :
— Oui, vous êtes bien à la fabrique de rouges à lèvres. La directrice, Mme Carmin n'est pas là pour le moment. Puis-je vous passer un de ses adjoints, M. Pourpre, Mme Brique, Mme Vermillon, M. Cramoisi ou encore Mme Minium ?

———— *1325*

Un pâtissier dit à sa femme :
— Je vais mettre toutes mes recettes sur ordinateur. Pour éviter qu'on ne me les vole, j'aimerais les protéger par un mot de passe, à la fois original et en rapport avec ma personnalité ou mon métier. As-tu une idée ?
— Pourquoi pas Ali Baba ?
— Bof !
— Et Brioche, à cause de ton ventre ?
— Tu n'as pas mieux à me proposer ?
— Si, compte tenu de la façon dont tu me fais l'amour, le surnom qui s'impose est Éclair.

———— *1326*

Une femme, mécontente de l'article qui lui a été livré, appelle la maison de vente par correspondance à laquelle elle s'était adressée. Elle tombe sur un répondeur qui l'avise :
— Si vous voulez passer une commande, tapez le 1. Si vous voulez présenter une réclamation ou une demande de remboursement, tapez le 708914603549103347270084127356.

———— *1327*

Un homme préhistorique a eu l'idée de donner un peu de clarté à la caverne qu'il habite en perçant un trou rectangulaire dans une des parois.
À ce moment, un individu se présente, en expliquant :
— Le téléphone n'a pas encore été inventé. C'est dommage parce que, sinon, je vous aurais passé un coup de fil pour vous proposer de changer vos portes et fenêtres.

———— *1328*

Dans la pénombre de l'arrière-boutique, un petit commerçant aide fiévreusement sa nouvelle et jeune vendeuse à se déshabiller. Et, à chaque pièce de vêtement, il commente :
— Le pull-over, la robe, la combinaison, le collant, le soutien-gorge, la culotte...
À ce moment, sa femme lui crie de l'appartement :
— Alain, tu n'as pas besoin d'aide ?
— Non, non, dit-il. Sois tranquille. Avec l'aide de Sophie, je m'en sors très bien pour faire l'inventaire.

───── *1329*

Une consommatrice dit à l'employé qui approvisionne le rayon « Viandes » de son supermarché :

— Je vois sur ce rosbif la mention « rôti supérieur ». Vous ne vendez jamais de « rôti inférieur » ?

— Si, bien sûr.

— Et à quoi peut-on le reconnaître ?

— Il est étiqueté « rôti premier choix ».

Dans le bain

———— 1330

Une femme sort, toute ruisselante de la douche quand on sonne à sa porte.

— Vite, dit-elle à son mari, passe-moi quelque chose pour que je sois dans une tenue décente s'il s'agit, comme je le pense, du facteur des recommandés.

— Tu veux quoi, exactement ?

— Mes mules.

———— 1331

— Installe-toi confortablement dans la baignoire avec ta maquette du *Titanic*, dit une femme à son mari. Je t'apporte un seau de glaçons pour faire les icebergs.

———— 1332

Un joyeux célibataire, invité à passer le week-end chez des amis, a découvert les serviettes brodées à l'usage de la personne qui les utilise : ELLE pour la femme et LUI pour le mari.

De retour à la maison, il achète une douzaine de serviettes de toilette et les confie à une brodeuse à laquelle il explique :

— Ces six-là, je compte m'en servir pour m'essuyer le bas-ventre et ces six autres pour les fesses.

— Et que souhaitez-vous comme genre de broderies ?

— Pour les six premières, LUI, et pour les six autres, ELLES.

——— *1333*

Une femme dit à une amie qui lui rend visite :
— J'ai disposé sur ce guéridon les photos de tous ceux qui me sont chers : mes trois enfants, les quatre enfants que mon mari a eus d'un premier mariage, les deux enfants que nous avons eus ensemble et le portrait de la directrice de l'agence immobilière qui nous a trouvé un appartement avec trois salles de bains pour que, chaque matin, tout ce petit monde puisse passer à la douche.

——— *1334*

Un homme a passé plus d'une demi-heure dans une boutique à demander à une jeune employée des renseignements sur la meilleure façon d'installer une douche dans sa maison de campagne.
Le soir, il monte dans un bus où il tombe nez à nez avec la vendeuse :
— Je vous reconnais, s'écrie-t-elle, c'est vous qui avez tellement besoin d'une douche.
— Heureusement, répond-il, en souriant, depuis notre dernière entrevue, j'ai acheté un bon déodorant.

——— *1335*

Une réunion se tient au ministère de la Santé sur la nécessité de faire une loi contraignant le personnel des hôpitaux à observer des règles plus strictes en matière d'hygiène.
— Pour savoir, parmi vous, qui est pour et qui est contre cette loi, dit le ministre, à ses collaborateurs, nous allons voter – à main lavée.

——— *1336*

— Ça suffit, dit une mère à son jeune fils. Cela fait cinq jours de suite que tu gagnes contre moi au jeu de pile ou face. Alors, ce soir, range-moi cette pièce de monnaie et file prendre une douche dont tu as bien besoin.

——— *1337*

Dans une fabrique d'articles pour salles de bains, une baignoire, ravie, dit à un lavabo :
— Je viens de recevoir un é-mail.

—————— *1338*

Une jeune femme prénommée Carole recherche sur un site de rencontre l'homme qu'elle pourrait épouser, en précisant : « J'exige que son prénom commence par un F. »

Quand on lui demande pourquoi, elle explique :

— Dans ma salle de bains, toutes les têtes de robinet portent les lettres C ou F. Ça impressionnerait les visiteurs si, moi, Carole, j'épousais un homme prénommé : Fabrice, Fernand, Florian, François, Franck ou Frédéric, et que nous ayons chacun un robinet à notre initiale.

—————— *1339*

Un critique commente ainsi un livre qui vient de sortir :

— Lorsqu'on lit Homère, on le compare à un majestueux océan. Cet ouvrage m'a fait penser à une baignoire – quand mon jeune fils vient de s'y laver après avoir disputé un match de rugby un jour de pluie.

—————— *1340*

Une jeune mariée s'étonne quand son mari qui est déjà assis à patauger dans la baignoire pleine d'eau savonneuse, lui demande :

— Peux-tu me passer mes lunettes de plongée et mon tuba pour respirer sous l'eau.

En riant, elle questionne :

— Tu comptes trouver beaucoup de mérous là-dedans ?

— Des mérous, peut-être pas, mais ça me permettra de récupérer ma savonnette, si jamais elle venait à me glisser des mains.

—————— *1341*

Pendant une forte averse, un poisson émerge de la rivière en faisant un grand saut en hauteur.

Un autre poisson s'étonne :

— À quoi riment ces pitreries ?

— Tu ne le vois pas ? Je prends une douche.

—————— *1342*

Un petit bateau sous le bras, Stéphane (6 ans) dit à sa mère :

— C'est bon, puisque tu insistes, je vais prendre mon bain. Passe-moi la bouteille d'encre de Chine pour qu'une fois dans la baignoire, je joue au tanker qui provoque une marée noire en délestant ses cuves à mazout.

———— *1343*

L'hôtelier demande à un voyageur :
— Votre chambre, vous la préférez avec bain ou avec douche ?
— Quelle est la différence ?
L'hôtelier hausse les épaules devant tant d'ignorance.
— Pour prendre un bain, explique-t-il, vous vous asseyez.

———— *1344*

Une femme voit son mari qui, une serviette sous le bras, se dirige vers la salle de bains. Elle l'interroge :
— Tu vas prendre ta douche ?
— En effet.
— Et je suppose que tu comptes, comme d'habitude, chanter à tue-tête pendant que l'eau ruissellera sur ton corps.
— C'est bien mon intention.
— J'ai mal à la tête. Alors, pour une fois, pourrais-tu laisser tomber le tonitruant grand air du *Barbier de Séville* et ressortir, plutôt, de ton répertoire, quelque chose de doux comme *On a tous quelque chose de Tennessee,* qu'interprète avec tellement de tendresse Johnny Hallyday ?

———— *1345*

— J'ai toujours été très propre, raconte un homme. Je tiens cela de ma grand-mère : elle prenait un bain par an – qu'elle en ait besoin ou non.

———— *1346*

Une jeune femme raconte sa croisière en Méditerranée :
— Le plus agréable, sur ce navire, c'était, chaque matin, de prendre un bain avec beaucoup de mousses dans la baignoire.
— Et quelle différence avec la baignoire de ton appartement ?
— Chez moi, beaucoup de mousse s'écrit au singulier alors que, sur ce bateau, c'était au pluriel.

———— *1347*

Interviewé à la télévision, un écrivain confesse :
— Hélas ! J'appartiens à la vieille génération.
— Qu'est-ce qui vous fait dire cela ?
— Dans ma jeunesse, il fallait brancher la radio sur une prise électrique alors que personne n'aurait eu l'idée de faire cela avec une brosse à dents.

──── *1348*

Enzo (9 ans) répond à son copain qui l'appelle sur son portable :
— Je regrette, mais il n'est pas question que je te retrouve tout de suite pour jouer au foot. Ma mère insiste pour que je fasse d'abord une toilette complète, puis que je range ma chambre. Tu vas devoir attendre cinq minutes, d'autant que, rien que pour me laver à fond, j'en aurai bien pour deux minutes !

──── *1349*

En partant faire un bridge chez des amis, une femme charge sa nouvelle bonne espagnole, qui ne parle pas un mot de français, de baigner les enfants, puis de les mettre au lit à sept heures précises, en se fâchant au besoin s'ils protestent.
Quand elle rentre, elle s'inquiète :
— Alors, ils ont été sages ?
— Oui, répond la bonne, en espagnol, sauf le plus grand des garçons. Il s'est débattu comme un diable avant que je puisse le déshabiller pour le mettre à l'eau et lui laver son zizi.
— Mais nous n'avons qu'un fils, dit la dame. De qui parlez-vous ?
— Du brun avec les lunettes.
— Mon Dieu ! Mais c'est mon mari !

Les gaietés de la politique

Un homme politique très bavard a été invité à parler devant des étudiants.

— J'ai fait l'ENA, leur dit-il, et je vais axer mon discours sur les trois lettres qui forment le nom de cette prestigieuse école. D'abord E : c'est l'enthousiasme…

Et il brode pendant vingt minutes sur ce thème avant d'enchaîner :

— N : c'est la nation…

Et hop, vingt nouvelles minutes de bla-bla.

— Enfin, A : c'est l'autorité…

Le voici reparti pour vingt minutes. Quand il en a terminé, ses auditeurs l'applaudissent mollement sauf l'un d'eux qui lui dit :

— Merci ! Nous avons beaucoup de chance.

— De la chance, s'étonne l'intarissable politicien. Quelle sorte de chance ?

— Vous vous êtes contenté de faire l'ENA alors que vous auriez fort bien pu vous rendre aux États-Unis et obtenir votre diplôme à l'Institut de technologie du Massachussetts.

En visite à l'étranger, le président de la République assiste à un dîner de gala.

À un moment, il adresse ce SMS à son chef de cabinet, assis à un autre bout de la table :

— « Savez-vous qui est cet homme à cheveux blancs, couvert de décorations, à la droite de notre hôtesse ? »

Le chef de cabinet répond par ce SMS :

— « Oui. »

Le président envoie un nouveau SMS :

— « Oui, c'est un peu court comme réponse. »

À quoi le chef de cabinet réplique :

— « Oui, Monsieur le Président. »

────── *1352*

— Je m'élève, dit un député, contre ce projet de loi visant à imposer davantage les hauts revenus. Si nous continuons de tondre ainsi la laine sur le dos de la poule aux œufs d'or, nous allons tarir ce puits que certains croient sans fond.

────── *1353*

Une femme demande à une amie :
— Votre mari sait-il déjà pour qui il va voter à la prochaine élection présidentielle ?
— Oui, mais il tremble.
— À l'idée que son candidat risque d'être battu ?
— Non, à l'idée qu'il puisse être élu.

────── *1354*

Trois célèbres comiques se succèdent sur la scène d'un théâtre parisien pour une bonne œuvre.
À la fin de son numéro, le premier obtient une ovation en concluant :
— Envoyons de l'argent à l'Afrique.
Le deuxième suscite le même enthousiasme en concluant :
— Envoyons de la nourriture à l'Afrique.
Le troisième débite à son tour ses drôleries et le public, auquel il n'a pas arraché un sourire, se dresse, à la fin, pour crier :
— Envoyons ce tocard en Afrique !

────── *1355*

Un candidat à l'élection présidentielle dit à son grand rival :
— Je ne comprends pas pourquoi vous refusez de m'affronter au cours d'un débat à la télévision.
— C'est une question d'odorat. Je n'aimerais pas, non plus, un corps à corps avec un skons.

─────── *1356*

Baptiste (10 ans) monte sur une chaise et se met à haranguer une foule imaginaire :
— Je suis, dit-il, le maître absolu de ce pays et chacun de vous doit m'obéir aveuglément.
À ce moment, le chien de la maison, qui poursuivait le chat, renverse la chaise. L'apprenti dictateur tombe à terre et se fait une grosse bosse au front.
— Je n'aurais pas cru, dit-il, en se relevant, que les opposants au régime soient capables de s'organiser aussi vite.

─────── *1357*

Le Premier ministre rentre plus tôt que prévu d'une séance à l'Assemblée nationale. L'attitude de sa femme lui semble suspecte. Il fouille tout l'appartement et ouvre la porte de la penderie.
À l'intérieur, il découvre deux amants, tout nus, de la belle infidèle.
— Et alors, s'écrie celle-ci, mon chéri, n'as-tu jamais été mis en minorité ?

─────── *1358*

— Quel est le secret de votre réussite ? demande un journaliste à un politicien très en vue.
— Dès le jour où je suis entré en politique, j'ai eu la révélation que, pour bien se faire comprendre, il ne fallait pas hésiter à se répéter… Dès le jour où je suis entré en politique, j'ai eu la révélation que, pour bien se faire comprendre, il ne fallait pas hésiter à se répéter…

─────── *1359*

Trois chirurgiens comparent leurs exploits :
— J'ai greffé un bras droit à un homme, dit le premier, et, par la suite, il est devenu un grand champion de tennis.
— Moi, dit le deuxième, j'ai greffé deux jambes à un blessé de guerre et il a remporté le marathon de New York.
— Eh bien, moi, fait le troisième, j'ai greffé un sourire ineffaçable à un âne. Avec ça, il s'est facilement fait élire député et il est en bonne voie de remporter les primaires de son parti pour l'élection présidentielle.

—————— *1360*

Le maire d'une grande cité accueille un homme politique dont la réputation de malhonnêteté n'est plus à faire.

— Contrairement à ce qui se passe avec nos autres visiteurs, lui dit-il, je ne vais pas vous remettre les clés de la ville. Je pense que vous préférerez que je vous indique comment en crocheter la serrure.

—————— *1361*

Une journaliste dit à un homme politique :

— N'attachez-vous pas une importance exagérée à vos tenues vestimentaires ?

— Pas du tout. J'ai toujours pensé que c'est la tenue qui fait l'homme et je le prouve. À votre avis, dans toute l'histoire de notre pays, combien de nudistes ont joué un rôle important ?

—————— *1362*

Le plus proche collaborateur du Premier ministre arbore à sa boutonnière un discret ruban rouge.

On l'interroge :

— Pour quels services exceptionnels avez-vous reçu la Légion d'honneur ?

— Il s'agit bien d'un service exceptionnel, répond-il, mais ce n'est absolument pas la Légion d'honneur. C'est la femme du Premier ministre qui m'a décerné cette récompense parce que, pendant les huit jours où elle est partie en vacances à l'île Maurice, je m'étais chargé de nourrir leur poisson rouge.

—————— *1363*

Dans un pays dirigé par un farouche dictateur, une femme a bien failli être écrasée par un autobus.

Encore tout émue, elle s'écrie :

— Je suis vivante. Dieu merci.

Un policier, qui l'a entendue, lui dit :

— Quand vous voulez vous féliciter de quoi que ce soit, vous devez dire : « Merci à notre Guide suprême. »

— Ah ! bon. Mais quand notre Guide suprême mourra ?

— Alors, à ce moment-là, vous pourrez dire : « Dieu merci. »

─────── *1364*

Un candidat aux élections législatives s'excuse :
— Compte tenu de sa pâleur, j'ai comparé mon adversaire à un yaourt. J'ai eu tort. Un yaourt est le résultat d'une certaine culture.

─────── *1365*

Un examinateur pose cette question à un élève de Sciences-Po :
— En vous promenant sur une jetée, vous voyez que le président de la République est tombé à la mer et qu'il se débat en criant : « Je ne sais pas nager. » Sachant que vous avez deux possibilités, vous jeter à l'eau pour le sauver ou filmer la scène avec votre téléphone portable, dressez la liste de vos amis auxquels vous adresserez sur *Facebook* cette séquence filmée.

─────── *1366*

Un homme des cavernes observe un de ses congénères qui, juché sur un rocher, agite les bras en criant très fort.
— Je crois, dit-il à l'un de ses compagnons, qu'après la roue et le fil à couper le beurre, il a inventé la politique.

─────── *1367*

Le jeune fils du Premier ministre accueille un visiteur qui a sonné à la porte :
— Mon père n'est pas là, lui dit-il, mais si vous voulez parler au leader de l'opposition, ma mère sera heureuse de répondre à vos questions.

─────── *1368*

Le ministre des Finances retourne dans son village où il n'a pas remis les pieds depuis plusieurs années.
Soudain, il tombe en arrêt devant la fille du fermier, qu'il avait connue plate comme une limande et qui a, maintenant, une superbe poitrine.
— Eh bien, s'extasie-t-il, quand je pense que voilà plus de cinq ans que je passe mon temps à dénoncer les méfaits de l'inflation.

CUMUL.

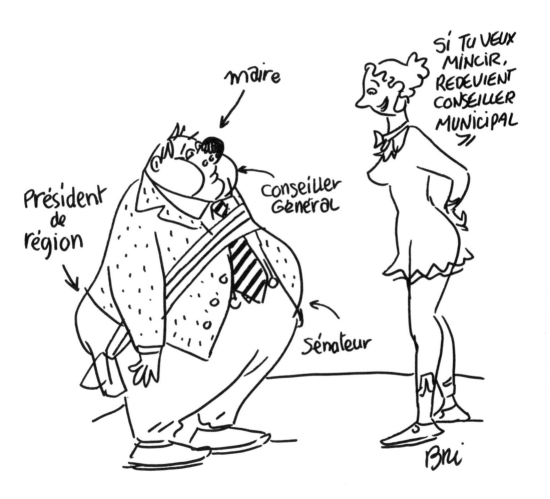

──────── *1369*

Désespéré d'avoir échoué à une élection, un homme politique dit à sa femme :

— Finalement, je me rends compte que je suis un nul, un pauvre type et un bon à rien.

— Je peux t'assurer, lui dit sa femme, que des milliers de gens pensent exactement comme toi.

— Qu'ils sont des nuls, des pauvres types et des bons à rien ?

— Non, que *tu* es tout cela.

──────── *1370*

Un roi, qui rentre au palais après avoir guerroyé contre ses ennemis, est accueilli par son épouse qui l'informe d'un air consterné :

— Sire, notre fils, le prince héritier, a dit ses premiers mots.

— Voilà qui est très réjouissant ! s'écrie le roi. Voyons, qu'a-t-il dit : « Papa ? Maman ? »

— Non. « Vive la République ! »

──────── *1371*

Les cheveux dégoulinants du plat de spaghettis à la tomate que sa femme vient de lui renverser sur la tête, un homme s'écrie :

— Je persiste à me déclarer totalement opposé à l'idée d'un gouvernement autoritaire – et ce n'est pas la façon dont tu traites un parfait démocrate qui me fera changer d'avis.

──────── *1372*

Le Premier ministre dit au président de la République :

— Comme vous m'en aviez prié, Monsieur le Président, j'ai établi deux listes : d'une part, celle des problèmes qui se posent à nous et, d'autre part, celle des solutions que nous pouvons leur apporter.

— Et alors ?

— Les problèmes gagnent par K.O.

──────── *1373*

Un terrible dictateur demande à son valet de chambre :

— Quel jour sommes-nous aujourd'hui ?

— Lundi, répond le domestique qui ajoute, précipitamment : si cela vous convient, bien sûr.

——— *1374*

Un fonctionnaire du ministère de l'Intérieur sonne, sur le coup de 22 heures, à la porte d'une ravissante starlette.

— Mademoiselle, lui dit-il, permettez-moi de me présenter : Victor Laglume, employé au service des écoutes. Par suite d'une providentielle distraction d'un de nos techniciens, en voulant écouter une conversation d'un des leaders de l'opposition, je me suis trouvé branché sur votre ligne téléphonique. Et je vous ai entendue vous plaindre, à votre amie Solène, d'être seule ce soir alors que vous avez très envie de faire l'amour. Me voici…

——— *1375*

Un homme raconte :
— J'avais convié tous les abstentionnistes de France à participer à un grand meeting.
— Et qu'est-ce que ça a donné ?
— Un succès total. Personne n'est venu.

——— *1376*

Un membre du gouvernement, habitué à répondre aux questions des parlementaires, roule en voiture et se perd à cause d'un épais brouillard.
Apercevant un homme qui marche le long de la route, il l'interroge :
— Où suis-je ?
L'homme qui l'a reconnu, lui répond :
— En voiture.
Et il ajoute :
— Comme vous l'avez fait cent fois à la Chambre, je vous dirai que cette réponse est parfaitement adéquate. Elle est brève, elle est juste et elle ne reprend aucun élément d'information qui aurait été développé auparavant.

——— *1377*

Un ministre rentre chez lui et trouve son épouse, au lit, avec un jeune et fringant amant. Il commence par se précipiter vers l'homme quand sa femme lui dit :
— Dis donc, chéri, lorsque tu te seras un peu calmé, fais-lui donc ton habituel discours sur la solidarité entre Français, et la nécessité pour les nantis de partager avec ceux qui n'ont rien.

——— *1378*

Un candidat à l'élection présidentielle a reçu une importante contribution d'un gros industriel.

— Soyez sûr, lui dit-il, que si je suis élu, je saurai vous remercier de votre générosité – en vous décernant la Légion *donneur*.

——— *1379*

Au cours d'un meeting électoral, un candidat lance à ses auditeurs :

— Je me sens en verve pour une réponse idiote. Quelqu'un d'entre vous a-t-il une question stupide à me poser ?

——— *1380*

— La situation ne s'arrange pas, dit un homme à sa femme.

— Qu'est-ce qui te fait penser cela ?

— Un lapsus révélateur d'un envoyé spécial du Journal de 20 heures. Il nous a annoncé, depuis Matignon, la « sortie du conseil des *sinistres* ».

——— *1381*

Un roi, très contesté, d'un petit pays, voit, sur un mur, cette inscription en grandes lettres noires :

À BAS SA GRACIEUSE MAJESTÉ !

— Voilà, s'écrie-t-il, des opposants respectueux comme je les aime.

——— *1382*

Un candidat à la députation écrit au directeur d'un grand quotidien pour se plaindre :

« Monsieur. Un de vos collaborateurs a cru spirituel de déduire, après avoir vu, dans une exposition, un tableau représentant ma femme toute nue, qu'elle avait posé en tenue d'Eve devant le peintre. La chose s'étant passée avant notre mariage, j'ai interrogé ma femme à ce sujet et elle a été formelle : jamais elle n'a accepté de se prêter à la moindre séance de pose. L'artiste l'a peinte entièrement de mémoire. »

──── *1383*

Le Premier ministre, qui présente à la Chambre un budget encore plus déséquilibré que les précédents, confie à l'un de ses proches collaborateurs :
— J'envie le sort d'un garçon d'ascenseur dans un grand magasin.
— Pourquoi cela ?
— Lui, au moins, il sait où il va.

──── *1384*

Un candidat aux élections législatives conclut ainsi un de ses meetings :
— J'ai besoin d'être fixé sur les sentiments profonds des électeurs. C'est pourquoi je propose que, parmi ce public, seuls ceux qui désapprouvent mollement mes idées me bombardent de tomates et qu'ils réservent l'envoi d'œufs pourris à mes véritables opposants.

──── *1385*

Dans une salle où il tenait une réunion électorale, un homme politique s'adresse à l'assistance :
— Quelqu'un a-t-il une question à me poser ?
— Moi, dit une femme tenant d'une main un balai et de l'autre un seau plein d'eau : comptez-vous enfin vous décider à aller vous coucher pour que je puisse faire le ménage ?

──── *1386*

— Vous m'avouez que vous ne pensez qu'aux seins des femmes, dit un psy à un patient. Peut-être l'association d'idées nous permettra-t-elle d'en savoir plus à ce propos. Voyons, à quoi vous fait penser une clémentine ?
— À un sein.
— Une orange ?
— À un sein.
— Un pamplemousse ?
— À un sein.
— Une escalope ?
— À un sein.
— Une élection présidentielle ?
— À une belle poitrine.
— Voyons, fait le psy, quel peut bien être le rapport entre une élection présidentielle et une belle poitrine ?
— Il est évident. Si vous considérez les résultats de cette élection à travers ces dernières décennies, vous constaterez que gauche et droite sont toujours parfaitement équilibrées.

―――― *1387*

— Après lui avoir dicté mon discours, dit un candidat aux électeurs assemblés sous un préau d'école, j'ai demandé à mon assistante de rayer impitoyablement tout ce qu'elle trouvait ennuyeux, filandreux, stupide ou hors de propos. Donc, après cette brève introduction, j'en arrive à ma conclusion qui ne sera pas plus longue : VOTEZ POUR MOI !

Dites-le avec des fleurs

En visite chez une amie, une femme jette un coup d'œil par la fenêtre de la salle de séjour et s'étonne :
— Pourquoi votre mari tourne-t-il en rond sur la pelouse en poussant des cris ?
— Ça, c'est un truc des Indiens que ce grand paresseux a appris en regardant un western à la télé. Il prie le Grand Esprit d'envoyer de la pluie sur ses salades qui souffrent de la sécheresse. Il trouve cela moins fatigant que de transporter des arrosoirs.

— Voici une chose que je ne comprends pas, dit le propriétaire d'une maison de campagne entourée de pelouse : quand Dieu a créé le monde, il a ordonné à l'homme de se reposer le septième jour. Mais pourquoi a-t-il permis qu'on invente la tondeuse à gazon ?

Vivant à l'orée d'une forêt, une femme est excédée de voir les plantations de son jardin régulièrement dévastées.
Persuadée que le coupable ne peut être qu'un écureuil, elle dispose deux cages à fermeture automatique, l'une avec des morceaux de pommes, l'autre avec des noisettes.
Le lendemain, elle annonce triomphalement à sa voisine :
— Ça y est ! Je l'ai eu !
— Qui ça ?
— L'écureuil trop gourmand.
— Et vous l'avez attrapé comment : par les noisettes ?
— Oh ! non. J'aurais eu trop peur de lui faire du mal.

——— *1391*

En s'asseyant à table pour déjeuner, un homme constate que, de part et d'autre de son assiette, sa femme, au lieu d'une fourchette et d'un couteau, a posé une bêche et une fourche.

— C'est bon, dit-il, j'ai compris : je vais le bêcher ce coin de jardin où tu veux planter des géraniums.

——— *1392*

— Notre plante carnivore, dit un homme à sa femme, a une de ses feuilles cassée. Où vais-je pour la faire soigner ? à la jardinerie ou chez le dentiste ?

——— *1393*

— Je pars deux jours chez ma mère, dit une femme à son mari, n'oublie pas d'arroser mes plantes vertes.

En ricanant, il questionne :

— Et pour celles en plastique, qu'est-ce que je fais ?

— La même chose qu'avec les autres – mais avec un arrosoir vide.

——— *1394*

— Jamais, dit une femme, mes plantes n'ont été aussi belles que depuis que je leur parle en leur disant des choses gentilles.

— Par exemple ?

— Mon chrysanthème est superbe et cela, simplement, parce que je lui ai fait ce compliment : « Toi, au moins, tu frises bien sans qu'on ait à t'emmener chez le coiffeur. »

——— *1395*

Le vendeur d'une jardinerie explique à une femme qui veut acheter des fleurs originales :

— Si vous voulez bien tourner la tête à droite, en direction du soleil, vous verrez de très beaux tournesols.

—— *1396*

— C'est bon, dit une femme, d'être l'épouse d'un ventriloque. J'apprécie, quand je viens d'arroser les plantes vertes, que mon mari, abandonnant, pour un moment, sa marionnette, leur fasse dire : « Qu'est-ce qu'on avait soif ! Merci, maman ! »

—— *1397*

Un invité dit à la maîtresse de maison qui l'accueille :
— J'ai apporté pour vous une gerbe de roses et, pour votre plante carnivore, une belle entrecôte.

—— *1398*

— Pouvez-vous, demande le fleuriste à un client, me dire de façon claire ce que vous voulez exprimer à votre femme en lui envoyant des fleurs ?
Le client s'exécute.
— Je regrette, dit le fleuriste, mais aucune de nos fleurs ne saurait correspondre ; ce qui s'en rapproche le plus serait un beau cactus.

—— *1399*

Tandis qu'une femme est occupée à arroser sur le balcon, la seule azalée qu'elle fait pousser dans un pot, son mari lui lance ironiquement :
— Le facteur vient de passer. Il t'a apporté l'une des douze revues de jardinage auxquelles tu t'es abonnée pour te perfectionner.

—— *1400*

— J'avais été très flattée, raconte une actrice, d'apprendre qu'on avait donné mon nom à une rose. J'ai déchanté en voyant la description de cette fleur dans le catalogue Truffaut.
— Et que disait cette description ?
— « À déconseiller dans une chambre à coucher, mais parfaite dressée contre un mur. »

—— 1401

— Hier, raconte une femme à une voisine, mon mari et moi avons fait un repas à 60 euros par personne.

— Vous êtes allés dans un bon restaurant ?

— Non, nous avons mangé en salade les trois tomates que mon mari a récoltées dans son potager après avoir dépensé au moins 120 euros d'engrais pour les faire pousser.

—— 1402

— Ma femme, confie un homme à un psy, est complètement folle. Elle n'a qu'une idée : parler à ses fleurs.

— Qu'y a-t-il d'étonnant à cela ? Beaucoup de femmes parlent à leurs fleurs.

— Même quand elles sont en vacances aux Antilles et qu'elles leur adressent des SMS ?

—— 1403

— Moi, dit une femme à une amie, quand je vais chez un nouveau médecin, je commence par observer soigneusement les plantes vertes de sa salle d'attente. Si elles sont en bonne forme, alors je sais que je peux lui confier ma santé.

Telle est la télé

—— 1404

Un homme qui est en train de suivre un match de football à la télévision, demande à sa femme :
— Pourquoi pleures-tu ainsi ?
— Tu monopolises la télévision pour ton satané football, alors que j'aimerais tant regarder mon feuilleton mélodramatique.
Ne voulant pas discuter, l'homme se lève en disant :
— Vas-y, regarde ce qui te fait plaisir.
Il va bricoler dans son atelier et, quand il revient, il s'inquiète :
— Pourquoi sanglotes-tu comme cela ?
— C'est que, cette fois j'ai vu mon feuilleton.

—— 1405

Un producteur de séries télévisées demande à une jeune et jolie comédienne en quête d'un rôle :
— Vous avez fait beaucoup de pilotes ?
— Euh... Environ 45.
Le producteur s'étonne :
— Vous avez tourné dans 45 premiers épisodes d'une nouvelle série qu'on appelle « pilotes » ?
— Ah ! non, excusez-moi, répond la jeune femme mais, comme je prends beaucoup l'avion, j'avais compris : « Vous vous êtes fait combien de pilotes ? »

—— 1406

— Tu crois qu'il fera beau pour le barbecue auquel nous avons invité nos amis, demain ? demande une femme à son mari.
— Comment croire ce qu'annonce ce météorologue de la télévision ? Il se trompe régulièrement, même quand il décrit le temps qu'il a fait la veille.

——— *1407*

Installé devant le téléviseur, un homme dit à son épouse :
— Commence à te mettre en colère, sans moi, à propos de ma liaison supposée avec ma secrétaire. Je te rejoins dans un quart d'heure pour te donner la réplique, dès que le match de rugby sera terminé.

——— *1408*

— J'aimerais, dit le psy à l'une de ses patientes, compatir à ce que vous me racontez, mais vos démêlés conjugaux me font plutôt rire. Si vous le permettez, pour avoir enfin la larme à l'œil, tandis que vous continuez de me débiter vos sornettes, je vais brancher la télévision et regarder un épisode particulièrement dramatique des *Feux de l'amour*.

——— *1409*

Trois concurrentes se présentent à un jeu télévisé. L'animateur interroge la première :
— Où les femmes sont-elles le plus frisées ?
Sans hésitation, elle répond :
— En Afrique.
— Bravo. À vous, Mademoiselle, quelle est la chose qui appartient à l'homme, mais que la femme aime tenir entre ses mains ?
— Euh… sa carte de crédit, fait la deuxième.
— Encore bravo. Mais je vois la troisième concurrente qui s'en va. Mademoiselle, revenez afin que je vous pose la dernière question.
— Pas la peine. J'aurais déjà eu faux pour les deux premières.

——— *1410*

— Vous vous souvenez, demande-t-on à un couple, du jour où vous avez mis en service votre premier poste de télévision en couleur ?
C'est la femme qui répond :
— Je ne l'oublierai jamais. Jusqu'alors, la seule tache de couleur que nous avions dans notre salle de séjour était notre poisson rouge. Et il a été tellement ulcéré de cette concurrence qu'il en a fait une jaunisse.

──── *1411*

— Maman, demande Hugo (7 ans), comment font-ils à la télévision pour inventer leurs histoires ?

— Ils observent ce qui se passe dans la plupart des familles et ils reproduisent cela dans les séries et les feuilletons.

— Mais, s'ils recopient ce qui se passe dans toutes les maisons, pourquoi, quand on regarde la télé, ne voit-on jamais des gens qui regardent la télévision ?

──── *1412*

Un très mauvais acteur, qui a reçu beaucoup de tomates quand il jouait au théâtre, a entamé une seconde carrière à la télévision.

— C'est magnifique, la télé, dit-il. Vous atteignez des millions de spectateurs qui, eux, ne peuvent pas vous atteindre.

──── *1413*

— Pour participer à une émission de jeux, richement dotée, raconte une femme, j'avais passé deux ans à mémoriser le contenu de tous les dictionnaires que j'avais pu trouver. Quand j'ai été sûre de moi, je me suis présentée aux éliminatoires et j'ai été sélectionnée.

— Et alors, tu as remporté le gros lot ?

— Penses-tu ! J'ai été éjectée dès la première question tant j'étais émue.

— C'était une question difficile ?

— Oh ! non ! L'animateur de l'émission m'avait juste demandé mon nom.

──── *1414*

Le présentateur du journal de 20 heures, tout échevelé et essoufflé, annonce d'emblée :

— Nous allons vous diffuser un court sujet, concernant l'Italie, sur les souffleurs de verre de Murano. J'ai tellement couru dans les couloirs pour arriver à l'heure au studio que cela me permettra, à moi aussi, de souffler un peu.

HA! VOILÀ NOS EXPERTS QUI VONT S'ENVOYER DES CHIFFRES À LA FIGURE
JOUTE DÉBAT
Bm

——— *1415*

On questionne un cameraman qui vient de participer pour la première fois à un « En direct médical » :

— Quelle est la plus grosse difficulté pour vous dans ce genre de reportage à l'hôpital ? La vue du sang, les instruments du chirurgien ?

— Non, le plus difficile, c'est de résister à la tentation de détourner la caméra de l'opéré pour cadrer les belles fesses de l'infirmière.

——— *1416*

Alors que leur jeune fils va se mettre au lit, un couple passionné de télévision l'entend faire cette prière :

— Petit Jésus, j'aimerais bien être un téléviseur. Ainsi, je serais sûr que mes parents s'intéresseraient à moi de temps en temps.

——— *1417*

Un mari brimé fantasme en contemplant l'héroïne d'un feuilleton télévisé qui évolue dans sa cuisine, en courte chemise de nuit transparente.

— Ah ! soupire-t-il, ce que ce serait bon qu'elle vienne un matin me servir mon petit déjeuner au lit !

— Et qu'exigerais-tu d'elle ? demande aigrement sa femme.

— Deux sucres dans mon café.

——— *1418*

— Allô, dit une femme. Oui, mon mari est ici, mais il dort. Si vous voulez bien attendre quelques instants, je coupe le son de la télévision. Cela devrait suffire pour qu'il s'éveille en sursaut et qu'il se lève du canapé en hurlant : « Où en est le score ? »

——— *1419*

Le directeur des programmes d'une chaîne convoque un magicien auquel il a confié une émission en début de soirée.

— Vous qui avez tant de talent pour faire disparaître les choses les plus diverses, lui dit-il, si vous ne voulez pas que je vous flanque à la porte, arrangez-vous pour faire apparaître au moins 800 000 spectateurs quand vous êtes à l'écran.

——— *1420*

Dans un studio de télévision, un gigantesque décor représentant un château fort vient de s'effondrer à grand fracas.

Le responsable de la production accourt au bruit et interroge un machiniste :

— Le réalisateur de l'émission est-il au courant de l'épouvantable chute de ce décor ?

— Il doit l'être, répond l'ouvrier sans s'affoler, il est dessous.

——— *1421*

Un homme arrive au bureau avec un bras dans le plâtre.

— Hier soir, explique-t-il, je voulais regarder un match de rugby à la télé alors que ma femme préférait une émission de télé-réalité.

— Et alors ?

— Comme on n'arrivait pas à se mettre d'accord, elle m'a proposé qu'on désigne celui qui aurait le droit de choisir une chaîne par une partie de bras de fer. Finalement, ce n'est pas si mauvais que cela, la télé-réalité !

——— *1422*

Deux actrices échangent des propos aigres-doux :

— Tout de même, dit l'une, avoue que tu as eu de la chance. Suppose que tu n'aies pas épousé ce réalisateur de télévision qui t'a non seulement révélée mais encore imposée au public, je me demande bien ce que tu aurais fait.

Et l'autre de répondre sèchement :

— Ta carrière !

——— *1423*

En feuilletant un magazine de programmes, une femme confie à une amie :

— C'est bien ennuyeux : ce soir, M6 passe, une fois de plus, *Flic story*.

— Tu n'aimes pas ce film ? Pourtant, il est excellent.

— C'est surtout que mon mari en raffole, au point de s'identifier à son interprète, Alain Delon. Et, quand il vient se coucher, ça ne rate jamais : il me met en garde à vue pour me faire avouer que j'ai un amant.

——— *1424*

Une femme se présente au responsable du service des réclamations d'un grand magasin de téléviseurs.

— Mon mari, explique-t-elle, a acheté ici, il y a douze ans, un poste de télévision.

— Je regrette, répond le vendeur, mais ce téléviseur n'est plus depuis longtemps sous garantie. Il n'est pas question pour nous de le réparer.

— Vous me comprenez mal, enchaîne la dame. Cet appareil n'est absolument pas en panne. Il marche comme au premier jour et c'est précisément là le problème.

— Je ne comprends pas ce que vous souhaitez...

— Pourriez-vous m'indiquer le meilleur moyen de mettre mon poste hors service pour que mon pingre de mari soit obligé d'acheter un téléviseur à écran plat ?

——— *1425*

Dans un vidéo-club, une femme explique le genre de film qu'elle cherche à louer :

— Je voudrais un film tout à fait anodin, dans les 15 premières minutes, et ensuite, dès que mon mari se sera endormi sur le canapé, qu'il comporte un déchaînement de passion à la limite du porno.

Au paradis des bricoleurs

—————— 1426

— J'ai cherché le sucre en poudre, dit un homme à sa femme, et je n'ai pas réussi à le trouver.

— C'est simple, pourtant et tu le sais très bien : il a toujours été sur le buffet, dans la boîte marquée « sel ».

L'homme se met à ronchonner :

— C'est vraiment stupide de ne pas ranger les objets à leur place.

À ce moment, son fils lui demande :

— Papa, j'ai cherché le marteau et je n'ai pas réussi à le trouver.

— C'est simple, pourtant, et tu le sais, répond le père : il a toujours été dans le bas de l'armoire à pharmacie.

—————— 1427

En déballant sa dernière acquisition, un médiocre bricoleur s'écrie :

— Je crois bien que les deux pires mots de la langue française sont ceux-ci : « Assemblage facile ».

—————— 1428

Une femme fait visiter son appartement à une voisine :

— Et ça, demande celle-ci, qu'est-ce que c'est ?

— Un bar que s'est construit mon mari. Oh ! Ce n'est pas tellement cela qui me chagrine. Mais je voudrais que vous voyiez les barmaids qu'il engage pour lui servir ses whiskys.

—————— 1429

— Je veux bien, dit un homme à sa femme, aller repeindre la grille d'entrée, mais à une condition.

— Laquelle ?

— Que tu m'appelles par mon vrai prénom, Gérard, et non plus, avec un sourire ironique « mon petit Michel-Ange ».

—————— *1430*

Une femme examine les cartes de vœux dans une papeterie.

— C'est pour mon gendre, explique-t-elle à la vendeuse. Il est à l'hôpital après s'être obstiné à grimper sur le toit de son pavillon pour y fixer une antenne parabolique. Auriez-vous une carte qui dise à peu près : « Je vous l'avais bien prévenu, espèce de tête de mule ! »

—————— *1431*

— J'avais, raconte un homme, acheté par correspondance, un gros livre intitulé : *Que faire en attendant que le plombier arrive ?*

— Et il t'a servi à quelque chose ?

— Et comment ! Le jour où un tuyau d'eau a éclaté, dans la cuisine, j'ai été bien content d'avoir cet énorme bouquin pour le glisser sous un des pieds de la table, afin de surélever celle-ci et de la protéger de l'inondation.

—————— *1432*

En constatant les dégâts que vient de provoquer son mari en tentant de planter un clou dans un mur, une femme soupire :

— Quelle pitié que le seul outil qu'il soit capable de manier avec habileté soit le tire-bouchon !

—————— *1433*

L'employé chargé des réclamations dans un magasin de bricolage essuie son visage enduit de peinture verte.

— Je sais ce que vous allez me dire, dit-il à la cliente mécontente qui l'a arrosé avec le contenu d'un pulvérisateur : « Je vous assure qu'hier, malgré tous mes efforts, il n'en sortait pas une goutte. »

—————— *1434*

Un petit garçon sonne à la porte d'un voisin.

— Bonjour, Monsieur, dit-il, mon père m'envoie pour vous emprunter votre perceuse.

Après quelques hésitations, l'homme va chercher l'outil qu'il tend au gamin en lui disant :

— Tiens, mon petit.

Et comme l'enfant tourne les talons sans le remercier, le voisin le rappelle et lui dit, d'un ton sévère :

— Ton papa ne t'a rien dit d'autre ?

— Euh... non... Ah ! si. Il m'a dit : « Si ce vieux grigou refuse, va donc chez notre autre voisin. Lui, sera peut-être plus aimable. »

Sous les couvertures

——— 1435

Une femme d'une soixantaine d'années se rend dans une fabrique de pétards.

— Je voudrais une centaine de pétards, dit-elle, et, surtout, qu'ils fassent du bruit.

— Puis-je vous demander, Madame, à quel usage vous destinez ces pétards ?

— Voyez-vous, j'occupe depuis plus de trente ans un poste de bibliothécaire et je suis astreinte à un silence total, comme tous les usagers de cet établissement. Et voilà qu'on me met à la porte. Alors, j'aimerais que Monsieur le directeur se souvienne de mes adieux.

——— 1436

L'auteur d'un *Dictionnaire des synonymes* va trouver un éditeur pour établir les bases du contrat qui fixera ses droits d'auteur.

— Ce que je voudrais, explique-t-il, c'est que ce livre me rapporte un maximum d'argent, de blé, d'oseille, de braise, de flouze, de pépettes, de pognon, de picaillons…

——— 1437

Un critique rencontre un auteur très prétentieux. Il lui dit :

— J'ai lu attentivement votre dernier roman et je n'y ai relevé qu'une faute d'impression.

— Laquelle ?

— Quand vous avez l'impression d'être un bon écrivain, vous vous trompez.

—————— *1438*

Une fillette qui vient d'apprendre à lire déchiffre, devant sa maman, émerveillée, sa première histoire :

— Tom est assis sur la pelouse. L'herbe est *verte*. Tom mange une *orange...*

— Tu as l'air fatiguée, dit la mère.

— En tout cas, fait la gamine, dès qu'on arrive au *rouge*, je m'arrête.

—————— *1439*

Un célèbre chirurgien a écrit ses mémoires qu'il a complétés par quelques pages intitulées « Appendice ».

Son éditeur proteste en voyant cela :

— Coupez-moi cela tout de suite !

—————— *1440*

Dans une bibliothèque publique, un usager demande aimablement à un grand gaillard :

— Pourriez-vous vous baisser pour que je grimpe sur vos épaules ? Je voudrais agripper, au rayon le plus haut, le manuel *Comment s'imposer en piétinant les autres.*

—————— *1441*

Un auteur dit à un éditeur :

— La parution de mon premier roman a suscité beaucoup de commentaires.

— Je les ai lus, répond l'éditeur. Et je vous admire d'avoir eu le courage d'en écrire un deuxième.

—————— *1442*

— Tu es vraiment illogique, dit une femme à son mari. Tout l'hiver, tu as reproché à notre propriétaire de te faire frissonner parce qu'il chauffait très mal notre appartement.

— C'est vrai.

— Aujourd'hui, le printemps est là. Il fait 22 °C à l'ombre. Tu frissonnes toujours et, cette fois, tu as l'air ravi.

— Je frissonne, certes, mais, cette fois, c'est de peur, en lisant le dernier roman terrifiant d'Harlan Coben.

——— *1443*

Un Écossais en kilt entre dans une librairie et dit à la vendeuse :
— Pourriez-vous me montrer cet album qui est dans le rayonnage, en haut de cette échelle ?
— Je veux bien, répond-elle, mais montez derrière moi afin que, pendant que vous regarderez sous mes jupes, ma collègue regarde sous les vôtres pour tout me raconter après.

——— *1444*

À la télévision, un journaliste interroge un homme politique particulièrement ignorant.
— Avez-vous lu Balzac ?
— Bien sûr que j'ai lu *Balzac.* Et, seul, un trou de mémoire momentané m'empêche de vous dire le nom de l'auteur.

——— *1445*

Un jeune poète est fort étonné quand un éditeur lui retourne son manuscrit en lui assurant qu'il est impubliable.
Il appelle l'auteur au téléphone :
— Je voulais vous demander une chose : dans quelles conditions écrivez-vous vos poèmes ?
— En toute franchise, répond le poète, j'agis dans un état second, après m'être solidement dopé au scotch.
— Un bon conseil : relisez vos poèmes un jour où vous serez à jeun.

——— *1446*

— Mon père était professeur de lettres, raconte une blonde. C'est lui qui s'est chargé de mon éducation sexuelle, en me donnant à lire deux livres : *Le Petit Chose* et *Les Deux Orphelines.*

——— *1447*

Un employé se présente sur le coup de 10 heures du matin à l'éditeur de romans de science-fiction chez qui il travaille.
— Je pense que vous me croirez, lui dit-il, si je vous raconte qu'agressé par une bande d'extraterrestres, j'ai dû les combattre avec mon rayon de la mort avant de pouvoir prendre mon bus habituel avec une heure de retard.

——— *1448*

On bavarde entre octogénaires à l'Académie.
— Une de mes premières lectures, dit un immortel, a été un livre de Paul Léautaud, *Le Petit Ami.*
— Et vous n'avez pas lu la suite ? questionne sans rire, un de ses collègues.
— Quelle suite ?
— Après que Léautaud se fut mis au judo, il avait raconté son expérience sous ce titre : *Le Petit Tatami.*

——— *1449*

Un critique exprime sa profonde déception après avoir lu un roman récemment paru :
— Voir ce médiocre écrivain utiliser notre belle langue française me fait le même effet que si je voyais un gorille jongler avec un précieux vase de Sèvres.

——— *1450*

— Moi, dit un romancier, pour écrire un bon livre, j'ai besoin de deux choses : mon ordinateur et un téléphone portable.
— À quoi sert le téléphone ?
— Il est débranché en permanence afin d'éviter les appels de tous les casse-pieds.

——— *1451*

— Ça y est, annonce un homme à sa femme, j'ai mis un point final à mon ouvrage, intitulé *1 000 excuses pour toutes les circonstances de la vie.*
— Bravo, dit l'épouse, mais j'aimerais surtout que tu m'expliques d'où vient le rouge à lèvres sur ton col de chemise ?
— Page 92, 3ᵉ paragraphe.

——— *1452*

Dans un congrès d'écrivains, un homme arbore un tee-shirt portant, sur le devant, cette inscription :

J'écris des romans
Où le sexe est roi.

Et derrière :

Hélas, c'est ma femme
Qui me donne des idées.

———— *1453*

Un critique enchanté par un livre exprime ainsi ce qu'il pense de son auteur :

« Sa plume est si légère qu'elle peut être comparée à un papillon qui aurait virevolté pendant dix ans dans la troupe des danseurs du Bolchoï. »

———— *1454*

L'éditeur demande au romancier dont il s'apprête à publier la première œuvre :

— De quel nom comptez-vous signer ce livre ?

— « 5 %. »

— 5 %. C'est votre vrai nom ?

— Non. C'est un nom d'emprunt.

———— *1455*

Lu cette annonce dans une revue destinée aux bibliophiles :

DEUX BEAUX VOLUMES
À louer au quart d'heure à amateur ayant les mains
suffisamment propres et délicates pour ne pas risquer
de les froisser. Contenus dans le corsage de Germaine
Laridon (dite la Grosse Germaine). Tous les jours,
de 14 heures à 23 heures, rue Saint-Denis
(trottoir des numéros pairs).

———— *1456*

Un romancier écrit :

« Cette après-midi était froide. Aussi froide que... »

Il cherche longuement une comparaison, puis il enchaîne :

« Aussi froide que les beaux yeux d'une femme qui a cessé de vous aimer. »

———— *1457*

— Je ne comprends pas, dit un jeune auteur ulcéré, que vous m'ayez retourné mon manuscrit, alors qu'il s'agit d'un excellent roman.

— Mais, mon ami, répond l'éditeur, si je me mettais à publier de bons romans, comment pourrais-je conserver l'espoir d'obtenir un jour le Goncourt ?

―――― *1458*

Un vieil écrivain qui a entrepris de rédiger ses mémoires confie à son éditeur :

— J'ai oublié beaucoup de mes souvenirs, mais ça devrait s'équilibrer parce que, d'autre part, je me souviens parfaitement de la plupart de mes oublis.

―――― *1459*

— J'en suis à la page 200 de ce roman policier, dit un homme à un ami, et je regrette qu'il n'ait pas été exécuté sans pitié…

— Le tueur en série dont ce livre raconte les épouvantables exploits ?

— Non, l'auteur de ce lamentable navet !

―――― *1460*

Depuis la lune, deux astronautes observent notre globe.

— Regarde, dit l'un d'eux, on voit parfaitement la Chine, à l'œil nu. Cette sorte de serpent qui se déroule sur plusieurs centaines de kilomètres, ce doit être la Grande Muraille…

— Ou la queue devant un magasin qui met en vente la première traduction en chinois des aventures d'*Harry Potter*.

―――― *1461*

Un éditeur raconte :

— Quand je reçois un recueil de poésies, de deux choses, l'une : ou il n'est pas accompagné d'une enveloppe timbrée pour le retour. En ce cas, je le jette à la poubelle. Ou l'auteur a pris soin de joindre une enveloppe timbrée. En ce cas, je lui retourne son manuscrit accompagné d'un petit mot pour lui dire qu'il peut le mettre à la poubelle.

―――― *1462*

Le conducteur d'une camionnette est passé chez un éditeur pour charger une cargaison de dictionnaires qu'il doit distribuer dans les librairies.

Distrait, il heurte violemment un réverbère et s'évanouit sous le choc.

Quand il reprend connaissance, il dit à l'infirmier du Samu qui s'occupe de lui :

— Je suis abasourdi, étourdi, dans les vapes, groggy, traumatisé, complètement vidé…

─────── *1463*

Un homme trouve dans la boîte d'un bouquiniste des Quais, à Paris, un livre soigneusement enveloppé, au dos duquel il lit cette alléchante mention :

SEXE

À

TROIS

Il l'achète et, sitôt rentré chez lui, le déballe pour s'en régaler.

Il découvre alors qu'il s'agissait, tout simplement, du vingtième tome d'une encyclopédie en 24 volumes, avec les définitions des mots de S à T.

─────── *1464*

Un jeune homme qui veut faire carrière dans la littérature demande à un auteur chevronné :

— Quelle est exactement la différence entre la poésie et la prose ?

— C'est très simple. Considérez ces deux phrases : « Margot s'en va remplir son seau – Dans l'eau claire d'un ruisseau. » C'est de la poésie. Maintenant, écoutez ces deux-ci : « Ses cheveux blonds, noués en tresses – Elle a de l'eau jusqu'aux genoux. » C'est de la prose. Supposez, à présent, qu'elle ait eu de l'eau 30 cm plus haut, cela redevenait de la poésie.

Show-biz

—————— *1465*

Un journaliste interroge un compositeur :
— La chanson dont vous m'aviez parlé sur la mer avance-t-elle ?
— J'en ai une vague idée.

—————— *1466*

Alors qu'un millier de magiciens venus du monde entier sont réunis, l'organisateur de cette manifestation prend le micro pour annoncer :
— Nous allons ouvrir ce 26e congrès que nous avons baptisé Sésame. Alors, tous en chœur, crions bien fort : Sésame, ouvre-toi !

—————— *1467*

Le directeur d'un cabaret de Pigalle triomphe :
— Jamais notre danseuse nue Bella Lamour n'a eu autant de succès que ce soir avec sa danse au cours de laquelle elle se dissimule derrière un éventail.
— Et qu'est-ce qui justifie ce succès ?
— Pour une raison que j'ignore, avant d'entrer en scène, elle avait oublié de prendre son éventail.

—————— *1468*

Un acrobate de cirque confie à un autre artiste :
— J'ai mis au point un gag irrésistible : je me dirige en marchant sur les mains vers un passant et je lui dis : « Mes cors me font terriblement souffrir. Pourriez-vous m'indiquer l'adresse d'un bon pédicure ? »

———— *1469*

Un jeune chanteur dépouille son courrier. Après avoir ouvert une enveloppe, il s'écrie :

— Oh ! C'est la plus gentille lettre de fan que j'aie jamais reçue. Il faut absolument que je lui réponde. Voyons : quelle est au juste l'adresse de maman ?

———— *1470*

Une artiste va voir un impresario qui lui demande :

— Que savez-vous faire ?

— Eh bien, je chante.

— Bof !

— Oui, mais, attendez. Je me mets les mains dans des gants de boxe et, tandis que je chante, je m'accompagne au violon.

— Ouais.

— Ce n'est pas tout. En même temps, je plume un poulet.

— Bon, fait l'impresario, d'un air dégoûté, je vais tâcher de vous trouver quelque chose, mais je vous conseille de porter une jupe très, très courte. Parce que si, en plus, vous ne montrez pas vos fesses, votre petit numéro n'intéressera personne.

———— *1471*

Après avoir interprété quelques airs à la mode, une jeune femme confie à la maîtresse de maison :

— J'ai dépensé tout ce que m'avait laissé ma grand-mère : 20 000 euros, pour apprendre à chanter et devenir une vedette.

— Il faut absolument que je vous présente mon frère, dit la dame.

— Il s'occupe de spectacles ?

— Non. Il est avocat. Et je vous jure qu'après que le tribunal vous aura entendue, mon frère aura vite fait d'obliger ces escrocs du cours de chant à vous rendre vos 20 000 euros.

———— *1472*

Une strip-teaseuse raconte :

— Plus jamais je n'accepterai de faire mon numéro comme je l'ai fait, récemment, devant un congrès de médecins.

— Ce n'est pas un bon public ?

— Au contraire. Dès qu'ils m'ont vue ôter ma robe puis mon soutien-gorge, tous les toubibs présents ont eu le même réflexe : se précipiter sur scène, stéthoscope à la main pour m'ausculter.

—————— *1473*

Deux critiques admirent le fantastique numéro de claquettes d'une danseuse de revue.

— Et dire, commente l'un d'eux, que cette vocation est née tout à fait par hasard : parce qu'étant enfant, elle adorait les noix et qu'elle avait pris l'habitude d'en casser les coquilles à coups de talon.

—————— *1474*

— Quand vous m'avez raconté que vous vous preniez pour Elvis Presley, dit un psy à l'un de ses patients, je vous ai suggéré, plutôt que de me décrire vos symptômes de me les chanter.

— Et alors ?

— Cela m'a produit le même effet que si, pour m'expliquer que vous vous preniez pour Renoir, vous m'aviez fait un dessin à la façon de Picasso.

Quel boulot !

———— 1475

Un chef d'entreprise passe un coup de fil à un autre patron :
— J'envisage d'engager un certain Norbert Ripaton qui a été employé chez vous pendant deux ans.
— En effet.
— Dites-moi, entre nous, est-ce un élément stable ?
— Si c'est un élément stable ! Écoutez, s'il avait été seulement un tout petit peu plus stable, il aurait carrément été immobile.

———— 1476

Un reporter interroge un ouvrier qui défonce un trottoir avec son marteau-piqueur :
— Votre métier n'est-il pas trop monotone ?
— Il le serait si je ne rêvais pas en le pratiquant.
— Et à quoi rêvez-vous ?
— Que je suis un dentiste au temps des dinosaures et qu'avec ma fraise je soigne leurs caries.

———— 1477

Dans un observatoire, un astronome va trouver le directeur pour lui dire :
— J'ai été affecté à une mission qui ne me convient pas du tout.
— Comment cela ?
— Vous me demandez d'observer la Voie lactée et il se trouve que je ne supporte pas le lait.

——— *1478*

— Autrefois, dit un spécialiste des relations conjugales, avant d'envisager de se marier, un homme se demandait : « Avec ce que je gagne, pourrai-je assurer l'entretien d'une famille ? »
— Et maintenant ?
— Il s'interroge : « Avec ce qu'elle gagne, ma future femme pourra-t-elle assurer l'entretien de notre famille pendant que je demanderai un travail à Pôle emploi ? »

——— *1479*

Un candidat à une place de valet de chambre raconte :
— J'ai trouvé un emploi formidable chez une riche et vieille comtesse, très, très affectueuse. Ma chance, voyez-vous, ça a été d'avoir mal compris à quoi elle pensait, quand elle m'a dit, le jour où je me suis présenté : « Et maintenant, montrez-moi vos références ! »

——— *1480*

Un fermier a publié cette petite annonce :
« Engagerais J.F. pour laver, repasser et traire deux vaches. »
Une candidate se présente :
— Vos bestioles, dit-elle, je veux bien les laver et les traire, mais croyez-vous qu'il soit vraiment indispensable de les repasser ?

——— *1481*

À 50 m de hauteur, le conducteur d'une grue, est en train de flemmarder quand il voit s'élever devant lui un ballon gonflé au gaz, portant ce message de son patron :
VOUS ÊTES RENVOYÉ !

——— *1482*

Un jeune homme, diplômé à bac + 5, revient après six mois d'absence chez ses parents.
— Que t'est-il arrivé ? questionne son père. Tu avais quitté cette maison à grand fracas en déclarant que tu étais prêt à faire feu de tout bois.
— C'est vrai, mais à Pôle emploi, ils n'ont pas été fichus de me fournir une seule allumette.

——— *1483*

En pénétrant dans un bureau de la Banque Postale ou, comme d'habitude, quatre guichets sur six sont fermés, une femme s'écrie, avec humeur :
— Ils sont vraiment illogiques, à la Poste : ils attachent solidement leurs crayons à bille qui n'écrivent pas par une chaîne, mais ils n'ont pas l'idée d'en faire autant avec leurs employés.

——— *1484*

Sur le chantier d'un immeuble en construction, un ouvrier tend une boîte à l'un de ses collègues :
— Tiens, voici deux œufs bien frais. Tu pourrais me les mettre à tourner, trois minutes, dans ta bétonneuse ? À midi, j'aimerais bien manger des œufs brouillés.

——— *1485*

— Je sais, dit l'employé de Pôle emploi à un chômeur, que le travail vous effraie un peu, mais le poste que j'ai à vous offrir devrait vous plaire. Il s'agit de tenir un bureau des réclamations d'un genre particulier.
— Lequel ?
— Vous devrez enregistrer les plaintes des parachutistes dont le parachute ne s'est pas ouvert.

——— *1486*

— C'est honteux, dit une prostituée : une grande manifestation de travailleurs qui agitaient des drapeaux rouges passait devant mon immeuble. Sortant de sous la douche, je me suis mise à ma fenêtre, totalement nue. J'ai tapé dans l'œil du syndicaliste qui se tenait en tête du cortège. Plantant là ses camarades, il est venu me rejoindre pour une folle partie de jambes en l'air.
— Et alors ?
— Il a eu ensuite le culot de me traîner en justice et de me faire condamner : pour détournement de meneur.

La mode ça fait de l'effet

——— 1487

Une femme rentre d'une tournée de soldes.

— J'espère, dit-elle à son mari, que tu ne m'accuseras plus d'être dépensière. Regarde cette petite robe : elle est ravissante et, en plus, elle ne t'a absolument rien coûté.

— Ce serait trop beau !

— Et pourtant ! À l'origine, elle était affichée 120 euros. La boutique où je l'ai achetée faisait des soldes à 50 %. J'ai donc économisé 60 euros. Et c'est, précisément, avec ces 60 euros d'économie que je me la suis payée.

——— 1488

— Mon mari, confie, une femme, est bitextile.

— Vous voulez dire, sans doute, bissextile, comme une année sur quatre ?

— Non, non, je dis bien bitextile. Étant donné qu'il est très frileux, il met tout en double : ses maillots de corps, ses chemises, ses caleçons…

——— 1489

— Pourquoi, demande un mannequin à un photographe envoyé en Afrique par un grand journal féminin, voulez-vous qu'au risque d'abîmer ma robe de chez Lagerfeld, je grimpe sur un gnou ?

— C'est une idée de la rédactrice en chef, explique le photographe. Elle veut illustrer ce titre dont elle est très fière :

« Cette année, la mode est au-dessus du gnou. »

——— 1490

Un vendeur d'une boutique de chaussures dit à une cliente très difficile :

— Je m'absente une demi-heure pour aller déjeuner. Je vous ai sorti de la réserve 200 paires de chaussures. Amusez-vous à les essayer pendant ce temps-là et on reprendra tout à zéro à mon retour.

MADE IN JAPAN.

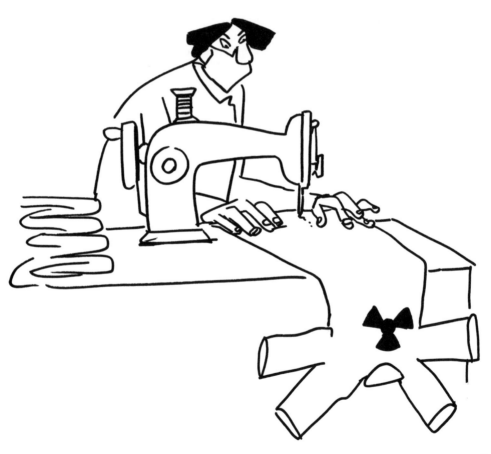

Bri

———— *1491*

La gérante d'une teinturerie dit à son employée :
— Cette bluffeuse de Mme Filochet nous assure que la robe qu'elle vient de nous donner à nettoyer a été tachée par du champagne. Utilisez pour la nettoyer le produit pour les taches de bière : ce sera bien suffisant.

———— *1492*

Un marchand de vêtements se met en colère après un homme qui a passé une après-midi à essayer des vestes et des pantalons sans parvenir à se décider.
— Félicitez-vous, lui dit-il, du choix que je vous offre. J'aurais été heureux d'avoir un tel choix quand je suis entré dans l'armée. On était, alors quelques millions à qui on proposait des uniformes en trois tailles seulement : « trop grand », « trop petit » et « article indisponible ».

———— *1493*

La créatrice de la minijupe a été invitée à participer à une émission de radio.
— Nous n'avons que trois minutes, la prévient d'emblée l'animateur.
— Ça me va, répond-elle : j'ai l'habitude de faire court.

———— *1494*

— Moi, dit un homme, quand je me branche sur le réseau, je respecte scrupuleusement les règles du savoir-vivre entre internautes qu'on appelle la « Netiquette ».
— Comment cela ?
— Je ne m'installe à mon ordinateur qu'après avoir, au moins, enfilé mon slip.

———— *1495*

— Ce pull-over est magnifique, dit un homme à sa femme. Tu l'as tricoté toi-même ?
— Entièrement. Sauf le trou pour passer la tête qui était déjà là quand j'ai commencé.

──── *1496*

Une femme qui essaie des chaussures depuis plus de deux heures dit au vendeur :
— Finalement, le modèle qui m'a fait m'écrier : « Ouille, ouille, ouille » me plaisait bien. Auriez-vous le même en « Aïe, aïe, aïe » ?

──── *1497*

— Tu es toujours bien habillé, dit un employé à un collègue. Moi, je me balade avec des chemises auxquelles il manque au moins un bouton.
— Voilà qui ne risque pas de m'arriver. Ma femme considère comme un avertissement du ciel qu'un bouton qui tombe dénonce une chemise de mauvaise qualité. Et en ce cas, elle colle directement la chemise en question à la poubelle.

──── *1498*

Dans un grand magasin, une femme essaie des robes dans une cabine.
À un moment, son mari qui l'accompagne s'écrie :
— Celle-ci te va à ravir. N'hésite pas une seconde de plus : achète-la.
Une autre cliente sort de la cabine d'essayage voisine et dit à la première femme :
— Pourriez-vous me prêter votre charmant mari pour un petit moment ? Ce n'est pas le mien qui me dirait des choses pareilles.

──── *1499*

Une jeune fille qui fait ses études dans une ville universitaire téléphone à son père :
— J'ai fait la connaissance d'un garçon charmant et je crois bien qu'il est mordu, lui aussi.
— Qu'est-ce qui te fait penser cela ?
— Il m'a demandé si, parmi le linge que j'apporte régulièrement à maman pour qu'elle me le lave, il ne pourrait pas glisser ses caleçons.

——— 1500

— Ce costume vous va très bien, dit le vendeur à un homme qui hésite.
— Qu'est-ce que c'est comme tissu ?
— De la pure laine vierge.
— Il s'en dégage une impression de tristesse. J'aimerais mieux que ce soit plus gai. À la place de votre laine vierge, vous n'auriez pas plutôt quelque chose provenant d'une brebis qui ait un peu rigolé, dans sa vie ?

——— 1501

— En passant rue de la Gare, cet après-midi, raconte une femme à son mari, j'ai eu des ennuis à cause de deux ouvriers qui défonçaient le trottoir avec leurs marteaux piqueurs.
— Ils faisaient beaucoup de vacarme ?
— Oui.
— En ce cas, il fallait mettre tes mains sur les oreilles.
— Je l'aurais fait – si je n'avais pas eu les deux mains occupées à retenir ma culotte dont ils avaient fait sauter l'élastique avec leurs vibrations.

——— 1502

— Je suis atrocement déçue, dit une belle châtelaine. Mon seigneur et maître s'était fait confectionner, par le forgeron local, une superbe armure dans laquelle, quand il avait revêtu son heaume, il était entièrement barricadé. Je pensais qu'ainsi équipé, il allait me laisser toute liberté pendant qu'il irait combattre les infidèles – alors que tout ce qu'il cherchait, c'était à se prémunir contre les moustiques.

——— 1503

Alors qu'elle s'habille pour une soirée, une femme dit à son mari qui trépigne en consultant régulièrement sa montre :
— J'aimerais être un gardon.
— Pourquoi ?
— Tu serais capable d'attendre paisiblement pendant trois heures que je me décide enfin à apparaître.

──── *1504*

— Ma femme, raconte un homme, s'habille pour être vue dans les meilleurs endroits.
— Quels endroits ?
— Les jambes, jusqu'en haut des cuisses et la poitrine, presque jusqu'au nombril.

──── *1505*

— J'ai mis ma lessive à sécher sur un fil dans le jardin, dit une femme à son mari. Peux-tu m'expliquer ce que tu as voulu dire aux voisins, en glissant une manche d'un de mes corsages dans la poche arrière de ton jean où tu as l'habitude de ranger ton portefeuille ?

──── *1506*

Un play-boy a réussi à attirer une belle jeune femme naïve dans son appartement où il l'a fait asseoir, pendant qu'il va chercher la bouteille de champagne.
Soudain, il revient en criant :
— Vite, ôtez votre robe ! Ça brûle !
Sans réfléchir, la fille enlève sa robe.
— Vite, poursuit le séducteur, enlevez votre soutien-gorge et votre culotte. Ça brûle !
Sans discuter, elle s'exécute et, n'ayant plus rien sur elle, à part son nœud dans les cheveux et ses chaussures à hauts talons, elle s'étonne :
— Mais enfin, qu'est-ce qui brûle ainsi ?
— Moi, répond-il : je brûle de faire l'amour avec vous – et je vous jure que ça ne va pas traîner !

──── *1507*

Dans un grand magasin, une grosse dame dit à une vendeuse :
— Cela ne va pas du tout. Jamais je ne pourrai entrer là-dedans.
— En ce cas, je vous suggère de choisir une robe d'au moins deux tailles au-dessus.
— Qui vous parle de la robe ? C'est dans la cabine d'essayage que je n'arrive pas à entrer.

──────── *1508*

Tandis qu'elle essaie un manteau de fourrure, une femme dit à son mari qui fronce les sourcils en découvrant le prix porté sur l'étiquette :
— Imagine que l'on joue au portrait chinois et que je sois une automobile. Eh bien, à l'approche des grands froids, ce manteau serait tout simplement mon antigel.

──────── *1509*

Une femme se désole :
— Pour suivre une mode stupide, mon mari se refuse, désormais, à porter une cravate.
— Et vous le trouvez moins élégant ?
— C'est surtout que c'était bien pratique pour le traîner chez mes parents tous les dimanches pour déjeuner.

──────── *1510*

Un homme procède à une réparation après s'être allongé sous sa voiture.
À un moment, il dit à sa femme qui suit de près l'opération :
— Chérie, passe-moi un chiffon, le plus moche que tu puisses trouver. De toute façon, il sera irrécupérable quand je l'aurai utilisé pour colmater une fuite d'huile.
En commençant à se dévêtir, sa femme lui demande :
— Ma vieille robe que je traîne depuis six ans fera-t-elle l'affaire ?

──────── *1511*

Rentrant chez elle, les bras chargés de paquets, une femme soupire :
— Quelle journée ! J'ai couru tous les magasins sans trouver une seule chose que j'aime.
— Mais, rétorque timidement son mari, qu'y a-t-il alors, là-dedans ?
— Des choses que j'apprendrai à aimer.

──────── *1512*

Une jeune femme, qu'un de ses admirateurs a amenée dans un magasin de fourrures, vient d'essayer un manteau de vison.
— Ne vous y trompez pas, dit-elle, je n'accepterai en aucun cas ce manteau que l'on vient de me présenter. Je ne suis pas ce genre de femme.
— Et qu'êtes-vous donc comme genre de femme ?
— Un bon 44 alors que la taille de ce manteau est un petit 42.

——— 1513

— J'adore, dit un homme, la nuisette que s'est achetée ma petite amie, Jessica.
— Comment se présente-t-elle ?
— 10 % pure soie naturelle et 90 % Jessica.

——— 1514

— Le progrès va trop vite, dit un homme, en soupirant. Au temps des chaussettes de coton qui se perçaient au pouce, mon père avait trouvé une magnifique planque pour ses petites économies. Il les mettait dans un tiroir avec ses chaussettes percées, en sachant bien que ma mère, qui avait horreur de repriser, n'ouvrirait jamais ce tiroir.
— Et maintenant ?
— À présent que les chaussettes en polyamide sont pratiquement inusables, il ne me reste plus, comme cachette, que la poche – que je crois secrète – de mon blouson.

——— 1515

Un promeneur voit, dans une clairière, une superbe blonde qui arrache un à un tous ses vêtements.
L'homme demande au garçon qui accompagne la superbe fille :
— Crazy Horse Saloon ?
— Non : fourmis rouges très méchantes.

——— 1516

— J'en ai assez, proteste une femme. Voilà cinq ans que je porte les mêmes vêtements. Il faut que ça change !
— Je ne suis pas contre le changement, répond son mari. À propos, je te signale que je couche avec la même femme depuis que je l'ai épousée, il y a dix ans.

De quoi s'informer

Un fonctionnaire d'une quarantaine d'années a l'habitude de consacrer, en fin de journée, une demi-heure à feuilleter des revues croustillantes, pleines de jolies filles dénudées.

À la longue, ce manège intrigue un de ses collègues qui s'écrie :

— Eh bien, ça doit te coûter cher, tous ces journaux !

— Oui, répond l'autre : environ 60 euros par mois. Mais c'est ma femme qui paie.

— Ta femme approuve que tu dépenses ainsi des sommes pareilles ?

— Figure-toi qu'elle a un grand principe : elle ne veut pas savoir d'où vient mon appétit dès l'instant que je mange à la maison.

Un jeune journaliste, engagé dans un magazine people, reçoit ces instructions de son rédacteur en chef :

— Parmi les informations, les indiscrétions et les ragots que vous pouvez récolter, vous devez soigneusement séparer le bon grain de l'ivraie. En ayant toujours à l'esprit que nous ne publions que l'ivraie.

Un homme se plaint à la direction d'un organisme d'abonnements à bas prix aux publications les plus diverses :

— Je vous ai envoyé de l'argent, dit-il, et cela pour un hebdomadaire qui, je l'ai appris depuis, a cessé sa publication. Avouez que c'est de l'argent perdu.

— Ça me rappelle quelque chose, répond son interlocuteur en riant.

— Quoi donc ?

— La pension alimentaire que je verse chaque mois à mon ex, dont j'ai divorcé il y a quatre ans.

———— *1520*

Dans une maternité, une infirmière surgit d'une chambre en hurlant :
— VOS ENFANTS SONT NÉS !
Le père, qui a sursauté la questionne :
— Pourquoi braillez-vous comme cela ?
— Vous êtes journaliste, n'est-ce pas ? Eh bien, devant un tel événement, je vous jure que la une de votre journal aurait hurlé, elle aussi.

———— *1521*

Un sexagénaire raconte :
— J'ai longtemps eu pour lecture favorite *Playboy*. Et puis, récemment, j'ai abandonné ce magazine pour le *National Geographic*. Toujours avec la même idée : voir des endroits pittoresques que je n'aurai jamais l'occasion de visiter.

———— *1522*

Un courriériste avide de potins appelle un comédien qui selon la rumeur aurait une liaison tumultueuse avec une femme mariée.
— Je regrette, répond son correspondant, mais je ne donne jamais d'interview l'après-midi.
Le lendemain, le journaliste fait une nouvelle tentative, sur le coup de 10 heures du matin.
— Je regrette, répond le comédien, mais je ne donne jamais d'interview avant midi.
— Mais, alors, avec votre système, balbutie le journaliste, décontenancé, je ne pourrai jamais vous poser les questions qui me brûlent la langue.
Et le comédien de s'esclaffer :
— Génial, non ?

———— *1523*

On dit à un polémiste d'un journal d'opposition :
— Crois-tu que les piques que tu lances quotidiennement sur le Président et sur ses ministres vont changer quelque chose à la situation ?
— Sûrement. Je prétends qu'une guêpe peut faire stopper un TGV. Certes, pas en se cassant le dard sur la motrice, mais en piquant le conducteur au bon endroit.

─────── *1524*

Assis sur un banc, dans un jardin public, un homme qui lit son journal, dit à un joggeur, arrêté à sa hauteur :
— Vous avez encore le temps de faire un tour. Quand vous reviendrez, dans cinq minutes, j'en serai à la page des sports et, alors, puisqu'elle vous intéresse tant, vous pourrez la consulter.

─────── *1525*

— Où vas-tu ? demande un homme à sa femme.
— Retrouver la voisine derrière la haie pour qu'on fasse ensemble la revue de presse.
— Vous commentez l'actualité internationale d'après les journaux ?
— En fait, nous passons en revue les ménagères avec qui le beau blond qui livre les journaux a couché cette semaine.

─────── *1526*

Le marchand de journaux dit au chien qui se présente à son kiosque comme chaque matin :
— Aujourd'hui, le journal que prend régulièrement ton maître est vendu avec le premier volume d'une encyclopédie sur la musique et un DVD du *Don Giovanni* de Mozart. Plutôt que te démolir la mâchoire en tentant de rapporter tout cela d'un coup, je te conseillerais de faire trois voyages.

Histoires fumantes

1527

L'animateur d'un jeu télévisé demande à une candidate :
— Comment avez-vous fait la connaissance de votre mari ?
— Nous étions sur une plage en train de bronzer l'un à côté de l'autre, quand j'ai voulu fumer une cigarette. Je lui ai demandé s'il avait une allumette. Il m'a répondu qu'il m'en passerait une si je lui accordais un baiser et j'ai accepté le marché.
— Et alors ?
— Le lendemain, je lui ai de nouveau demandé du feu mais, cette fois, je ne m'en suis pas tirée à si bon compte : il avait apporté un briquet.

1528

En rencontrant un ami qui vient de se marier, un homme lui demande :
— Alors, comment te sens-tu maintenant que tu as une femme pour veiller sur toi ?
— Rajeuni de dix ans !
— Comment cela, rajeuni ?
— Ma femme a horreur du tabac. C'est pourquoi, quand je veux m'en griller une, je fais semblant d'avoir mal au ventre pour me réfugier dans les toilettes – exactement comme lorsque j'étais lycéen et que ma mère m'interdisait de fumer.

1529

— Tu n'as aucune volonté ! crie une femme, exaspérée, à son mari. Regarde ton ami Daniel, du jour où il l'a décidé, il a totalement cessé de fumer.
— Ah ! je n'ai pas de volonté, rugit le mari. On va bien voir. À partir de ce soir, je fais chambre à part et rien ne m'en fera démordre.
Effectivement, l'homme va s'installer sur le divan du salon et, trois semaines durant, il ne cède pas.
Jusqu'au soir où son épouse vient frapper timidement à la porte du salon.
— Qu'est-ce que c'est ? questionne le mari courroucé.
— Euh... je voulais te dire... Ton ami Daniel...
— Quoi, mon ami Daniel ?
— Eh bien, il a recommencé à fumer.

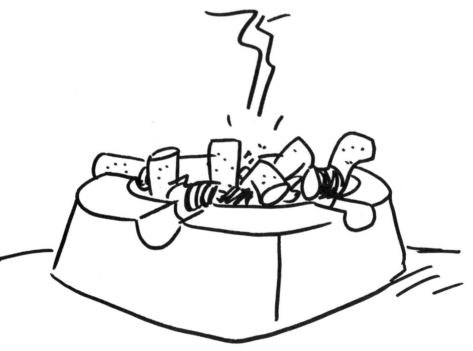

—————— *1530*

Sur une île déserte, un naufragé dit à son compagnon d'infortune, en allumant un cigare :

— J'ai eu beau rouler une feuille de palmier sur ta cuisse en chantant le grand air des cigarières de *Carmen,* à l'arrivée, ça ne vaudra jamais un havane.

—————— *1531*

Un septuagénaire raconte :

— J'ai totalement cessé de fumer et cela de la manière la plus désagréable qui soit.

— Que voulez-vous dire, au juste ?

— Je ne m'accorde, désormais, une cigarette qu'après avoir fait l'amour.

—————— *1532*

À la belle époque du Far West, un fermier a été fait prisonnier par des Apaches, furieux, qui l'attachent au poteau de torture, bien décidés à l'exécuter.

— Je vous assure, proteste-t-il, que je ne savais que les petits nuages de fumée qui sortent de ma pipe voulaient dire dans votre langage : « Votre chef est un crétin. »

—————— *1533*

— Tout de suite après avoir arrêté de fumer, dit un bûcheron, je me suis rapidement dégoûté de mon métier.

— Quel est le rapport ?

— Je ne supportais plus l'idée d'abattre un arbre magnifique pour qu'il soit transformé en cinq millions d'allumettes.

—————— *1534*

— Ça marche tes amours avec la belle Pamela ? demande un étudiant à un de ses copains.

— Non. J'ai rompu. À chaque fois que je l'embrassais, ses lèvres sentaient le tabac.

— Et tu as laissé tomber une si belle fille simplement parce qu'elle fumait !

— Ce qui m'a surtout incité à rompre c'est que, *justement*, elle n'a jamais fumé.

—————— *1535*

— J'habite au 76ᵉ étage d'un immeuble-tour, raconte un homme et les choses se gâtent quand je veux fumer un cigare.
— Pourquoi ?
— Ma femme, qui ne supporte pas l'odeur du tabac, ne m'autorise à fumer qu'à l'extérieur.
— Vous voulez dire sur le balcon.
— C'est cela. L'ennui, c'est que ce genre de bâtiment ne comporte pas de balcons.

—————— *1536*

Dans un monastère, un novice fait part au père supérieur de sa désillusion :
— En entrant ici, je n'avais pas compris que la règle disait « pas de femme », moi j'avais compris : « pas de flamme ». J'en avais déduit qu'il était inutile que j'apporte un briquet à cause de l'interdiction de fumer.

Nom et prénom

──── *1537*

Un fleuriste dit à sa femme :
— Quand notre fille va naître, j'avais pensé qu'on pourrait l'appeler Fleur.
— Et tu as changé d'idée ?
— Réflexion faite, j'ai peur que ce prénom peu courant ne suscite les moqueries de ses camarades d'école. Que penses-tu, plutôt, de Rhododendron ?

──── *1538*

— Comment faites-vous, demande-t-on à un Chinois, pour choisir le prénom que vous allez donner à un nouveau-né ?
— Nous posons sur une étagère fixée en hauteur un objet plus ou moins lourd et nous le faisons tomber à terre. Il ne nous reste qu'à noter le bruit qu'il fait en heurtant le sol : Tang, Bing, Pong, Tchang…

──── *1539*

Noé avait trois fils, Sem, Cham et Japhet.
— S'il avait eu une fille, comment l'aurait-il appelée ?
— *Jeanne d'Arche.*

──── *1540*

Plaqué une fois de plus par une petite amie, un adolescent s'en prend à ses parents :
— C'est votre faute, aussi, plutôt que m'appeler bêtement Ernest, pourquoi ne m'avez-vous pas donné un prénom porte-chance, comme Placebo ?
Son père, très étonné, répète :
— Placebo ?
— Oui. Il paraît qu'en latin ça veut dire : « Je plairai ».

—————— *1541*

Un homme, accablé, constate :
— Le personnage qui apporte des cadeaux, en décembre, est connu sous les noms les plus divers : Saint Nicolas, Santa Claus, Père Noël, Mastercard...

—————— *1542*

Une jeune femme dit au comte Adhormir de Boult qui lui a demandé de l'épouser :
— J'ai vainement cherché votre nom dans le *Who's Who*.
— Et pour cause. Il figure dans un autre ouvrage très différent.
— Comment s'appelle cet ouvrage ?
— « *Qui est donc ce loustic ?* »

—————— *1543*

Un psy dit à son assistante :
— Je vais recevoir M. Lambinois qui se prend pour une pendule et je voulais consulter son dossier mais je ne le trouve pas classé à L.
— Et pour cause, fait l'assistante. Avec le bruit qu'il fait tous les quarts d'heure, je l'ai classé à B – comme Big Ben.

—————— *1544*

Une femme, chargée du recrutement pour une grande entreprise, dit au gringalet qui sollicite un emploi :
— C'est fou, les idées qu'on peut se faire sur un simple nom. Ainsi, quand, sur votre C.V., j'ai lu le vôtre, Goliath, Hercule, Titan, j'ai imaginé, qu'en votre compagnie, je passerais plus d'heures délicieuses que, manifestement, vous ne pourriez m'en donner en dix ans.

—————— *1545*

Un cow-boy dit à un autre :
— On est potes maintenant. On peut en venir aux diminutifs : appelle-moi Tex.
— Tu es du Texas, peut-être ?
— Non, de Louisiane. Mais ne t'avise surtout pas de m'appeler Louise.

Coups de sonde

───── *1546*

Un employé d'une entreprise de sondages à domicile s'est attardé au café, sa journée terminée.

Quand il rentre chez lui, sur le coup de 10 heures du soir, sa femme lui dit :

— Je suis ulcérée par ta conduite à 68 %, j'ai envie de t'assommer avec ma poêle à frire à 14 % et les 18 % qui restent te conseillent de filer au lit en silence avant que je ne me fâche pour de bon.

───── *1547*

Un sondeur est accueilli par un couple auquel il demande :

— Dans votre foyer, quel est le chef de famille ?

— C'est moi, dit le mari.

— Je vais poser ma question autrement. Le soir, au moment de choisir le programme que vous suivrez à la télévision, lequel de vous deux dispose de la télécommande ?

───── *1548*

— Je veux bien, dit un psy à l'employée d'une entreprise de sondages, répondre à vos questions indiscrètes sur ma sexualité mais, plutôt que de rester debout dans ce vestibule, entrons dans mon cabinet de consultations. Je m'allonge sur le divan, vous m'y rejoignez et je suis à vous.

───── *1549*

— Le drame de nos jours, répond un homme à un sondeur d'opinion, c'est que personne ne veut plus prendre la moindre responsabilité. Bon, pour la réponse à votre question, classez-moi dans la catégorie « Indécis ».

──── *1550*

Un homme se présente au propriétaire d'un petit pavillon :
— Je participe, lui explique-t-il, à une vaste opération de recensement.
— Et ça consiste en quoi ?
— Nous voulons savoir le nombre exact de citoyens français.
— Pour ça, dit l'homme, vous tombez mal. Même si Jean-Pierre Foucauld me posait cette question à *Qui veut gagner des millions ?,* je lui dirais que je n'en ai pas la moindre idée.

──── *1551*

— Avez-vous, demande le directeur d'une entreprise de sondages, mené l'enquête sur les goûts des Français en matière de cuisses féminines ?
— Oui : 27 % les aiment bien grasses, 8 % les préfèrent plutôt maigres...
— Et les 65 % restants ?
— Ils aiment quelque chose entre les deux.

Ne perdons pas la boule

——— 1552

En voyant sa boule de cristal s'élever vers le plafond, une extralucide dit à son jeune client :
— Je vois mal ce que cela annonce : ou vous allez entreprendre une carrière de basketteur, en accumulant les paniers réussis ou vous allez prendre part à une expédition vers la planète Mars.

——— 1553

— Je me suis rendu compte que je n'étais plus de première jeunesse, raconte un homme, quand, dans une fête foraine, une diseuse de bonne aventure a proposé de lire mon avenir dans les lignes...
— Dans vos lignes de la main ?
— Non, dans celles de mes joues.

——— 1554

Un garçon, très jaloux, dit à la jeune fille qu'il souhaite épouser :
— Ton horoscope t'annonce que tu auras un garçon et une fille.
— Cela doit te plaire, toi qui adores les enfants.
— Certainement. Sauf que le même horoscope précise que leur père sera un Sagittaire. Alors, qu'est-ce que je deviens, moi, le Bélier ?

——— 1555

Une chiromancienne dit à l'homme qui vient la consulter :
— En ce qui concerne votre passé, je peux vous dire que vous avez choisi le métier de boxeur.
— Très juste.
— Maintenant, si vous voulez que je lise votre avenir dans vos lignes de la main, il faudrait d'abord que vous ôtiez vos gants.

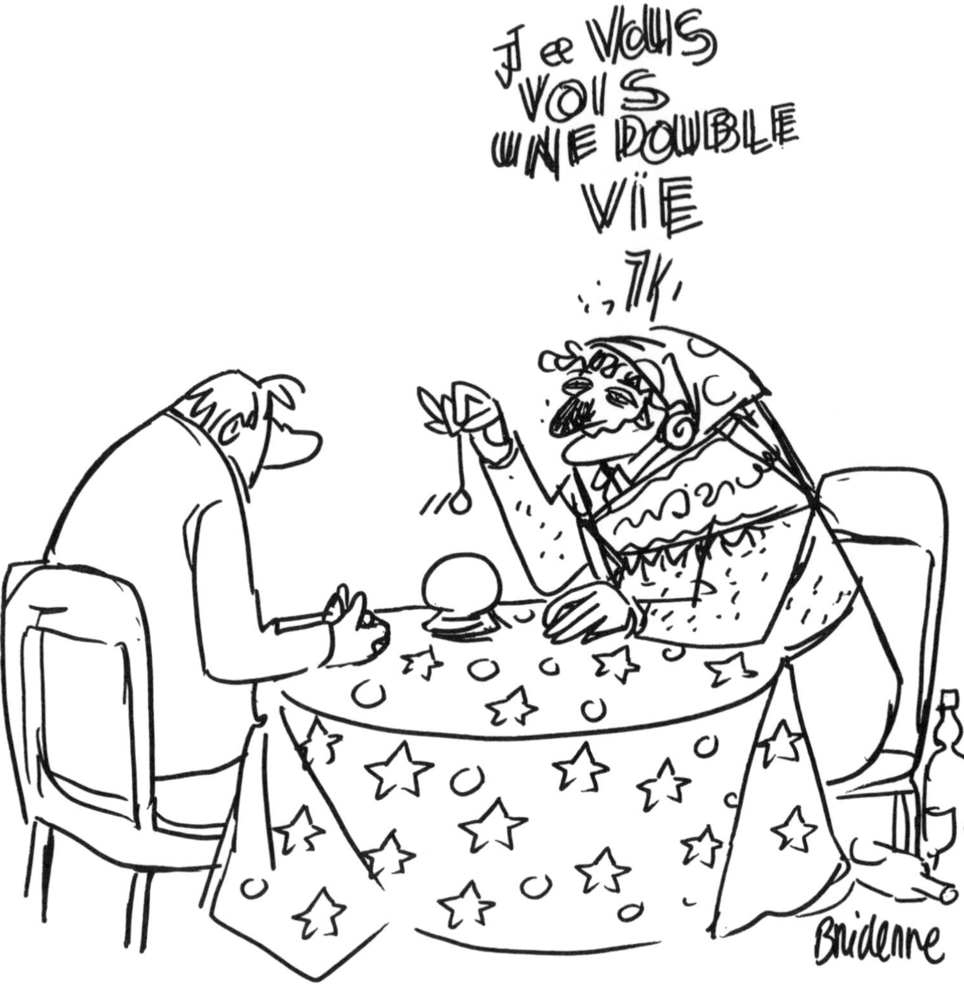
Je vous
vois
une double
vie
Bridenne

──────── *1556*

L'extralucide a sorti d'un tiroir une longue-vue à l'aide de laquelle elle examine sa boule de cristal.

— C'est bien ce que je pensais, dit-elle à son client, vous allez visiter des pays très, très lointains.

──────── *1557*

— Bonne nouvelle, dit la voyante, un jour prochain les gens vivront jusqu'à 100 ans et cela sans prendre de médicament.

À ce moment, elle lève la tête et dit à l'homme qui est venu la consulter :

— Oh ! je suis désolée, je ne vous avais pas reconnu, Monsieur le pharmacien. Bon, nous allons passer aux prévisions, beaucoup plus optimistes, de l'évolution de vos investissements boursiers.

──────── *1558*

— Voyons, ma chérie, dit un homme, pourquoi cet accès de fureur subit ? Je n'ai rien fait.

— Tu n'as rien fait, mais tu t'apprêtes à faire, espèce de monstre. J'ai lu ton horoscope pour la journée dans deux magazines différents et ils sont d'accord. Alors, avoue, quelle est cette blonde débordante d'affection dont tu vas faire la connaissance dans les transports en commun ?

──────── *1559*

Une diseuse de bonne aventure avait prédit à un homme :

— Vous allez, très prochainement, rencontrer un trésor.

Fou de joie, en pensant qu'il va enfin connaître la femme de sa vie, l'homme monte dans sa voiture, se met à rouler de plus en plus vite...

Et il emboutit la voiture blindée d'un transporteur de fonds.

──────── *1560*

En agitant sa boule de cristal, la voyante provoque, à l'intérieur, comme une averse de neige.

— De deux choses l'une, dit-elle à son client : ou vous pouvez vous attendre à passer d'agréables vacances aux sports d'hiver ou vous allez avoir des pellicules.

———— *1561*

En examinant la main gauche d'un homme qui est venu la consulter, une chiromancienne s'écrie :

— Vous avez une ligne de vie d'une longueur exceptionnelle.

— Vraiment ?

— La preuve, c'est que, pour en voir la fin, je vais être obligée de la reprendre en haut de votre main droite, à l'endroit où elle s'est arrêtée, au bas de votre main gauche.

———— *1562*

— Vous me prévenez, dit la voyante, que vous ne comptez pas dépenser plus de 30 euros pour cette consultation.

— En effet, répond le client.

— En ce cas, je vais vous dévoiler tout ce qui sera votre avenir – jusqu'à demain, à 4 heures de l'après-midi. Après, je ne réponds plus de rien, surtout si vous traversez les rues hors des passages protégés.

———— *1563*

L'extralucide est perplexe devant sa boule de cristal :

— Vu ce que c'est flou, là-dedans, dit-elle à l'homme qui est venu la consulter, ou bien vous allez être muté dans une ville toujours pleine de brouillard, comme Birmingham, ou il est temps pour moi de faire changer mes lunettes.

———— *1564*

— Vous allez, annonce la voyante à son client, faire prochainement la connaissance d'une très belle brune qui voudra tout savoir de vous.

L'homme se rengorge :

— Une grande amoureuse ?

— Non, un agent du fisc.

———— *1565*

Au cours du petit déjeuner, une femme dit à son mari, après avoir feuilleté le journal :

— Ton horoscope annonce qu'aujourd'hui, tu vas échapper à un grand danger. Comment ont-ils su que j'avais changé d'idée et que j'allais te servir, ce soir, un inoffensif bifteck-frites au lieu du goulasch au paprika que j'avais prévu ?

──── *1566*

Après avoir regardé dans sa boule de cristal, la voyante annonce à l'homme assis en face d'elle :

— Doté d'une santé à toute épreuve, vous allez faire fortune et épouser une femme superbe qui vous rendra immensément heureux.

L'homme questionne :

— C'est bien vrai, ces prédictions ?

— Aussi vrai que le faux billet de 50 euros que vous m'avez refilé pour payer votre dernière consultation.

Joyeuse vie conjugale

────── *1567*

Un couple en détresse va consulter un conseiller conjugal. Celui-ci demande à la femme :
— Quel est, selon vous, le plus grand défaut de votre mari ?
— La gourmandise.
— Mais encore ?
— Il ne pense qu'à manger.
— Soyez plus précise.
— C'est un goinfre.
— Bien, dit le conseiller, je crois avoir compris quel est son plus grand défaut. Maintenant, quelle est sa principale qualité ?
— Son parfait savoir-vivre. Je voudrais que vous l'entendiez, quand nous prenons le petit déjeuner, me dire, avec infiniment d'égards : « S'il te plaît, ma chérie, aurais-tu l'extrême obligeance de bien vouloir me passer le beurre... ainsi que la confiture d'abricots, la gelée de groseille, la marmelade d'orange, le miel, les œufs brouillés, le bacon, les saucisses, une aile de poulet, le reste du pot-au-feu d'hier, la moutarde, les cornichons, le camembert, le brie, le saint-nectaire... »

────── *1568*

Au comble de la fureur, un médecin lance à sa femme :
— Après dix ans de mariage, au lit tu es vraiment nulle.
Elle ne répond rien et il part pour une tournée de visites. À un moment, la sonnerie de son portable retentit.
— Allô, dit-il, c'est toi, ma chérie ?
— C'est moi.
— Qu'as-tu fait aujourd'hui ?
— J'ai consulté quelques-uns de tes collègues, le Dr Martin, pour avoir une deuxième opinion, le Dr Bronstein, pour une troisième, le Dr Moucheveau, pour une quatrième... Je peux t'assurer qu'aucun d'entre eux ne confirme ton diagnostic.

——— *1569*

Comme sa femme l'accuse de regarder les jolies passantes avec trop d'insistance, un homme proteste :
— Moi, regarder les femmes dans la rue ! Comment peux-tu imaginer une chose pareille ? Je suis trop bien éduqué, trop fidèle – et surtout, trop myope.

——— *1570*

— Mon mari, raconte une femme à une voisine, s'était mis en tête de me tromper avec son assistante, mais j'ai vite repris les choses en main, en achetant...
— Une nuisette particulièrement sexy ?
— Non, une paire de gants de boxe.

——— *1571*

— Tu me critiques à tout propos et même sans propos, dit un homme à sa femme. Je te parie 100 euros que tu n'es pas capable de rester cinq minutes sans trouver à me reprocher quelque chose.
— Pari tenu.
Un bon moment se passe dans un silence total, puis la femme s'écrie :
— On gèle, ici ! C'est ta faute, aussi. Je t'avais dit de monter le thermostat.
— Tu vois, fait le mari, en riant, ça a été plus fort que toi. Il a fallu que tu me critiques.
— J'ai tenu combien de temps ?
— Trois minutes, montre en main.
— Ça m'étonnerait ! Et, parlons-en de ta montre qui marche si mal, je t'avais pourtant déconseillé d'acheter une camelote pareille !

——— *1572*

— C'est fini avec Marc, raconte une jeune femme à une amie.
— Pourquoi avez-vous rompu ?
— Il ne pensait qu'à faire l'amour, au moins trois fois par jour.
— Ça aurait dû te plaire.
— Cela m'aurait certainement plu – si ç'avait été avec moi.

——— *1573*

Un homme qui a subi une sévère correction explique :
— Au cours d'une dispute avec ma femme, je m'étais dissimulé derrière un grand vase en me disant : « Elle n'osera pas risquer de briser un vase de Chine datant d'un millier d'années. »
— Et alors ?
— En fait, ce fameux vase venait de Taïwan où il avait été fabriqué en 1985 ; et, contrairement à moi, elle le savait.

——— *1574*

Un avocat demande à la femme qui est venue le consulter pour engager une procédure de divorce :
— Sous quel régime êtes-vous mariés ?
— J'évite les féculents alors que mon mari en raffole.
— Partagez-vous les mêmes objectifs ?
— Non, il a un Nikon numérique ultramoderne alors que je m'en tiens au classique Kodak jetable.
— Avez-vous au moins un terrain d'entente ?
— Nous possédions un petit jardin de 300 m², mais il a tenu à le vendre.
L'avocat commence à s'énerver :
— Précisez-moi les vraies raisons de votre divorce.
— Je ne peux pas continuer à vivre avec un homme qui, lorsque je lui parle, ne comprend pas un mot de ce que je lui dis.

——— *1575*

Un homme raconte une réaction de sa femme qui l'a indigné :
— L'autre jour, la télévision a annoncé qu'en cas de guerre nucléaire, la terre serait détruite avec tous ses habitants en trois minutes. Et savez-vous quel a été le seul commentaire de ma femme ?
— Non, dites-le moi.
— Elle a éclaté de rire en me lançant : « Ça te laissera le temps de me faire l'amour. Deux fois. »

——— *1576*

— J'accusais mon mari d'avoir un second foyer, raconte une femme, et tout ce qu'il a su dire pour se défendre, c'est : « Je te jure que non, Christine. »
— Peut-être disait-il vrai.
— Alors que, moi, je m'appelle Armelle ?

──────── *1577*

— J'ai un problème, confie un homme à un conseiller conjugal : la pre-mière fois que je fais l'amour à ma femme, je suis pris de frissons alors que la seconde fois, je transpire à grosses gouttes.
— C'est curieux, dit le conseiller.
Quelques jours plus tard, l'homme est de retour.
— J'ai interrogé votre épouse, lui dit le conseiller, et elle s'est mise à rire quand je lui ai exposé votre problème : « Il faut vous préciser, m'a-t-elle dit, que la première fois, c'est pour le jour de l'An et la seconde, le 15 août. »

──────── *1578*

Dans un bar, un homme raconte à son voisin :
— Ma femme m'a bien prévenu que la prochaine fois que je rentrerai à la maison, sur le coup de dix heures, en sentant le pastis à plein nez, elle me servirait mon repas par terre, comme au chien et au chat.
— Dis donc, elle est sans pitié, ta femme.
— Ne crois pas cela. Elle est pleine d'attention, au contraire. Le chien et le chat avaient déjà chacun leur assiette marquée à leur nom. Eh bien, ma femme, par pure gentillesse, en a fait graver une troisième à mon nom.

──────── *1579*

Une femme en visite chez une amie s'étonne d'entendre celle-ci hous-piller son mari, qui somnole sur le canapé :
— Eh, l'Écolo, réveille-toi !
— Pourquoi, demande-t-elle, appelles-tu ton mari l'Écolo ?
— Depuis qu'il a pris sa retraite, il est champion en économie d'énergie.

──────── *1580*

Une femme qui a décidé de surprendre son mari quand il rentrera du bureau, prend une douche, s'inonde de parfum et se glisse toute nue dans un déshabillé transparent.
Quand son mari entre dans l'appartement, elle lui demande, langoureu-sement :
— Devine ce que tu as pour ton dîner ?
— Ah ! non ! s'écrie-t-il, pas exactement le même menu qu'hier soir !

―――― *1581*

— Il y a une incompatibilité totale entre ma femme et moi, explique un homme à un conseiller conjugal. Dès le premier jour de notre mariage, nous n'avons jamais été d'accord une seule fois, et cela depuis dix-huit ans.
L'épouse corrige :
— Dix-neuf !

―――― *1582*

Avant de regagner la terre ferme, le patron d'un bateau de pêche qui revient d'une campagne de trois mois à Terre-Neuve, envoie ce SMS à sa femme :
« BDab. »
En retour, elle lui envoie ce message :
« Non. RDab. »
— C'est toujours pareil, dit en soupirant le marin-pêcheur, plutôt que de penser, comme moi, à la baise, elle veut d'abord que je l'emmène au restaurant.

―――― *1583*

— Comment as-tu rencontré ta femme ? demande un employé à un collègue.
— J'étais avec un copain quand j'ai fait sa connaissance. Nous semblions lui plaire, autant l'un que l'autre. Si bien que mon copain et moi avons décidé de la jouer au poker.
— Et c'est toi qui as perdu ?

―――― *1584*

Très satisfait de sa performance sexuelle pendant la nuit de noces, un homme dit à sa jeune femme :
— Sur une échelle de 1 à 10, quelle note me donnerais-tu ?
— Ce n'est pas la peine de prendre une échelle pour cela, répond-elle : un escabeau suffira.

──────── *1585*

— Ma femme, raconte un malheureux époux, n'a toujours eu qu'un but : me minimiser.

— Qu'est-ce qui vous fait penser cela ?

— J'ai eu la curiosité, vingt ans après, de jeter un coup d'œil aux photos de notre mariage réalisées par le photographe, qui était un de ses amis.

— Et alors ?

— Je n'y figure pas.

──────── *1586*

— Qu'est-ce que tu fais devant cet ordinateur ? demande un jeune marié à sa femme qui n'a pas encore quitté sa robe de mousseline blanche.

— Je raconte notre nuit de noces en détail sur mon blog. J'espère qu'après avoir lu cela, tu sauras te montrer à la hauteur.

──────── *1587*

— J'ai développé toute une théorie à ma femme, raconte un homme, pour lui faire comprendre que, comme le bon vin, je ne peux que m'améliorer avec l'âge.

— Tu l'as convaincue ?

— Au point qu'après cela, elle m'a envoyé dormir dans le cellier.

──────── *1588*

Une femme tend le téléphone à son mari, largement quinquagénaire en lui disant :

— C'est ta mère. Elle voudrait « parler à son bébé chéri ».

— Et alors ? Il n'y a pas de quoi rire.

— Ce qui me fait rire, surtout, c'est sa naïveté. Elle devrait savoir qu'à huit heures du soir, après avoir pris ton bain, bu ton biberon et fait ton gros rototo, tu es déjà en train de dormir, en serrant contre toi ton ours en peluche.

──────── *1589*

— Quand nous nous disputons, mon mari et moi, raconte une femme à une amie, cela se termine toujours de la même façon : je me retrouve agenouillée, dans la chambre.

— Pour demander pardon à votre époux ?

— Non, pour le faire sortir de sous le lit où il s'est réfugié parce que je le menaçais avec mon balai.

—————— *1590*

— Au début de mon mariage, raconte une femme, mon mari était pour moi tout l'univers.
— Et cinq ans plus tard ?
— J'ai beaucoup amélioré mes connaissances en géographie.

—————— *1591*

En rentrant tard chez lui, un peu éméché, un homme est accueilli par les vociférations de sa femme, tandis que leur perroquet se déchaîne et que leur chien se met à hurler.
— Oh ! là ! s'exclame l'époux, respectez la hiérarchie, s'il vous plaît, pour m'adresser vos reproches. D'abord, honneur aux dames, puis la parole au cocker et enfin au perroquet qui a intérêt d'être bref.

—————— *1592*

— Je lisais dans mon mari comme dans un livre ouvert, raconte une femme à une amie, mais, quand j'ai pris pour amant un garçon de vingt ans en pleine forme, j'ai découvert qu'il y a des choses bien plus amusantes à faire au lit que de lire un vieux bouquin.

—————— *1593*

Une femme vient consulter un conseiller conjugal auquel elle confie :
— Je suis la compagne d'un prestidigitateur et je lui sers d'assistante quand il fait son numéro.
— En quoi ce numéro consiste-t-il ? demande le conseiller.
— Il me fait entrer dans une boîte et il me scie le corps en deux.
— Vous faites cela depuis longtemps ?
— Deux ans environ.
— Et c'est maintenant que vous vous inquiétez.
— Oui, parce que, depuis quelque temps, il envisage une séparation. Et j'ai bien peur que, dans son esprit, cela ne consiste, une fois son tour terminé, à ne pas recoller les (deux) morceaux.

———— *1594*

Au soir de leur nuit de noces, un garçon très naïf dit à la jeune femme qu'il vient d'épouser :
— Le premier amour a quelque chose d'irremplaçable, n'est-ce pas ?
— Certes, mais, enceinte de quatre mois comme je l'étais, j'ai quand même été bien contente de te trouver.

———— *1595*

Au comble de la fureur, une femme lance à son mari :
— Tu n'es qu'un sale macho, paresseux, ignorant, égoïste et pervers.
— Oh ! là ! proteste le mari, n'exagère pas tout de même.
— Tu trouves que j'exagère ?
— Et comment ! Tu sembles oublier que j'ai aussi quelques défauts.

———— *1596*

La femme d'un capitaine au long cours est en train de bavarder par-dessus la haie avec une voisine, quand elle voit jaillir une boule de feu rouge par une fenêtre de sa salle de séjour.
— Bon, dit-elle, il faut que j'y aille. Visiblement, mon mari a envie de passer à table : il vient de lancer une des fusées de détresse qu'il a rapportées à la maison quand il a pris sa retraite.

———— *1597*

Une femme qui songe à divorcer dit à l'avocat qu'elle est venue consulter :
— En ce qui concerne l'amour, mon mari est vraiment un champion.
— Il vous amène régulièrement au plaisir ?
— Ce que je veux dire, plutôt, c'est qu'il arrive toujours le premier.

———— *1598*

Après une dispute, une femme appelle son mari au bureau :
— Chéri, lui dit-elle, tu me manques. C'est pour cela que je t'aime. Je t'aimerais sûrement beaucoup moins si, un jour, tu apprenais à mieux viser.

———— *1599*

— Ma femme, se plaint un malheureux mari, est une véritable nymphomane. Tous les samedis, elle me laisse à la maison pour aller participer à une orgie.

— Et cela vous contrarie, bien sûr.

— C'est surtout que, lorsqu'elle rentre, nue sous sa robe, elle prend froid et, au moment de se coucher dans le lit, elle éternue et me réveille en sursaut.

———— *1600*

— J'avais pour compagnon, raconte une femme à une amie, un homme qui me répétait toujours que j'étais sa bouée de sauvetage.

— Et alors ?

— J'ai compris qu'il ne m'aimait plus du jour où j'ai découvert qu'il apprenait à nager.

———— *1601*

— Apprends, mon petit bonhomme, s'écrie une femme, au comble de la colère, qu'il n'existe *qu'une seule* circonstance où je t'autorise à me dire : « Tu as tort. » C'est si, préalablement, j'ai dit : « Je crois, exceptionnellement, que je n'ai pas raison. »

———— *1602*

— Mais, enfin, dit une femme à son gendre, qu'êtes-vous, au juste : un homme ou une souris ?

— Un homme.

— Vraiment ? Et qu'est-ce qui vous fait penser cela ?

— Votre fille a peur des souris.

———— *1603*

Une assistante, récemment engagée, dit au chef des Services secrets :

— Vous avez reçu un e-mail de votre femme.

— Que dit-il ?

— « Espèce de vaurien, ne t'avise pas de t'attarder au café ce soir, comme tu en as pris la triste habitude. »

— Vous pensez bien, explique l'homme, que, vu mon poste, nous communiquons par message codé. Celui-ci signifie : « Mon grand chéri, je t'aime. Prends une salade chez le marchand de fruits et légumes avant de rentrer à la maison. »

——— *1604*

Un homme, dompteur dans un cirque, raconte :
— Quand j'ai épousé ma femme, j'ai tenu à ce que la cérémonie ait lieu dans la cage de mes fauves, au milieu de six lions féroces.
— Ce devait être impressionnant.
— Et comment ! Vu le regard noir que me jetait ma fiancée, je n'avais pas intérêt à bafouiller au moment de répondre « oui » à Monsieur le maire.

——— *1605*

Un homme dit à la jeune femme dont il est tombé amoureux :
— Je vais vous poser une question à laquelle je vous demande de répondre sans détour, avec une totale franchise : accepteriez-vous de m'épouser ?
— Jamais ! hurle-t-elle. Vous m'entendez bien, ja-mais. Et cela, même si je devais vivre cent ans.
— Merci, dit son soupirant, de m'avoir répondu, comme je vous le demandais, en toute franchise. Maintenant, quelle serait votre réponse si vous étiez un petit peu menteuse sur les bords ?

——— *1606*

— Ma chère Aurélie, dit un patron à son assistante, vous plairait-il de venir vous détendre, pendant le week-end, en m'accompagnant en voyage d'affaires à Londres ?
— Certainement, mais laissez-moi passer un coup de fil à votre femme pour lui dire que mon frère est à sa disposition, pour le cas où elle voudrait se détendre, elle aussi.

Table des matières

Introduction 7
L'amour, toujours l'amour 15
À table ! 36
Quels amours d'enfants 45
En voiture pour le rire 57
Quoi de neuf, docteur ? 65
Pas bêtes, ces animaux 90
Bon anniversaire 117
Après la pluie, le beau temps 122
En avant la musique ! 128
Passons la monnaie 137
Pays étrangers 148
Décollage immédiat 158
Ça s'arrose ! 165
Employés de bourreaux 175
Perles de pub 186
Dans de beaux draps 189
À l'école du rire 197
Prière de sourire 207
Au musée on va s'amuser 219
De la farce au menu 226
Garde-à-vous ! 237
Humour maison 247
Cherchez et vous trouverez 254
Le terrible divan 261
La barbe et les cheveux 273
Le stade de l'humour 281
Nos chers petits 296
Ça brûle les planches 304
Les extraterrestres débarquent 311
Faits d'hiver et d'été 313
Allô, je coûte 319
C'est du beau ! 326
Justice est fête 332

Repos à loisir 339
La bande des cinés 350
Des transports de joie 357
Voisins et amis 364
Le temps des vacances 369
L'art de se ménager 389
Un commerce agréable 394
Dans le bain 402
Les gaietés de la politique 408
Dites-le avec des fleurs 419
Telle est la télé 424
Au paradis des bricoleurs 431
Sous les couvertures 435
Show-biz 443
Quel boulot ! 447
La mode ça fait de l'effet 451
De quoi s'informer 460
Histoires fumantes 463
Nom et prénom 467
Coups de sonde 469
Ne perdons pas la boule 471
Joyeuse vie conjugale 477